GRAMÁTICA BÁSICA DEL ESPAÑOL

norma y uso

Ramón Sarmiento   **Aquilino Sánchez**

GRAMÁTICA
BÁSICA
DEL ESPAÑOL

norma y uso

SOCIEDAD GENERAL ESPAÑOLA DE LIBERIA, S.A.

Primera edición, 1989
Segunda edición, 1990

PRODUCE: SGEL-Educación
          Marqués de Valdeiglesias, 5-2.º-28004 MADRID

ISBN: 84-7143-410-5
Depósito Legal: BI-915-90
Printed in Spain-Impreso en España

Cubierta: L. Carrascón
Maqueta: C. Campos

Compone: DIDOT, S.A.
Imprime y encuaderna: GRAFO, S.A.

SUMARIO

PRÓLOGO

Es difícil asimilar o adquirir una lengua sin un estudio metódico de su vocabulario y de su gramática básica. El manual que presentamos facilita esta doble tarea, porque inicia al hablante en el conocimiento reflexivo del uso y de la norma y porque asegura la autonomía de expresión, en el plano gramatical, mediante la explicación y el análisis de las principales reglas de funcionamiento del sistema lingüístico.

Como indica el título, es una gramática básica, porque describe los principios idiomáticos que rigen el uso y porque ofrece una explicación clara y concisa de los mismos a través de breves y sencillas reglas fundamentadas en numerosos ejemplos. Y es una gramática orientada hacia el uso porque se analiza la lengua española actual y se dejan de lado usos anticuados y sin vigencia en la lengua de nuestros días. Pero también una gramática necesariamente atenta a la norma lingüística que permite a los hispanohablantes comunicarse y entenderse más allá de las peculiaridades dialectales.

En la gramática básica del español, dada su finalidad eminentemente práctica, hemos prescindido de una excesiva teorización. Hemos tenido en cuenta los resultados y avances de la lingüística moderna firmemente asentados y fácilmente comprensibles, pero también hemos aprovechado la sabiduría acumulada durante tantos siglos de reflexión gramatical.

Metodológicamente, partimos del contexto de la oración y procedemos a describirla en sus formas, funciones, y usos. No obstante, en la descripción no descuidamos el significado; damos cuenta de las distintas realizaciones que las palabras y oraciones pueden tener según la situación comunicativa.

En pro de una mayor utilidad, la gramática básica va precedida de un sumario que facilita una rápida localización de las cuestiones más importantes del conjunto en que está dividida (grupo nominal, grupo verbal, oración). También va seguida de un índice sistemático que permite buscar términos gramaticales o aspectos nocionales.

Por todo ello, esta obra es recomendable y útil para los estudiantes de español como lengua extranjera que hayan superado los niveles iniciales; para los estudiantes nativos del primer ciclo universitario que han de consolidar sus conocimientos gramaticales y profundizar en el análisis del uso idiomático; para los profesionales que deseen tener al alcance de la mano un libro de consulta para confirmar alguna regla, verificar alguna forma o revisar metodológicamente algún tema.

Nueva en la organización de los contenidos, la gramática básica del español *se inscribe en la corriente renovadora de la enseñanza gramatical, que considera la lengua como un* sistema heredado para comunicarnos y pensar, *no como un fin en sí mismo.*

LOS AUTORES

1 | LA LENGUA ESPAÑOLA EN EL MUNDO

I. Origen y evolución del español

El idioma oficial de España es el español, llamado también *castellano* por haber nacido en el antiguo Condado de Castilla y por haber sido la lengua de éste antes de que existiese la nación española. El haber servido de vehículo de expresión de la más importante literatura de la Península Ibérica y el haberse convertido más tarde en la lengua usual de comunicación del continente descubierto por Cristóbal Colón le reportaron la denominación de «Lengua Española». Absorbió el viejo *leonés* y el *navarro-aragonés.* Avanzó desde el Norte con la Reconquista, dejando el *catalán* y sus dialectos en la parte oriental peninsular, y en la occidental, el *gallego-portugués.* Floreció en el Sur en las modalidades meridionales, de las que el *andaluz* es su variedad más notable y moderna. A finales del siglo XV inició su irradiación en la América recién descubierta. A la configuración y constitución actual del español han contribuido tanto españoles como hispanoamericanos. Hoy la lengua del mundo hispánico es el *español.*

1. La lengua española en el mundo

La lengua española es uno de los medios de comunicación más importantes del mundo. La hablan más de 300 millones de personas. Por su número de hablantes ocupa el quinto lugar entre las grandes lenguas del mundo, tras el chino, el inglés, el indostaní y el ruso.

2. Su extensión geográfica

La lengua española deriva del latín vulgar que hablaron los soldados, funcionarios y colonos romanos asentados en la Península Ibérica. Es el idioma neolatino más difundido en el mundo y la lengua oficial de una veintena de naciones (ver mapa de página 10).

2.1. En Europa: se habla en España.

2.2. En Hispanoamérica: se habla en Argentina, Bolivia, Colombia, Costa Rica, Cuba, Chile, Ecuador, Guatemala, Honduras, México, Nicaragua, Panamá, Paraguay, Perú, Puerto Rico, República Dominicana, (El) Salvador, Uruguay, Venezuela.

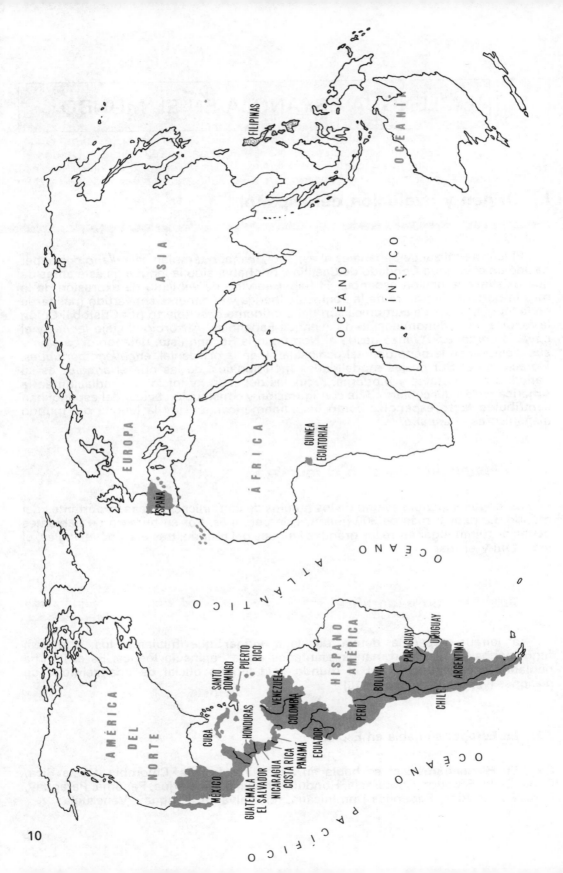

ASIA

OCEANÍA

FILIPINAS

ÍNDICO

OCÉANO

EUROPA

ÁFRICA

GUINEA
ECUATORIAL

ESPAÑA

OCÉANO

ATLÁNTICO

AMÉRICA
DEL
NORTE

SANTO
DOMINGO

PUERTO
RICO

CUBA

VENEZUELA

HISPANO
AMÉRICA

HONDURAS

COLOMBIA

PARAGUAY

URUGUAY

PANAMÁ

ECUADOR

BOLIVIA

ARGENTINA

MÉXICO

GUATEMALA

EL SALVADOR

NICARAGUA

COSTA RICA

PERÚ

CHILE

OCÉANO

PACÍFICO

2.3. En África: se habla en Guinea Ecuatorial.

Además, compartió durante largo tiempo la situación de «lengua oficial» con el inglés y el tagalo en las islas Filipinas, antigua colonia española. Como lengua materna (español arcaico) se habla entre los descendientes de los judíos expulsados de España en 1492 (comunidades sefardíes del Mediterráneo). En Estados Unidos el español es usado como lengua de comunicación entre la mayoría de hablantes no anglosajones de los Estados de Colorado, Arizona, California y Nuevo México y por numerosos grupos hispanos de Nueva York y Florida.

3. El español en América

A raíz del descubrimiento de América en 1492, el español arraigó primero en las Antillas *(período antillano)* y luego en el continente *(período continental)*. Desde entonces, la hispanización de una gran parte de América ha sido constante y progresiva, habiéndose incorporado a ella los indígenas y grandes contingentes de africanos de raza negra. Todo ello ha enriquecido y revitalizado la lengua. La hispanización lingüística culminó, paradójicamente, a partir de la independencia de las naciones hispanas de América (1810). En ella se integraron también millones de inmigrantes procedentes de Europa, a partir del siglo XIX. Incluso gallegos, vascos y catalanes se castellanizaron definitivamente en tierras americanas. Hoy América se ha convertido en el más poderoso campo de hispanización del mundo.

4. Variantes de la lengua española

La lengua culta hablada y escrita en Hispanoamérica es prácticamente la misma que se habla y escribe en España. El uso de vocablos peculiares en áreas limitadas no alteran su unidad sustancial, como tampoco la alteran las variedades fonéticas o léxicas del español de España. La «koiné» que se ha constituido es sumamente sólida y garantiza el futuro lingüístico de la unidad de millones de hombres a ambas orillas del Atlántico.

Por otra parte, el español hablado en América comparte muchos rasgos lingüísticos con el hablado en España:

4.1. En la **pronunciación** presenta las mismas realizaciones de las hablas meridionales (andaluz y canario):

- *seseo:* pronunciación de **c, z** como **s.**
- *yeísmo:* pronunciación de **ll** como **y.**
- *aspiración o pérdida* de la **s** final o implosiva.
- *aspiración de la* **h** inicial (procedente de la **f** inicial latina).
- *confusión mutua entre* **r** *y* **l** en determinadas secuencias («sordado» por «soldado»).

4.2. En **morfología** lo más llamativo es el fenómeno del

- *Voseo:* utilización de **vos** en lugar de **tú** y de **ti** (en contextos no formales):

> *vos tenés* por *tú tienes*
> *a vos* por *a ti*
> *con vos* por *conti(go)*

Téngase en cuenta, no obstante, que «vos» es compatible con «te»: *vos te debés callar.* En segunda persona del plural se usa, en casi toda América, *ustedes* en lugar de *vosotros,* pero concordando con el verbo (*ustedes están,* a diferencia del andaluz, que diría *ustedes estáis*).

4.3. En **vocabulario** se da una coincidencia fundamental. Frecuentemente, salvo voces provenientes de lenguas indígenas, las palabras empleadas en América han dejado de usarse en España simplemente por «haber caído en desuso». La gran masa de vocabulario del español es común a todo el mundo hispánico.

II. Ortografía y pronunciación

El español presenta un alto grado de correspondencia entre sonidos y signos escritos.

1. El sistema vocálico está formado por:

- cinco vocales, que constituyen los fonemas: /a/, /e/, /i/, /o/, /u/.

- catorce diptongos:

  - u + a/e/o : *agua, cuenca, antiguo*
  - i + a/e/o : *acacia, tiempo, radio*
  - i + u   : *ciudad*
  - u + i   : *muy*
  - a/e/o + u : *causa, Europa, lo-uso*
  - a/e/o + i : *aire, seis, soy*

2. El sistema consonántico se caracteriza por ofrecer:

● un signo sin sonido:		h	*hacer*
● un fonema representado por un signo o letra:	/d/	d	*diente*
	/f/	f	*fuente*
	/l/	l	*lápiz*
	/m/	m	*mano*
	/n/	n	*nadie*
	/ɲ/	ñ	*moño*
	/p/	p	*puente*
	/r/	r	*arado*
	/s/	s	*soltar*
	/t/	t	*taza*
	/ŷ/	y	*yegua*
● un fonema con varias grafías:	/b/	b	*bellota*
		v	*ventana*
		w	*water*
	/θ/	c	*cena, cima*
		z	*azada, zorro, zumo*
	/k/	c	*carro, corro, curro*
		qu	*querer, quitar*
		k	*kilo, kilómetro*
	/g/	g	*garra, gorro, gustar, cigüeña, lingüista*
		gu	*ceguera, guitarra*
	/x/	g	*genio, gitano*
		j	*jaleo, jefe, jirafa, jota, jugar*
● un fonema con grafía doble:	/r̄/	r	*ramo*
		rr	*arrimar*
	/l/	ll	*llano*
	/ĉ/	ch	*charco*
● dos fonemas con una grafía:	/k+s/	x	*exigir*

I. Definición y descripción del *grupo nominal* (GN)

1. ¿Qué es un *grupo nominal* o *grupo del nombre*?

El Grupo del Nombre es una construcción de una o varias palabras que pueden funcionar como sujeto, complemento directo, indirecto o circunstancial; de complemento del nombre, complemento predicativo o de predicado nominal.

Cuando funciona como sujeto es uno de los llamados «constituyentes inmediatos de la oración», tal como se muestra en el esquema:

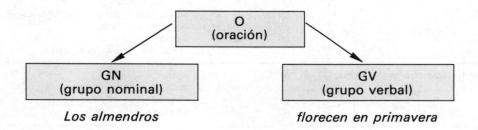

2. Componentes del GN

El Grupo Nominal siempre está compuesto por un nombre «núcleo» que soporta la construcción. Este nombre es tan indispensable que nunca se puede suprimir:

Las grandes llanuras se extienden hasta el mar.
*Las grandes _____ se extienden hasta el mar.

Cuando el GN es un pronombre, puede aparecer o no en la oración, según los casos:

Nos vieron llegar (ellos).

El Grupo Nominal está constituido por dos categorías diferentes de palabras:

a) Los *determinantes:* artículo y adjetivos no calificativos (**posesivos, demostrativos, indefinidos, numerales, interrogativos** y **exclamativos**).

b) Las *expansiones* del GN, que son elementos opcionales en el grupo (es decir, pueden o no estar presentes): complementos determinativos, adjetivos calificativos, oraciones de relativo, etc.

II. Funciones y constituyentes del GN

1. El elemento imprescindible en un GN es el nombre. Todos los determinantes y demás palabras que lo complementan han de adoptar su mismo género y número (concordancia en género y número):

Las grandes llanuras se extienden hasta el mar.
La luna llena brilla en la noche.
La tierra, planeta del sistema solar, gira alrededor del sol.

Nota.—La concordancia en género y número dentro del GN es la expresión formal de la construcción y contribuye a asegurar la cohesión del significado de los elementos que forman esa unidad dentro de la oración. De este hecho deriva el alto grado de redundancia formal del español. En una oración como la siguiente, el significado de *pluralidad* se da en cada uno de los cinco elementos (cuando uno sólo bastaría):

Todos aquellos árboles están amarillentos.

2. Son varios los elementos que pueden acompañar al nombre dentro del GN, como se puede observar en el siguiente esquema:

LOS CONSTITUYENTES DEL GRUPO NOMINAL	
PALABRAS GRAMATICALES	PALABRAS LÉXICAS
Los determinantes	Los complementos del GN
NOMBRE	
artículos — adjetivos determinativos	adjetivos calificativos — complementos del nombre — oraciones de relativo

El otro día.
Los demás mozos del pueblo.
Los nuevos libros que habían salido de la imprenta.

3. De los elementos que figuran en el recuadro, las palabras «gramaticales» se llaman «componentes obligatorios», ya que la presencia de alguno de ellos es siempre necesaria. Su función es *restringir la extensión significativa del nombre*:

Unas plumas	Plumas **mías**
Las plumas	**Mis** plumas
Un hombre	**Cien** plumas
Los hombres	**Sus** promesas
El hombre	**¿Qué** problema?
Ningún hombre	Unas **cuantas** palabras
Aquella cuestión	No tiene problema **alguno**
Toda cuestión	

Nota.—Todos los «constituyentes obligatorios del GN» no especifican el **cómo** del nombre, sino el **cuánto**.

4. Los «constituyentes obligatorios del GN» presentan las siguientes características:

a) No es posible su omisión:

*Le presté **un lápiz**.*
Le presté — **lápiz/lápices*.

b) Siempre concuerdan con el nombre-núcleo.
c) Pertenecen a la clase de palabras cerradas *(gramaticales)*.
d) Preceden al nombre, EXCEPTO *aquel, aquella, algún(o), alguna,* que también pueden seguirle y *mío, mía, míos, mías,* que deben seguirlo.

*El día **aquel**·*
*No le hice promesa **alguna**.*

5. Los otros componentes del GN son **opcionales** (palabras *léxicas*). Su función es la de precisar la significación del nombre o especificar algo sobre él. No se refieren al **cuánto,** sino al **cómo** del nombre.

Casa **barata**	Casa **ajena**
Pájaro **vistoso**	Pájaro **volador**
Hombre **débil**	Hombre **instruido**
Rumor **grande**	Rumor **oportuno**
Capa **larga**	Capa **descolorida**

El traje **para el baile** le queda largo
Llega un rumor **grande y confuso**
Contemplo la sierra **infinita**
Llora un niño **que tiene hambre**

Nota.—Todas las palabras *destacadas* pueden omitirse sin que la oración sea incorrecta; pero su omisión hace que la frase sea menos precisa o dé menos información.

6. Los constituyentes opcionales del GN son de cuatro clases:

a) *Adjetivos calificativos:*

Un hombre **pobre**	Un **pobre** hombre
Un hombre **grande**	Un **gran** hombre

b) Complementos del nombre o determinativos (que son grupos preposicionales):

> El traje **para el baile**
> El libro **de la lengua española**

c) Oraciones de relativo:

> Las niñas **que cantan en el coro** sólo tienen seis años.

d) Aposiciones nominales:

> Su amigo, **el médico,** es muy amable

7. Los constituyentes opcionales reúnen las siguientes características:

a) Pueden ser omitidos sin afectar a la corrección de la oración:

*Me ha llegado una carta **de felicitación**.*
Me ha llegado una carta.

b) El adjetivo puede ir delante o detrás del nombre. No está sujeto a una colocación fija como en el caso de los determinantes:

*La **dulce** miel.*   *El cielo **azul**.*
*La **alegre** juventud.*   *La vejez **caduca**.*

c) Los complementos determinativos, las oraciones de relativo y la aposición, siempre que actúen de complementos del nombre, han de ir después de éste:

*El peso **de los años**.*
*El astro **que nos envía luz**.*
*El rey del corral, **el gallo**...*

3 | EL NOMBRE

I. ¿Qué es un nombre?

1. Descripción sintáctica

1.1. El nombre es el constituyente esencial del Grupo Nominal en español:

> **GN = Det + N**   (Grupo nominal = Determinante + nombre)

Puede ir precedido de un determinante:

> *El niño corre.*
> *Mi mesa es blanca.*
> *Este perro ladra.*

1.2. Otras veces, las menos, puede aparecer sin determinante:

GN = ø + N

> *Luis trabaja mucho.*
> *Madrid es ciudad europea.*

Aunque también es frecuente que el determinante aflore en determinados casos, incluso con nombres que puedan utilizarse sin dicho determinante y en circunstancias sintácticas especiales:

> *Me gusta el Madrid de los Austrias.*
> *El Luis que yo conocí era más alegre.*

1.3. El nombre es elemento indispensable en la construcción del GN. Si el nombre no aparece, debe ser sustituido por otro elemento (adjetivo, grupo nominal, etc.) que pueda ejercer las funciones propias del nombre:

> *El blanco es muy bonito (= el color blanco).*
> *Que tú seas rico no me importa.*
> *El buen hacer de la gente siempre es apreciado.*

1.4. El nombre, a diferencia de otras clases de palabras, como ocurre en el caso del pronombre, puede realizar diversas funciones sintácticas (sujeto, complemento directo, indirecto...) sin cambiar de forma:

> *El perro ladra / él ladra.*
> *Compró un regalo para su mujer / lo compró para ella.*

1.5. En la ordenación secuencial dentro de la oración, el nombre puede ocupar diversas posiciones (al principio, en medio o al final):

> *Pedro llegó a las diez.*
> *A las diez llegó Pedro.*
> *Llegó Pedro a las diez.*

1.6. En función de sujeto, el nombre condiciona la flexión del verbo y exige concordancia singular o plural:

> *El niño juega.*
> *Los niños juegan.*

2. Descripción morfológica

El nombre es susceptible de adoptar distintas flexiones para el género masculino y femenino o para el número singular o plural, por razones de concordancia:

> *El niño / La niña*   *Los niños / Las niñas*
> *Cierto león / Una leona*   *Los leones / Unas leonas*

3. Descripción semántica

3.1. El nombre es portador de un significado léxico referencial. Por ejemplo:

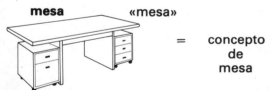

mesa   «mesa»

=   concepto
de
mesa

3.2. El nombre puede designar cosas muy diversas: seres animados *(hombre, perro, caballo...)*, objetos materiales *(libro, casa, sol...)*, cualidades *(belleza, bondad...)* o acciones *(llegada, manifestación...)*:

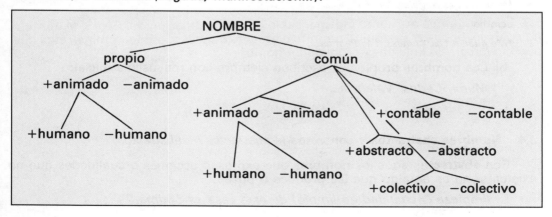

3.3. Nombres comunes y propios

Frente a los nombres *comunes* que **clasifican** la realidad y expresan un conjunto de características aplicables a un grupo numeroso de objetos similares *(libro, mesa, gato...),* los nombres *propios* **individualizan** un objeto o una persona entre todas aquellas que podrían pertenecer a la misma clase (*Luis, María...* designan una persona concreta entre todas las posibles personas susceptibles de recibir tales nombres).

Dos características distinguen los nombres comunes de los propios:

a) Los nombres comunes suelen ir acompañados de un determinante:

> **La** *niña nada muy bien.*
> *Pasa* **un** *tren.*

mientras que los nombres propios suelen aparecer sin determinante:

> **Antonio** *es ingeniero.*
> *Me gusta* **Sevilla.**

No obstante, los nombres propios pueden ir precedidos de determinante para individualizar todavía más el significado del nombre:

El Luis que yo conocí (=Luis cuando tenía cinco años, frente al Luis de cuarenta años que tiene ahora).
Me gusta el **Madrid** *de los Austrias* (=frente al Madrid de otras épocas).

En otros casos llevan determinante porque el uso así lo ha consagrado y conservado:

- al referirse a ríos, montes y mares:

  el Ebro, los Pirineos, el Mediterráneo

- delante de algunos nombres de países:

  el Perú, el Canadá, el Ecuador, el Japón, los Estados Unidos, la Argentina...

- delante de los nombres de comarcas:

  la Mancha, la Rioja, el Ampurdán, Los Monegros, Las Hurdes

- delante de algunas ciudades:

  La Coruña, La Habana, Las Palmas, Los Ángeles

Es preciso tener en cuenta que estos nombres propios con determinante forman *un todo invariable,* incluso a efectos de concordancia. Así decimos:

Me gusta Los Ángeles, Las Palmas...

pero no

*Me gustan Los Ángeles, Las Palmas...

b) Los nombres propios se escriben siempre con mayúscula inicial:

> *María, Carlos, Valencia...*

3.4. Nombres abstractos y concretos *(+abstractos / −abstractos)*

Son **abstractos** aquellos nombres que expresan acciones o cualidades que no existen si no es en algo que las produce o posee:

> *La* **limpieza** *(=cualidad de limpio) de esta casa es óptima.*

Nombres **concretos** son aquellos que tienen, han tenido o tendrán, para el hablante, existencia real:

*Este **libro**.*
*Mi **hermano**.*
***América**.*

Nota.—Los nombres no son siempre abstractos o siempre concretos. Algunos pueden ser abstractos o concretos, según el uso. De hecho, el español convierte frecuentemente nombres abstractos en concretos:

*Me conmovió la **gentileza** del profesor* (=abstracto, =cualidad).
*Me conmovieron las **gentilezas** del profesor* (=concreto, =actos de gentileza).

Es característica propia de los nombres abstractos el carecer de plural:

*La **construcción** de la casa duró seis meses.*

Si decimos

*Las **construcciones** antiguas abundan en la ciudad,*

nos referimos a «casas» o «edificios» antiguos; es decir, el nombre **construcción** es usado como *concreto.*

3.5. Nombres contables e incontables (+contables / −contables)

Si los nombres se refieren a realidades que pueden ser contadas, se denominan *contables.* En caso contrario, se denominan *incontables.*

Nótese que el carácter contable o incontable implica algunas consecuencias sintácticas para los nombres. Entre ellas destaca

- que los nombres incontables no admiten plural:

  *El hombre respira **aire**.*

- que los nombres incontables designan algo considerado como materia indivisible pudiendo ser usados sin determinante:

  *Bebe **vino** cada día.*

No obstante, el español utiliza con frecuencia nombres contables como incontables o viceversa. Pero en tales casos hay que tener en cuenta que el significado varía. Por ejemplo,

*Veo una **vaca** en el prado* (contable).
*Como **vaca** una vez a la semana* (incontable; =carne de vaca).
*Respira **aire*** (=incontable).
*Se da **aires** de intelectual* (contable; = posturas, gestos... para darse importancia).

3.6. Nombres colectivos e individuales (+colectivos / −colectivos)

Lo más frecuente es que un nombre designe un sólo ser o cosa. Pero en ocasiones el nombre puede designar un grupo de personas o cosas que suelen presentarse en la realidad como grupo:

*El **ejército** imperial fue derrotado.*
*El **rebaño** pacía en los campos.*

En tal caso, dicho nombre exige concordancia en singular.

II. El género

Como núcleo del GN, el nombre impone su género y número a los elementos que lo acompañan:

- a los determinantes:

  la niña   *esta vez*

- a los adjetivos calificativos:

  perro negro   *batas blancas*
  caballo corredor-ø   *caballos corredores*

- al atributo del sujeto:

  El gato es negro.
  Estos lápices son bonitos.

- al participio, adjetivo o nombre:

  Las órdenes que te tengo dadas siguen vigentes.
  A María la encontré llorosa.
  A Felipe lo eligieron presidente.

1. ¿Qué es el género?

El nombre varía en género mediante un «marcador» fijado por el sistema de la lengua.

Conviene diferenciar lo que es **género gramatical** de lo que es **género natural**:

Por género **gramatical** se entiende el que viene impuesto por la lengua sin posibilidad de elección ni de variación. Así, son masculinos:

libro, banco

y femeninos:

mesa, manzana

Este género es el propio de los nombres inanimados, en español.

Por **género natural** se entiende el **derivado** de las diferencias de sexo en los nombres de seres animados. *Normalmente*, en estos casos existe una forma propia y distinta para el masculino y para el femenino. Así:

Juan / Juana   Antonio / Antonia
buey / vaca   madre / padre
gallo / gallina   ternero / ternera

Por lo .general, el género masculino se asigna a los animales macho y el femenino a los animales hembra.

El género **natural** se opone, por tanto, al género **gramatical** en cuanto que éste es arbitrario y aquél responde a las diferencias de sexo.

2. Los marcadores de género en el nombre

2.1. El sistema de terminaciones

Es el más común y extendido en español y queda resumido en el siguiente cuadro:

Son terminaciones masculinas		y terminaciones femeninas
-o -e -ø	que cambian en que añade una	-a
herman-**o** tí-**o** estudiant-**e** rector-**ø** español-**ø**		herman-**a** tí-**a** estudiant-**a** rector-**a** español-**a**

2.2. El sistema de palabras distintas (*heteronimia*)

En algunos casos, el género se expresa mediante palabras distintas

masculino	**femenino**
hombre	*mujer*
padre	*madre*
yerno	*nuera*
marido	*mujer*
toro	*vaca*
carnero	*oveja*
caballo	*yegua*

2.3. El sistema de determinantes antepuestos

> *el* oculista / *la* oculista
> *el* dentista / *la* dentista
> *el* pacifista / *la* pacifista

2.4. El sistema de adjetivos determinativos pospuestos

> *El pez* **macho** / *el pez* **hembra**
> *La perdiz* **macho** / *la perdiz* **hembra**

2.5. El sistema de concordancia única:

Se aplica a una gran mayoría de nombres comunes no sexuados:

el libro, la mesa

El artículo y los determinantes antepuestos y pospuestos son los signos que permiten identificar el género.

Nota.—La utilización de artículo o adjetivo para definir el género puede plantear en algunos casos problemas de ambigüedad. Si esto es así, hay que recurrir a la construcción de los plurales:

*El águila veloz / **Las** águilas veloc**es**.*
*El ave rapaz / **Las** aves rapac**es**.*

3. La expresión de género según las distintas clases de nombres

Para un mejor análisis y comprensión del género del nombre en español, es útil tener en cuenta las siguientes categorías semánticas:

3.1. Marcadores de género en los nombres *propios*

a) Los nombres acabados en **-o** son masculinos y cambian en **-a** para el femenino:

> *Alfonso / Alfonsa*
> *Antonio / Antonia*
> *Benito / Benita*
> *Fernando / Fernanda*
> *Francisco / Francisca*
> *Gregorio / Gregoria*

b) Los nombres acabados en consonante añaden una **-a** para el femenino:

> *Agustín / Agustina*
> *Angel / Angela*
> *Jesús / Jesusa*
> *Joaquín / Joaquina*

Existen, no obstante, numerosas excepciones:

● Muchos nombres propios se aplican a uno u otro género sin tener en cuenta la terminación:

Trinidad, Rosario, Edén, Práxedes...

● Algunos nombres presentan irregularidades morfológicas al recibir el marcador de femenino:

Enrique / Enriqueta
Irineo / Irene
José / Josefa
Pablo / Paula
Pedro / Petra
Félix / Felisa

c) Los apellidos.

Los apellidos, ya sean nombres, ya sean adjetivos, serán masculinos o femeninos, independientemente de su flexión, según el sexo de la persona a que se apliquen. Por ejemplo:

Roca, Calle, Sánchez, Laguna, Rojo... serán masculinos si se aplican al *señor Roca* y femeninos si se aplican a la *señora Roca.*

d) Nombres propios de animales.

Su género se rige por normas similares a las de los nombres propios de personas:

Céfiro-Céfira (referido a perros).

Pero:

Rocinante (nombre de animal) es masculino o femenino.

e) Nombres propios de objetos inanimados.

Presentan muchas variantes en su comportamiento:

● Son masculinos los nombres de accidentes geográficos:

Mares: *el Cantábrico, el Atlántico, el Pacífico, el Índico, el Caribe.*
Lagos: *el Constanza, el Chad, el Victoria, el Salado.*
Ríos: *el Rin, el Congo, el Mississipi, el Sena, el Ebro.*
Cabos: *el Finisterre, el Hornos, el Buena Esperanza, el Cañaveral.*
Montañas: *el Guadarrama, el Atlas, los Pirineos, los Alpes, los Urales.*

● Los nombres de ciudades, provincias y reinos siguen, por lo general, el género que corresponde a su terminación (**-o** para el masculino, **-a** para el femenino):

España eterna.
Sevilla bonita.
Bilbao caluroso.

Si la terminación es indistinta en cuanto al género, entonces éste, por lo general, es masculino:

Madrid festivo.
Cádiz plateado.

Si un nombre de esta clase es utilizado con flexión diferente al género sugerido por su terminación es porque responde a la concordancia con otro nombre que se sobreentiende:

*La gran (**ciudad** de) Toledo.*
*Todo (el **pueblo** de) Málaga.*

3.2. Marcadores de género en los nombres comunes

a) Nombres comunes animados:

● Los acabados en **-o, -e** sustituyen esta vocal por **-a** en el femenino:

sastre / sastra	primo / prima
estudiante / estudianta	vecino / vecina
cliente / clienta	novio / novia
presidente / presidenta	palomo / paloma
gobernante / gobernanta	zorro / zorra
médico / médica	conejo / coneja

● Los acabados en **consonante (-d, -l, -n, -r, -s, -z)** añaden una **-a** para el femenino:

colegial / colegiala
león / leona
profesor / profesora
marqués / marquesa
rapaz / rapaza

Nota.—El español dispone de ciertas terminaciones, de origen culto, como marcadores del femenino en un reducido número de nombres:

masculino	femenino	
ø -a -e -o	-esa	abad / abadesa barón / baronesa guarda / guardesa alcalde / alcaldesa duque / duquesa conde / condesa príncipe / princesa vampiro / vampiresa
-a -e	-isa	papa / papisa poeta / poetisa profeta / profetisa sacerdote / sacerdotisa
-e -i	-ina	héroe / heroína jabalí / jabalina rey / reina
-ø	-triz	actor / actriz emperador / emperatriz

● Algunas palabras referidas a personas son, sin cambiar de forma, masculinas cuando se refieren al hombre y femeninas si se refieren a la mujer. El marcador es el artículo antepuesto. La mayor parte de estas palabras acaba en **-sta** o **-nte, -o, -e, -a:**

> *el testigo / la testigo*
> *el mártir / la mártir*
> *el cómplice / la cómplice*
> *el joven / la joven*
> *el cónyuge / la cónyuge*
> *el telefonista / la telefonista*
> *el artista / la artista*
> *el periodista / la periodista*
> *el cantante / la cantante*
> *el principiante / la principiante*
> *el idiota / la idiota*

b) Nombres comunes inanimados

No existe una regla general para los nombres comunes inanimados. La mayoría carece de diferenciación final propia del masculino o del femenino:

> **el** *patio* / **la** *radio*
> **el** *color* / **el** *tema*
> **el** *pan* / **la** *calle*

No obstante, hay algunos rasgos que permiten ofrecer la siguiente clasificación en relación con los marcadores de género:

1. Atendiendo a su terminación:

● Una gran parte de los acabados en **-o, -aje, -an, -ambre, -ete, -il, -ón, -or** son masculinos:

el *patio, blindaje, pan, alambre, banquete, tamboril, butacón, color, tractor, colador, percusor*

● Una gran parte de los acabados en **-a, -cia, -ción, -dad, -ez, -eza, -idad, -ie, -ncia, -nza, -sión, -tud, -umbre** son femeninos:

la *casa, gracia, recepción, bondad, estupidez, fortaleza, solemnidad, barbarie, tolerancia, templanza, comprensión, magnitud, reciedumbre*

2. Atendiendo a su significado:

● El nombre del árbol es masculino **(-o)**, mientras el correspondiente a su fruto es femenino (en **-a):**

> *naranjo / naranja*
> *almendro / almendra*
> *avellano / avellana*
> *cerezo / cereza*
> *ciruelo / ciruela*
> *castaño / castaña*
> *manzano / manzana*

- Con el masculino se expresa el objeto (generalmente en **-o**), mientras que con el femenino se expresa otro objeto similar o relacionado con él (en **-a**):

anillo / anilla	banco / banca
barco / barca	brazo / braza
barranco / barranca	bolso / bolsa
botijo / botija	caldero / caldera
canasto / canasta	cayado / cayada
cesto / cesta	cuchillo / cuchilla
fruto / fruta	gorro / gorra
hoyo / hoya	huerto / huerta
huevo / hueva	jarro / jarra
libro / libra	madero / madera
manto / manta	punto / punta
puerto / puerta	ramo / rama
río / ría	ruedo / rueda
saco / saca	

- Las terminaciones de masculino y femenino designan la persona, mientras la terminación femenina indica el instrumento o la máquina (en **-or, -ora**):

ametrallador / ametralladora
cosechador / cosechadora
prensador / prensadora
zurcidor / zurcidora
tejedor / tejedora
batidor / batidora

- El masculino señala la persona que desarrolla un trabajo y el femenino el instrumento, máquina, lugar, etc., con que o donde aquél se realiza o al revés:

cochero / cochera
lechero / lechera (vasija)
costurero / costurera

- El masculino (en **-o**) indica la profesión; el femenino (en **-a**) designa la ciencia:

físico / física
músico / música
dramático / dramática
químico / química
astrofísico / astrofísica
aerostático / aerostática
gramático / gramática
retórico / retórica

3. Atendiendo al artículo que los precede:

● Una serie de nombres de forma única y de significado diferente distingue el masculino del femenino valiéndose del artículo:

el armazón / *la* armazón	*el* guía / *la* guía
el arte / *la* arte	*el* guardia / *la* guardia
el atalaya / *la* atalaya	*el* levita / *la* levita
el batería / *la* batería	*el* margen / *la* margen
el canal / *la* canal	*el* orden / *la* orden
el capital / *la* capital	*el* ordenanza / *la* ordenanza
el clave / *la* clave	*el* parte / *la* parte
el cólera / *la* cólera	*el* pendiente / *la* pendiente
el cometa / *la* cometa	*el* pez / *la* pez
el corte / *la* corte	*el* radio / *la* radio
el crisma / *la* crisma	*el* sota / *la* sota
el cura / *la* cura	*el* tema / *la* tema
el doblez / *la* doblez	*el* trompeta / *la* trompeta
el espada / *la* espada	*el* vista / *la* vista
el frente / *la* frente	

4. Los días de la semana y meses

Los días de la semana y los meses se consideran masculinos:

> *el* miércoles, *el* jueves...
> enero negro, diciembre frío

5. Nombres ambiguos o de concordancia vacilante

A pesar de que algunos nombres admiten uno u otro género gramatical (detectable a través del artículo que se antepone o del calificativo que precede o sigue), no obstante, suele predominar uno de los dos géneros en el uso diario y por razones diversas:

> *el/la* azúcar / *el/la* mar
> *el/la* análisis / *el/la* anatema
> *el/la* arte / *el/la* énfasis
> *el/la* esperma / *el/la* apóstrofe

3.3. El género de los nombres compuestos

Los nombres compuestos no formados por derivación (mediante afijos) suelen conservar el género del nombre masculino. Si el compuesto consta de la fusión o unión de dos nombres, en tal caso suele prevalecer el género del nombre masculino. Si el compuesto es resultado de un nombre más otro elemento (adverbio, etc.), entonces adquiere el género del nombre. En el caso de que el compuesto resulte de la unión de dos elementos y ninguno de ellos sea nombre, dicho compuesto suele ser de género masculino:

NOMBRE + NOMBRE	arte y maña	= *la artimaña*
	boca y calle	= *la bocacalle*
	carro y coche	= *el carricoche*
	punta y pie	= *el puntapié*
ADJETIVO + NOMBRE	curva y línea	= *la curvilínea*
	vana y gloria	= *la vanagloria*
Pero	alta y voz	= *el altavoz*
NOMBRE + ADJETIVO	agua y fuerte	= *el aguafuerte*
VERBO + VERBO	gana y pierde	= *el ganapierde*
	quita y pon	= *el quitaipón*
	corre, ve y dile	= *el correveidile*
VERBO + ADJETIVO	engaña y bobos	= *el engañabobos*
VERBO + NOMBRE	cumple y años	= *el cumpleaños*
	guarda y ropas	= *el guardarropas*
	guarda y coches	= *el guardacoches*
	para y rayos	= *el pararrayos*
PREPOSICIÓN + NOMBRE	con y cuñado	= *el concuñado*
	contra y cédula	= *la contracédula*
	sin y razón	= *la sinrazón*
PREPOSICIÓN + ADJETIVO	contra y fuerte	= *el contrafuerte*
ADVERBIO + NOMBRE	mal y querencia	= *la malquerencia*
	menos y precio	= *el menosprecio*

III. El número

El español utiliza también dos marcadores morfológicos para indicar el número de los nombres: uno para el singular y otro para el plural.

1. La formación del plural

Las reglas más generales para la formación del plural de los nombres pueden resumirse en el siguiente cuadro:

Si el nombre acaba en	para formar el plural añade	ejemplos
vocal no acentuada -e acentuada	-s	= *el parque / los parques* *el canto / los cantos* *la tribu / las tribus* = *el café / los cafés* *el pie / los pies* *el canapé / los canapés*
consonante (excepto -s) diptongo (-ay, -ey, -oy) vocal acentuada (excepto -é)	-es	= *el abad / los abades* *la cruz / las cruces* *la cárcel / las cárceles* *el pan / los panes* = *el rey / los reyes* *el convoy / los convoyes* *el buey / los bueyes* *la ley / las leyes* = *esquí / esquíes* *alhelí / alhelíes* *maniquí / maniquíes* *bajá / bajaes* *rondó / rondoes* *tisú / tisúes*
pero se exceptúan de lo anterior y añaden una	**-s**	= *papá / papás* *mamá / mamás* *sofá / sofás* *dominó / dominós*
consonante final -s (excepto monosíla-bos y acentuados en última sílaba)	**no varía**	= *el lunes / los lunes* *la crisis / las crisis* *el análisis / los análisis*
pero los monosílabos acabados en -s y acentuados en la última sílaba	**-es**	= *el mes / los meses* *la res / las reses*

2. La expresión de número en las distintas clases de nombres

2.1. En términos generales, el singular denota que nos referimos a una sola cosa u objeto; el plural, por el contrario, significa que hacemos referencia a más de un objeto o cosa. La oposición singular-plural se fundamenta en la oposición de lo «uno» frente a lo «múltiple».

2.2. En ciertos nombres (como *trabajo*) el morfema del plural *(mis trabajos)* implica un cambio de significado por el hecho de haber cambiado un nombre abstracto *(trabajo: acción o resultado de trabajar)* en nombre concreto *(trabajos: actos o resultados concretos y específicos de la acción de trabajar).*

2.3. Al tratar de la concordancia del número en español **conviene** considerar la pertenencia o no del nombre a alguna de las clases siguientes:

		plural	cuantificador indefinido	numeral	artículo
COMÚN	CONTABLE	+ *mesas*	− *pocos caballos*	+ *dos mesas*	+ *la mesa*
	INCONTABLE	− *carne*	+ *mucho frío*	− **dos carnes*	+ *la carne*
PROPIO		− **Luises*	− ——	− ——	−

2.4. Al utilizar el morfema del número lo que realmente hacemos es *cuantificar* la sustancia designada por el nombre.

Pero hay que tener en cuenta que lo cuantificable puede ser numerable o divisible en unidades diferenciadas (= contable: *libro, manzana...*); o no divisible en unidades distintas (= incontable: *frío, color, vino...*).

La cuantificación de los «contables» es fácil de comprender. Pero siempre que utilizamos el número en cuantificaciones incontables no podemos referirnos a unidades distintas: en tal caso nos limitamos a subdividir en áreas semánticas diferenciadas la continuidad significada por el nombre. Así podemos decir:

Me gustan los vinos dulces (referencia a diversas clases de vino dentro del concepto general abarcado por el sustantivo «vino»).

Esta señora abunda en delicadezas (referencia a actos puntuales de delicadeza, dentro del área semántica cubierta por este nombre).

Si el nombre no es divisible o no es considerado por el hablante como subdividido en subáreas semánticas diferenciadas, no admite el plural. Así, con la palabra *frío*, sería incorrecto decir:

*Hace muchos fríos (no cuantificable en subáreas semánticas).

Pero sería posible decir:

Los fríos del Norte son gélidos (cuantificado en unidades concretas, conocidas incluso con su nombre, participando todas de la unidad de significado propia de «frío»).

Nótese que:

● Los nombres no cuantificables en su significado singular pueden adoptar cuantificación en plural *porque se aproximan o convierten en nombres concretos*:

*Había **luz** en la sala* (no divisible ni cuantificable).
*Había **luces** en la sala* (cuantificable porque nos referimos a los «puntos de luz» en la sala).

● La asociación del adjetivo con el nombre incontable individualiza un aspecto parcial de lo significado por el nombre, pero no cuantifica:

*Había **una luz deslumbrante** en la sala*

2.5. Utilizados en singular y sin determinante, los nombres contables no denotan singular o plural, sino que implican una referencia a las características propias de todos los seres o cosas que reciben ese nombre. Así,

Se busca secretaria (= persona que reúna las cualidades de una secretaria).

De ahí que ningún nombre contable pueda funcionar como sujeto sin que previamente esté cuantificado. Sería incorrecto decir:

*Pasa vaca.
*Viene coche.

Pero es adecuado:

Pasa una vaca. Viene un coche, etc.

3. Nombres que carecen de plural o sólo lo admiten en algunos casos

3.1. Nombres propios de lugares geográficos (*topónimos*)

a) En general, los nombres propios referidos a la geografía sólo se usan en singular. Si admiten plural, se ajustan a las reglas morfológicas generales en su formulación:

las Américas	*las dos Sicilias*
las Indias Orientales	*las Rusias*
las Andalucías	*las Castillas*

b) Algunos nombres propios de cordilleras se usan siempre en plural:

los Alpes, los Andes, los Pirineos, los Balcanes

Lo mismo ocurre con nombres propios de archipiélagos:

las Aleutianas, las Antillas, las Azores, las Canarias, las Filipinas

Pero algunos de estos nombres admiten singular o plural:

la Alpujarra / las Alpujarras
el Algarbe / los Algarbes

c) Otros nombres geográficos tienen forma de plural, pero funcionan como singulares:

Buenos Aires, Los Ángeles, Las Palmas, Ciempozuelos, (el) Manzanares

3.2. Nombres propios de personas

Aunque generalmente son usados en singular, admiten plural cuando cambian su significado, convirtiéndose en apelativos:

los Homeros, los Virgilios (poetas comparables a Homero o a Virgilio)
las Venus (estatutas de Venus)
dos Murillos (dos cuadros de Murillo)

Nota.—Los apellidos extranjeros no varían su forma original en plural a no ser que hayan sido integrados en el español por su alto grado de frecuencia o familiaridad. La pluralidad se expresa mediante el determinante:

los Brown, los Schmidt

Pero:

los Racines

4. Nombres numerales cardinales

4.1. Los nombres numerales utilizados como sustantivos admiten la flexión del plural:

*Ganó con cinco **treces**, dos **doces** y seis **treintaicincos**.*
*Tiene **cientos** e incluso **miles** de **millones**.*

4.2. **Mil** admite plural sólo si no va precedido de otro cardinal. Unido a otros números cardinales, es invariable:

dos mil, tres mil...

4.3. **Ciento, millón, billón, trillón...** sólo se usan en plural cuando van unidos a otros cardinales:

doscientos mil, cuatro millones...

5. Nombres tomados de otras lenguas

En general, siguen las reglas del español una vez que han sido naturalizados en esta lengua. Pero existen numerosas excepciones, dudas o variedades en el uso cuando la terminación de tales nombres no se ajusta a lo que es normal en el castellano. La Academia «autoriza» *álbumes o álbums,* por ejemplo; pero el uso, en muchos de estos nombres que conservan su estructura latina como:

máximum, memorándum, mínimum, quórum, ultimátum
accésit, déficit, fíat, superávit
ídem, ítem

admite que permanezcan invariables, marcando el plural con el artículo que precede o que sigan la norma general, añadiendo una **-s**:

los accéssit / accésits   *los memorándum / memorándums*

6. Nombres usados sólo en plural

6.1. Por razones diversas, algunos nombres han fijado su forma de plural como única o de uso casi exclusivo:

absolvederas	albricias
alicates	ambages
anales	andaderas
andas	angarillas
antiparras	añicos
arras	asentaderas
bártulos	bragas
calendas	comicios
cosquillas	creces
despabiladeras	desposorios
efemérides	enaguas
enseres	entendederas
esponsales	esposas (para aprisionar)
exequias	expensas
extramuros	fauces
funerales	gafas
grillos (para aprisionar)	idus
ínfulas	intramuros
maitines	laudes
mientes	nupcias
penates	pertrechos
posaderas	preces
termas	testimoniales
tinieblas	veras
víveres	zarandajas

Algunos de los anteriores suelen usarse a veces también en singular:

desposorio, funeral, tiniebla, enagua, braga, prez

Otras palabras, como *entrepiernas, entrecubiertas, entrepuentes,* pueden usarse también con artículo singular, aunque con menor frecuencia:

La entrepiernas de un pantalón.
La entrecubiertas de un barco.

Si bien también se dice:

La entrepierna de un pantalón.

6.2. Otra serie de nombres es utilizada en su forma de plural, pero con significado o función gramatical diferente al que tienen en su forma de singular. La forma del plural es, las más de las veces, un nombre derivado de adjetivo o adverbio, o una locución especial creada sobre la base de otro nombre ya existente:

adentros: interior de nuestra mente o ánimo
afueras: alrededores de una población
aguaderas: angarillas para llevar agua
alfileres (en «estar prendido por alfileres»): poco sujeto
algodones (en «tener entre algodones»): con regalo o excesivo cuidado y mimo
alrededores: cercanías de un lugar
anteojos: instrumento óptico con dos tubos y lentes, uno para cada ojo.

arraigadas: cabos o cadenas para seguridad en las embarcaciones
bienes: riqueza o caudal
caldas: baños de aguas minerales calientes
celos: sospecha, inquietud o recelo de que una persona ponga su cariño en otra persona
completas: parte de los rezos de los Oficios Divinos
conveniencias: necesidades físicas (orinar, etc.)
Cortes: cámara legislativa en España
credenciales: cartas o documentos que acreditan la personalidad de alguien
expectativas: posibilidades de futuro
honras: exequias
letras: literatura o estudios de humanidades
mayores: progenitores o antepasados
medios: bienes
modales: acciones externas que reflejan la buena o mala educación de una persona
partes: órganos sexuales
posibles: medios
vísperas: parte de los rezos de los Oficios Divinos

6.3. Nombres con significado de dualidad

Tienden a ser usados preferentemente en su forma de plural:

albures	*alforjas*
alicates	*bigotes*
bofes	*cachas*
calzas	*calcetas*
calcetines	*calzones*
consortes	*cónyuges*
esposos	*nalgas*
narices	*pantalones*
pulmones	*tenazas, tenacillas*
tijeras	

Nota.—Algunos de estos nombres admiten el uso en singular: en tal caso se refieren a uno de los componentes del todo. Así:

pulmón (= uno de los dos pulmones), *calcetín* (= uno de los dos calcetines).

● Otros tienden a asimilarse al comportamiento general de los nombres y admiten uso singular, pero refiriéndose al todo, sin implicar dualidad en sus componentes:

nariz, calzón, bigote, pantalón

7. El plural de los nombres compuestos

7.1. La regla general tiende a aplicar la flexión del plural al segundo elemento de la composición, siguiendo así el uso más común del español:

quitasol / quitasoles

Dentro de los compuestos que se atienen a esta norma general, se dan las siguientes clases:

1.ª Compuestos del tipo «pasatiempo»:

alzapaño / alzapaños
cubreobjeto / cubreobjetos

2.ª Compuestos del tipo «madreperla»:

aguanieve / aguanieves
bocacalle / bocacalles
bocamanga / bocamangas

3.ª Compuestos del tipo «puntapié»:

gentilhombre / gentilhombres
mediodía / mediodías
medianoche / medianoches
salvoconducto / salvoconductos
salvaguarda / salvaguardas
vanagloria / vanaglorias

4.ª Compuestos del tipo «ojinegro»:

alicaído / alicaídos
boquiabierto / boquiabiertos
manilargo / manilargos
patitieso / patitiesos
puntiagudo / puntiagudos

5.ª Compuestos del tipo «artimaña»:

coliflor / coliflores
marimacho / marimachos

6.ª Compuestos del tipo «agridulce»:

blanquiazul / blanquiazules
rojiblanco / rojiblancos
sordomudo / sordomudos

7.2. Otro tipo de compuestos, que probablemente no se han consolidado definitivamente como tales, añade la terminación de plural al primer elemento, tanto si la palabra se escribe con los dos elementos juntos como separados:

1.ª Compuestos del tipo «cualquiera»:

cualquier / cualesquier
cualquiera / cualesquiera
quienquier / quienesquier
quienquiera / quienesquiera

2.ª Compuestos del tipo «casacuna»:

café-teatro / cafés-teatro
hombre-clave / hombres-clave
coche-cama / coches-cama

7.3. Compuestos que sólo se usan en la forma de plural

Tienen idéntica forma en singular y en plural. Son compuestos del tipo «rompelanzas»:

el / los cortafuegos
el / los cortaplumas
el / los cortaúñas
el / los cumpleaños
el / los espantapájaros
el / los lanzagranadas
el / los paracaídas
el / los portafolios
el / los rompecorazones
el / los sacacorchos
el / los saltamontes

7.4. Compuestos que carecen de plural

En general son los que constan de un segundo elemento verbal:

hazmerreír
quitaipón

7.5. Compuestos que flexionan en ambos componentes

Esto sólo se da cuando el compuesto se «siente» escasamente como tal:

ricashembras
guardias civiles (que puede admitir incluso la variante «guardiaciviles»)

7.6. Nombres y pronombres que carecen de plural:

el *caos*, **la** *nada, algo, nada, alguien, nadie, cada, lo* (+ adjetivo).

4 | LOS DETERMINANTES

I. Los determinantes, constituyentes del Grupo Nominal

1. Descripción sintáctica

El Det es uno de los constituyentes del GN (véase Capítulo 2). En general, su presencia en el GN es obligatoria, especialmente cuando el nombre desempeña la función de sujeto:

El libro está sobre la mesa.
Nuestros amigos regresaron de vacaciones.

No serían correctas, por el contrario, dichas oraciones sin el determinante:

*Libro está sobre mesa.
*Amigos regresaron de vacaciones.

El Det puede, sin embargo, no estar presente en determinados casos. Entre otros, destacan los contextos siguientes:

1.1. Con nombres propios

Julia viste de negro.
Madrid es la capital de España.

1.2. Con nombres comunes, encabezando

- etiquetas, pancartas o similares: *Azúcar / Huelga*
- titulares de periódicos: *Guerra en Centroamérica*
- títulos de novelas, obras musicales...: *Crimen y castigo, Sonata de otoño*
- invocaciones: *Escucha, amigo. Oiga, señor*

1.3. Con grupos preposicionales del tipo

*Viajar **en tren**.*
*Encontrar algo **por casualidad**.*
*Comer **con placer**.*

1.4. Con nombres que señalan los componentes de un conjunto

***Mujeres y niños** se salvaron del incendio.*
***Padres y profesores** estuvieron presentes.*

1.5. Con nombres en función de atributo del sujeto

*Pepe es **médico** del hospital.*
*Pilar es **profesora** de idiomas.*

1.6. Con nombres en aposición

Valencia, **capital** *de la huerta, tiene un clima envidiable.*

1.7. Con nombres usados en sentido figurado

Nobleza *obliga.*
Obras son **amores** *y no buenas* **razones.**

Los Det ocupan una posición pre-nominal dentro del GN:

un / el *hombre joven*	**cierto** *día*
¡qué *promesa!*	**tal** *promesa*
cien *cuadernos*	**aquella** *señorita*
toda *pregunta*	**ningún** *vecino*
mi *libro de lectura*	**varios** *automóviles de carrera*
unas / las *plumas de ave*	

Salvo *aquél, aquélla, algún(o), alguna, ese, esa, este, esta,* que pueden seguir al nombre, y *mío, mía,* que siempre deben seguirlo.

2. Descripción morfológica

2.1. El Determinante concuerda en género y número con el nombre que constituye el núcleo del GN:

la *cárcel* / **las** *cárceles*
esta *mesa* / **estas** *mesas*
cierto *señor* / **ciertos** *señores*
poco *público* / **pocas** *personas*

En razón de ello, el Det es capaz de indicar el género y número en aquellos casos en los que el nombre es invariable:

la *crisis* / **las** *crisis*
un *lunes* / **los** *lunes*

2.2. Los Det son palabras *gramaticales:*

● porque forman un conjunto limitado de signos (frente a los adjetivos o nombres, que forman un conjunto «abierto»).

● porque su número no es ampliable ni puede ser generado por la voluntad creadora del hablante.

● porque cumplen por sí solos unas determinadas funciones dentro de la oración *(actualizar, identificar los nombres).*

● porque no admiten gradación (como los adjetivos). Sería incorrecto decir:

*Muy algún libro.
*Más todo.
*Tan bastante pan.

3. Definición del Determinante

Como conclusión de lo señalado anteriormente, el Determinante puede definirse como **conjunto limitado de signos lingüísticos cuya función más sobresaliente es la de concretar e identificar el nombre a que se refieren.**

Siguiendo la terminología usual en gramática, el grupo de los determinantes está compuesto por **indefinidos, distributivos, numerales, artículo, demostrativo, posesivo, interrogativo y exclamativo.**

A manera de resumen, podríamos reducirlos al siguiente cuadro:

		DISTRI-BUTIVOS	NUME-RALES	INDEFI-NIDOS	AR-TÍCULOS	POSE-SIVOS	DEMOS-TRATIVOS	INTERROG.-EXCLAM.	RELATIVO ANAFÓRICO
SINGU-LARI-ZADOR		cada	un/a	un/a algún/a cierto/a cualquier/a otro/a					
PARTI-TIVO			medio/a doble triple ...	mucho/a demasiado/a bastante poco/a más, menos tanto/a (ø singular)				cuánto/a	
PLURA-LIZA-DOR		sendos	dos tres...	unos/as varios/as (ø plural)					
T O T A L I Z A D O R	+			todo/a todos/as	el, la los, las				
	−		cero	no... alguno/a ninguno/a					
	±			cualquiera cualesquiera					
IDENTI-FICA-DOR		tal	ambos/as		el, la los, las	mi, tu su mío/a tuyo/a suyo/a nuestro/a vuestro/a (y plurales)	este/a ese/a aquel/lla (y plurales)	qué cuál/ es	cuyo/a cuyos-cuyas

II. Los adjetivos indefinidos

Los indefinidos señalan de manera vaga e imprecisa la cantidad o número de unidades de las cosas o personas a que hace referencia el nombre determinado. En este sentido, se dice que los indefinidos desempeñan la función de «cuantificar la extensión significativa del nombre».

Las formas de indefinido pueden

- restringir esa extensión significativa a una unidad *(singularizan)*:

un/una, algún/a, cierto/a, otro/a, cualquier

- ampliarla a varias unidades *(pluralizan)*:

unos/as, varios/as, dos, tres

- referirse a una cantidad imprecisa o indeterminada de algo *(partitivo)*:

mucho/a, demasiado/a, poco/a, tanto/a, bastante, más, menos

- hacer referencia al conjunto global de un todo, ya sea en singular ya en plural *(totalizan)*:

todo/a, ningún/a, cualquier/a

1. Indefinidos singularizadores

Se denominan así porque se usan casi exclusivamente en singular.

a) Algún, alguna: son formas masculina y femenina que aparecen siempre delante del nombre. **Algún** no debe, pues, ser confundido con **alguno**, forma que va siempre después del nombre y se opone a **ninguno** (de uso exclusivo en oraciones negativas):

*En **algún** libro tiene que estar lo que buscas.*
*Dirígete a **algún** centro de información.*

Frente a:

*No he recibido libro **alguno** tuyo.*
*No he recibido **ningún** libro tuyo.*

También es diferente de **alguno,** pronombre:

***Alguno** vendrá y nos lo contará todo.*

Alguna precede a nombres concretos femeninos:

*Sé que hay **alguna** universidad que tiene plazas libres.*

En sus respectivas formas plurales, **algunos** y **algunas** conservan su valor referencial de singular, es decir, siguen haciendo referencia a unas pocas unidades de lo significado por el nombre:

***Algunos** periódicos y **algunas** revistas publican artículos de interés.*

b) Cierto y **cierta** se usan siempre delante del nombre:

*No deben consultarse **ciertas** obras por inútiles*
***Cierto** escritor me remitió esta obrita.*

Nótese que, usado después del nombre, funciona como adjetivo calificativo y significa «seguro, veraz»:

*Es una noticia **cierta** (= veraz).*
*Lo que dices no es **cierto** (= seguro) que vaya a ocurrir.*

c) Otro y **otra,** tanto en singular como en plural, señalan una unidad o unidades de la misma naturaleza:

*Le acompañaba **otra** persona que yo no conocía.*
*Cuéntemelo todo **otra** vez (= una vez más).*

Adviértase que no puede ir precedido del artículo **un,** como en otras lenguas europeas. Pero sí puede combinarse con los numerales (siempre precediéndolos), con demostrativos (siempre siguiéndolos) y con cuantitativos (precediéndolos):

*Ponnos **otras dos** copas (= dos copas más).*
*No, no, te compraré **este otro** coche: me gusta más.*
*Tiene **otros muchos** libros para ti.*

El valor de indefinido difiere del que tiene cuando funciona como adjetivo; en este último caso, su significado es «diferente, distinto»:

*Ven **otro** día a **otra** hora (= ven un día diferente a hora distinta).*

Con esta función adjetiva y precedido del artículo **el/la,** significa «inmediato, último»:

*Te vi **el otro** día en la playa.*

Si le precede *hasta,* entonces equivale a «próximo»:

***Hasta otro** día no acabaremos la lección (= mañana, uno de los próximos días).*

d) Cualquier determina al nombre precisando que se trata de una unidad no definida de aquél. Con esta función es invariable en la forma y en el género y no admite artículo:

***Cualquier** libro es mejor que el que compraste.*
*Tomaremos **cualquier** resolución.*

El plural **cualesquiera** está prácticamente fuera de uso.

La forma **cualquiera** va siempre siguiendo al nombre, con el significado de «insignificante, irrelevante», funcionando como adjetivo calificativo:

*No se trata de un libro **cualquiera** (= sin importancia).*

frente a:

*No se trata de que me compres **cualquier** libro (= un libro no conocido ni identificado), sino un libro bueno.*

e) Un y **una,** como indefinidos, tienen formas para el singular y el plural, así como para el género. Significan que se trata de una persona o cosa no determinada.

***Un** buen día lo encontraron durmiendo en plena calle.*
*No sé, pero vi que paseaba con **una** alumna por el parque.*

El significado de este adjetivo indefinido es equiparable o difícilmente separable del llamado tradicionalmente «artículo indefinido o indeterminado».

2. Los indefinidos pluralizadores

a) Unos, unas: significan dos o más unidades no determinadas:

*Llegaron **unos** libros, pero no los miré.*
*Vinieron a verme **unas** personas un poco raras.*

Téngase en cuenta que **unos, unas** no son el plural de **un, una** (el plural de **un** es dos, tres, etc.) y pueden adquirir varios valores:

● significado de pluralidad, sin expresar identidad ni cantidad:

*Pasaron **unos** señores que preguntaban por ti.*

● significado de plural partitivo:

*Surcaban el cielo **unos** aviones / **unos** cuantos aviones.*

● significado de cantidad reducida:

*Pasaremos **unos** días en la playa.*

● valor de énfasis muy marcado respecto a lo que determina:

*Te lo he dicho muchas veces: son **unos** vagos* (= muy vagos).

● valor de adverbio de cantidad, significando «aproximadamente»:

*Sólo ha gastado **unas** dos mil pesetas.*

b) Varios, varias hacen referencia de manera plural a un número reducido de personas o cosas:

*He recibido ya **varias** postales tuyas.*
*Saludé a **varias** amigas.*

Pero si van detrás del nombre, en función de adjetivo calificativo, entonces toman el significado de «muy variados o diversos»:

*He recibido postales **varias**.*

3. Los indefinidos partitivos

Señalan una cantidad imprecisa o una parte indeterminada de algo. En singular suelen preceder a nombres incontables; en plural, a contables e incontables.

En cuanto a las formas, los partitivos pueden clasificarse en tres grupos:

● Los que tienen variación de género y número
● Los que sólo varían en número
● Los que no varían

a) En el grupo de los que tienen máxima variación morfológica se incluyen:

mucho, mucha	**poco, poca**
demasiado, demasiada	**tanto, tanta**

y sus respectivas formas plurales: **muchos, muchas,** etc.

*Este problema ofrece **mucha** dificultad.*
*Dispongo de **poco** tiempo.*
*Este ejercicio requiere **demasiada** paciencia.*
***Tanta** experiencia redunda en beneficio propio.*

b) En plural, conservan su valor peculiar de referirse a una parte del todo implicado, pero sobre la base de un número de unidades variadas o diferentes:

*Bebo **mucha** agua,* frente a *Bebo **muchas** aguas* (diferentes clases de agua).
*Come **mucho** pan,* frente a *Come **muchos** panes* (un gran número de unidades de pan).

c) Las posibilidades combinatorias son diversas:

● **Mucho/a** admite artículo o posesivo antepuestos la forma «otros/as» en posición pospuesta:

*Los **muchos** amigos que tiene le han abandonado.*
*Sus **muchas** riquezas resultaron inexistentes.*
*Tiene **muchas** otras cualidades.*

● **Demasiado/a** sólo admite «poco» pospuesto:

*Toma **demasiada** poca leche.*

● **Poco/a** puede ir precedido de artículo si ambas formas van seguidas de un complemento:

*Ya ha perdido las **pocas** fincas que le quedaban.*

Puede también ir precedido del intensivo **muy**:

*Ya le queda muy **poco** dinero.*

● **Tanto/a** presenta algunas peculiaridades:

— Puede ir seguido de un segundo término, explícito o implícito, igualando con éste la cantidad o la intensidad de la cualidad expresada:

*Tiene **tanto** dinero que ni él mismo sabe lo que tiene.*
*Tiene **tanta** inteligencia como su padre.*

— Puede prescindir del término de comparación; en tal caso se limita a ponderar o enfatizar la cantidad partitiva o la cualidad:

*No se puede ni andar con **tanto** turista.*

— En plural, se enfatizan las unidades o número del total:

*No se puede ni andar con **tantos** turistas.*

● **Poco** admite diminutivo *(poquito/a)* y superlativo *(poquísimo/a).*
● **Mucho** sólo admite superlativo *(muchísimo/a).*
● **Tanto** admite superlativo *(tantísimo).*

Poco y **mucho,** si se anteponen al término «vez», equivalen a sendos adverbios:

*Te lo vengo diciendo **muchas** veces* (= frecuentemente).
*Te he visto **pocas** veces* (= raramente).

No obstante lo anterior, conviene distinguir entre el uso de **mucho, poco, demasiado** con función determinante y como adverbios:

*Tardaste **mucho** tiempo, pero Tardaste **mucho*** (adverbio).
*Dormiste **pocas** horas, pero Dormiste **poco*** (adverbio).
*Bebiste **demasiada** cerveza, pero Bebiste **demasiado*** (adverbio).

d) Los partitivos que sólo varían en número se reducen a una forma:

bastante, bastantes

*Concebimos **bastantes** esperanzas, pero vanas.*
*Perdimos **bastante** tiempo.*

Si está pospuesto al nombre en frase negativa, viene a funcionar como adjetivo calificativo, con el significado de «suficiente»:

*No disponemos de tiempo **bastante*** (= suficiente).

e) Finalmente, algunos partitivos son invariables en la forma:

más
menos
[ø], singular y plural

*Volvieron con **más** hombres / con **más** experiencias.*
*Tienen **menos** hombres y **menos** fuerza.*
Comen pan (ø).
Tomaron vinos en la taberna (ø).

● **Más** y **menos** funcionan también como adverbios, en posición postverbal o precediendo al adjetivo:

*Comimos **más,** pero bebimos **menos.***
*El león **más** feroz y fuerte se llevó la mejor parte.*

4. Los indefinidos totalizadores

a) Lo que distingue a esta clase es su referencia a cada uno de los miembros de un conjunto, ya sea utilizando el singular o el plural. Son dos las formas, con sus correspondientes flexiones:

todo, ningún

b) Concuerdan también en género y número con el nombre al que determinan:

***Todo** vecino debe respetar las normas.*
***Todos** los vecinos deben respetar las normas.*
*No he visto a **ningún** hombre / **ninguna** mujer por esta zona.*

● **Ningun(o)** pierde la «o» ante nombre masculino y singular. Las formas del plural son usadas preferentemente si sigue al nombre y no con mucha frecuencia, ya que la negación en singular implica la totalidad de las unidades significadas por el nombre:

*No hay aquí comodidades **ningunas**.*

es equivalente a:

*No hay aquí **ninguna** comodidad.*

En este caso (precediendo la negación) puede alternar también con «alguno/a»:

*Aquí no hay comodidad **alguna**.*

● **Todo** tiene sentido positivo y se opone a **ningún**. Su uso tanto en singular como en plural suele implicar idéntico significado, excepto cuando el singular va seguido del artículo, en cuyo caso toma el significado de «entero, completo».

*Trabajó **todo el** día* (= completo).
*Se comió **todo el** pan* (= entero).

● En lo que se refiere a sus posibilidades combinatorias, **todo** se combina:

— con los posesivos y demostrativos:

*Me trajeron **todos sus** regalos.*
*No me digas **todas esas** barbaridades.*

— con el artículo + relativo o + **de**:

***Todo el que** estudia, aprueba.*
***Todas las de** ayer, eran alumnas del centro.*

— con los pronombres personales:

***Todas vosotras** iréis de excursión.*
***Todos ellos** nos miran.*

● En cuanto al uso, **todo** presenta algunas peculiaridades dignas de mención:

— presenta matices diferentes en el significado del singular y del plural:

***Toda** calle sin luz será vigilada* (= tanto las calles que ahora no tienen luz como las que tampoco la tengan en el futuro).

***Todas** las calles sin luz serán vigiladas* (= las calles que ahora no tienen luz).

— en combinación con **un/a** realza y enfatiza el valor totalizador aplicado al nombre que sigue:

*Es **todo un** señor* (= completa y realmente).
*Es **toda una** mujer* (= completa y realmente).

— en las locuciones adverbiales no admite artículo pospuesto, a pesar de que en plural siempre va seguido del artículo, posesivo o demostrativo:

*A **todas** horas* (= siempre).
*A **todas** partes.*
*De **todos** modos.*

— admite el diminutivo, aunque no sea frecuente:

*Trabajó **todito** el día.*

— **Todo** forma parte, además, de muchas expresiones fijas e invariables:

Todo uno: indica la simultaneidad de dos acciones mencionadas
(Tiene) de todo: todos aquellos objetos que se precisan o convienen para algo
Del todo: completamente
Ante todo: primeramente
A todo esto...: mientras tanto
Con todo: a pesar de, no obstante...
Así y todo: a pesar de...
... y todo: incluso, hasta...

III. Los adjetivos distributivos

Tienen como función señalar la distribución de las partes de un todo por elementos individuales. Son tres las formas:

cada, sendos/as, tal/tales

a) Cada. Es invariable y, en consecuencia, carece de marcadores para el género o el número. Puesto que siempre hace referencia a una unidad (conste o no ésta de uno o más elementos), sólo se combina con nombres en singular:

Cada día que pasa, su español mejora.
A cada día le corresponde su preocupación.

En

Cada mil soldados tenía(n) un jefe

adviértase que «mil soldados» se toma como una unidad, a pesar de que implica más de una persona. Estas características están presentes siempre que **cada** se combina con numerales.

b) Sendos/as. Tiene carácter dual y señala la distribución de lo mencionado entre dos personas o cosas. Carece, por tanto, de singular, aunque concuerda en género con el nombre determinado:

Sus dos amigos me escribieron sendas postales.

Tiene valor anafórico.

c) Tal/tales. Se caracteriza por una función de determinante más vaga en su aspecto «distributivo» que los anteriores; en cambio, se aproxima al valor de los demostrativos en cuanto que identifica y pondera el nombre que le sigue. De hecho, es fácilmente sustituible por los demostrativos sin que el significado varíe sustancialmente:

Tal conducta no me agrada = Esa conducta no me agrada.
No me convences con tal argumento = No me convences con ese argumento.

● Si sigue al nombre, funciona como adjetivo calificativo con el significado de «semejante»:

*No me vengas ahora con cosas **tales**.*

● Aislado funciona como pronombre: *El director no dijo **tal**.*
● Abundan también las expresiones fijas en las que interviene *tal*:

Tal *vez* = quizás   *¿Qué **tal**?* (fórmula de saludo).
*Con **tal** que* = si   etc.

IV. Los adjetivos numerales

Esta clase de determinantes señala el número exacto de ejemplares o de unidades en que se toma la extensión significativa del nombre. En este sentido, se opone a los indefinidos, que sólo la determinan indefinidamente.

1. Formas

0 cero	*10 diez*	*20 veinte*	*30 treinta*
1 uno	*11 once*	*21 veintiuno*	*31 treinta y uno*
2 dos	*12 doce*	*22 veintidós*	*32 treinta y dos*
3 tres	*13 trece*	*23 veintitrés*	*40 cuarenta*
4 cuatro	*14 catorce*	*24 veinticuatro*	*50 cincuenta*
5 cinco	*15 quince*	*25 veinticinco*	*60 sesenta*
6 seis	*16 dieciséis*	*26 veintiséis*	*70 setenta*
7 siete	*17 diecisiete*	*27 veintisiete*	*80 ochenta*
8 ocho	*18 dieciocho*	*28 veintiocho*	*90 noventa*
9 nueve	*19 diecinueve*	*29 veintinueve*	*100 cien, ciento*

101 ciento uno/a   *102 ciento dos*, etc.
200 doscientos/as   *300 trescientos/as*
400 cuatrocientos/as   *500 quinientos/as*
600 seiscientos/as   *700 setecientos/as*
800 ochocientos/as   *900 novecientos/as*
1.000 mil   *1.001 mil uno/a*, etc.
1.100 mil cien   *1.200 mil doscientos/as*
1.234 mil doscientos treinta y cuatro

1.000.000 un millón   *2.000.000 dos millones*
1.000.000.000 mil millones   *1.000.000.000.000 un billón*

2. Peculiariades de uso

● Pueden ir o no precedidos del artículo:

*Los **trescientos sesenta y cinco** días del año*

- Del 16 al 19 y del 21 al 29 se escriben contraídos:

Dieciséis *niños* y **veintidós** *niñas*.

- **Uno** y **veintiuno** se apocopan delante de un nombre masculino:
Un *hombre.* / **Veintiún** *alumnos.*

- **Ciento** se apocopa delante de nombres masculinos o femeninos y delante de un número que funciona como su multiplicador:

Cien *coches.*
Cien mil *pesetas.*

- Entre decenas y unidades se emplea la conjunción «y»:
Cuarenta y seis.

salvo cuando la decena es cero:

Ciento ocho.

Es excepción también la frase *Las mil y una noches.*

- Las formas entre **doscientos** y **novecientos** concuerdan en género con el nombre que determinan:

Doscientos coches.
Ochocientas pesetas.

- **Mil** es invariable:

Mil *soles.*
Mil *páginas.*

Pero, si se sustantiva, admite plural:
Llegaron **miles** *de visitantes a la catedral.*

- Para indicar los siglos se usa el cardinal, no el ordinal:

Vivimos en el siglo xx (veinte).

- **Cero** (0):

— Se utiliza como determinante en la cuantificación negativa absoluta:
Ganó **cero** *puntos en la competición.*

— Es invariable en género y número:

— En función de sujeto puede concordar con el verbo en singular:
Cero *puntos* **es** *lo que te corresponde.*

— También admite el artículo antepuesto, como los demás numerales:
Los **cero** *puntos son correctos.*

- **Ambos** carece de singular, ya que siempre implica dualidad. Pero concuerda en género. Su función, aparte de señalar que se trata de dos personas o cosas, es identificadora:

Ganó **ambos** *premios en la lotería* (= los dos).

3. Posición de los numerales dentro del GN

- Lo más frecuente es que los numerales vayan antes del nombre determinado:

*Entraron en el puerto **cinco** barcos.*

- Pero también pueden ir alejados de él:

*Alumnos en el centro sólo hay **veinticinco**.*

- Con los pronombres personales siempre van pospuestos:

*Sentaos conmigo vosotros **dos**.*

4. Numerales partitivos y multiplicativos

Tienen como función señalar cada una de las partes en que se divide una unidad o todo *(partitivos)* o la colectividad en que se agrupa un cierto número de unidades *(multiplicativos)*.

- Los *partitivos* tienen la siguiente forma:

una ... **parte de**...: *una tercera/cuarta... parte de...*

En los números más bajos se usan también:

1/2, **un medio, la mitad de**...   1/4, **un cuarto**
1/3, **un tercio (una tercera parte de**...)   1/5, **un quinto**, etc.

- Los *multiplicativos* **(doble, triple, cuádruple...),** en su función adjetiva, se anteponen al nombre:

doble ración   *cuádruple alumbramiento*
triple asesinato   *quíntuple posibilidad*

- En vez de estas formas, es más frecuente el uso de la perífrasis:

*... **veces mayor** / **más que**...*

Cinco veces mayor que otro del mismo color.

5. Un, una: adjetivo numeral y actualizador

El numeral **un,** con sus variantes flexivas, está relacionado con el pronombre indefinido **uno/una** y el tradicionalmente llamado artículo indefinido **un, una,** también con formas similares. **Un** se usa ante nombres masculinos singulares y ante nombres femeninos que empiezan por «a» tónica o «ha-» *(un águila, un hacha)*. La forma del femenino es **una**.

- Como numeral, el plural es **dos, tres,** etc., y carece de flexiones plurales, como puede verse en estos ejemplos:

*Doscientos **un** pájaros.*
*Doscientas **una** hojas.*

donde «doscientos/as» admite flexiones, pero no **un/una**».

•A partir de dicha función numeral, esta forma ha ampliado sus valores significativos. De la consideración de **un** objeto entre otros muchos de su clase, se pasa:

— a la indefinición de tal objeto respecto a los que le son similares (de ahí el nombre de «indefinido», que le es tradicional);

*Ha llamado **un** señor.*

— a la individualización del objeto dentro de su clase o grupo:

*Es **una** cabra montesa.*

— o a la tipificación de toda una clase a través de la unidad que se toma como prototipo representativo de la misma:

*Es **un** joven de genio peligroso.*
*Está hecho **una** fiera.*

•Desde el punto de vista funcional, **un/a** son signos de uso obligatorio para actualizar un nombre contable:

*Ha llamado **una** señorita.*
*He comprado **un** jersey para combinar con **una** falda.*

En este sentido, **un/a** contrastan con todos los demás signos actualizadores de función individualizadora:

*Llegó **un** señor.*

es distinto de:

*Llegó **algún/cierto/cualquier** señor.*

en cuanto que «**un** señor» se opone a «**un** barco/coche...», es decir, a otras posibles clases de personas o cosas (función clasificadora, que está ausente en el segundo ejemplo).

● **Otros valores usuales**

— **Un/a** adquieren un sentido enfático, próximo al superlativo, usado con adjetivos de cualidades negativas:

*Eres **un** cobarde/**un** infeliz.*

— **Un/a** adquieren valor adverbial si van precedidos de «todo/a» y son seguidos de nombre contable:

*Es ya todo **un** hombre / toda **una** mujer* (= totalmente, verdaderamente).

— Siguiendo a «hace» y precediendo a «nombre determinado + que» adquieren significado de intensidad superlativa:

*Hace **un** frío que pela* (= muchísimo frío).

Nota.—Adviértase que si no se usa delante del nombre, es pronombre indefinido:

—*¿Has comprado **un** coche?*
—*No, ya tengo **uno*** (= pronombre).

V. El artículo

Es el signo más simple desde el punto de vista formal, pero el más complejo desde el punto de vista funcional.

1. Descripción formal

El tradicionalmente llamado «artículo determinado» es el único artículo en el sentido estricto de la palabra. El llamado «indefinido» ya ha sido estudiado en el capítulo de los «indefinidos» y de los «numerales» por considerar que sus funciones quedan mejor ilustradas en tales apartados.

Las formas del artículo son:

	MASCULINO	FEMENINO
singular	el	la
plural	los	las

2. Características morfológicas

a) Las formas contractas no se dan más que en el singular, cuando concurre con las preposiciones «a» o «de»:

● **De** + **el** se contraen en **del** porque confluyen dos vocales idénticas no acentuadas y se produce una sinalefa que luego ha sido sancionada por la lengua escrita:

*Viene **del** mercado.*
*El libro **del** alumno.*

● **A** + **el** se contraen en **al** por reducción vocálica:

*Se va **al** monte cada día.*

Nótese que en plural no se produce tal reducción, como ya se apuntó anteriormente *(El libro de los alumnos. Se va a los montes...)*, y que en singular dicha contracción tampoco se produce cuando concurre la preposición con nombres propios que comienzan por «el»: *El Escorial, El Bierzo...*:

*Va **a El** Escorial.*
*Vengo **de El** Salvador.*

b) Como es propio del español, **el** sustituye a **la** ante palabra que empieza por «a-» o «ha-» tónicas, en singular:

*El agua clara / **las** aguas claras.*
*El hacha del leñador / **las** hachas del leñador.*

Y de acuerdo con esta regla, se dirá:

La abeja, *la* hazada, etc., porque el acento tónico no recae sobre la «a-/ha-» iniciales.

c) Las excepciones son pocas:

● Delante de «a» con nombres propios:

La Ángela, *la* Ana...

● Delante de adjetivos, que tampoco siguen la regla anterior:

La alta sociedad/jerarquía.

● Siempre que el nombre no siga inmediatamente al artículo:

La única arma que tenían era la inteligencia.
La terrible hacha de los vikingos.

● Cuando se trata de gentilicios que se valen del artículo para diferenciar el género:

El árabe, *la* árabe

d) Es muy importante la información que aporta el artículo en relación con el género y el número, especialmente en los casos en que la terminación del nombre no permite deducirla. Esto es particularmente relevante en los nombres acabados en

● **-e**: la llave, la clave, la fuente, la nieve...
● **-i** : el alhelí, el rubí, el bisturí...
● **-u**: la tribu, el espíritu...
● **-d**: la salud, el césped...
● **-l** : la cárcel, la miel, la piel, el cincel...
● **-n**: el pan, el régimen, la razón...
● **-r** : la flor, el olor, el dolor...
● **-s** : el lunes, la crisis, los lunes, las crisis...
● **-z** : la cruz, la luz, el lápiz...

3. Descripción sintáctica

La función del artículo es identificar o articular la extensión significativa del nombre al que se antepone.

Esta función se pone de manifiesto en un contexto como el siguiente:

Un alumno se sintió repentinamente enfermo. No sabemos de quién se trata. Todavía no lo hemos identificado. Pero, a los efectos de la conversación, podemos continuar ésta sin equívocos y referirnos a él mediante la *articulación,* es decir mediante el uso del artículo.

Respecto a ese alumno, todavía no identificado, podemos seguir hablando en términos como:

El alumno era joven.
El alumno tenía 17 años.
El alumno fue llevado inmediatamente al hospital.
El alumno fue posteriormente dado de alta.

En estas frases el artículo **el** sirve para *articular* oraciones perfectamente viables.

Claro está que el español dispone de mecanismos morfológicos para no realizar repeticiones redundantes como las anteriores, tras haber realizado la primera mención *identificadora.* Pero el ejemplo puede ilustrar la *función articuladora* a que nos hemos referido anteriormente.

a) El artículo, cuando debe estar o queremos que esté presente, precede al nombre determinado:

el libro, *la* silla

b) El artículo no se combina o es incompatible con los posesivos, demostrativos e interrogativos en posición prenominal. Así, resultan agramaticales construcciones como

*El este libro.
*El mi libro.
*El qué libro.

Pero sí son gramaticales combinaciones con estos determinantes en otras posiciones:

El libro **éste**.
El libro **mío**.

También es incompatible con los determinantes cuya función cuantificadora es indefinida:

*La alguna/ninguna/cualquier mesa es blanca.

Nótese que en los casos en que una combinación de este tipo parece posible, el indefinido está tomado en otro sentido y con otro significado. Así:

La **otra** *mesa* equivale a *una mesa* **diferente**.
La **mucha** *calma exaspera* equivale a *la calma* **excesiva**...

c) El artículo precede al nombre como determinante:

● Siempre que no queramos determinar el nombre en relación con el espacio o el tiempo, en cuyo caso utilizamos el demostrativo:

He comprado **el** *libro* (el que ya conoces o sabes).

Pero:

He comprado **este** *libro* (el libro que está cerca del hablante y oyente).

● Siempre que no sea preciso asociarlo con las personas que participan o intervienen en el discurso, en cuyo caso se utilizaría el posesivo **mi, tu, su**:

Los *amigos acaban de irse* (los que ya conoces).
Tus *amigos acaban de irse* (los que conoces en relación con la persona a quien hablas).

● Siempre que no sea preciso determinar numéricamente la cantidad de personas o cosas a que se refiere la identificación:

He recibido **las** *cartas* (las que ya conoces).
He recibido **(las)** *dos cartas* (las que ya sabes, pero sólo dos).

● El artículo puede no preceder inmediatamente al nombre cuando se intercalan entre ambos otras palabras con función adjetival o adverbial:

*La nunca bastante ponderada **acción** de los educadores.*

4. Usos y valores del artículo

Es preciso tener en cuenta que el uso del artículo entra normalmente en concurrencia con el de los demás signos identificadores de que dispone el español. Esto significa que, cuando aparecen unos, no siempre pueden aparecer otros; a menudo están en relación disyuntiva. Por esa razón, cabe la posibilidad de establecer un elenco de usos obligatorios y opcionales del artículo ante un nombre.

a) Se usa siempre delante de un nombre en singular que funcione como sujeto:

La clase está en la tercera planta.
La niña sobresalía en la lectura.
***El dulce dormir** de los bebés.*
***Los que dan al Norte** son mejores.*

b) En plural, sin embargo, puede omitirse:

***Las** vacas pasan por la calle.*
Pasan vacas por la calle.

Si bien hay que advertir que el sentido en ambas oraciones no es idéntico: se opone el significado de identificación *(las vacas)* frente a la cuantificación indefinida de carácter pluralizador *(vacas)*.

c) Los proverbios como:

Ojos que no ven, corazón que no siente.
Casa con dos puertas, mala es de guardar.
etc.

se han convertido en frases o expresiones fijas que siempre van unidas a un contexto definidor, razón por la que la lengua prescinde del artículo.

d) Finalmente, se dan algunos contextos sintácticos donde el uso del artículo delante del nombre en función de sujeto es opcional:

***Madre e hija** caminaban juntas por la acera.*
***La** madre y **la** hija caminaban juntas por la acera.*

e) Cuando el nombre desempeña la función de objeto directo, el uso del artículo es opcional:

● con nombres contables e incontables, en singular:

*Busco **al** criado / Busco criado* (= una persona que sea **criado**).
*Alquilo **la** casa / Alquilo casa* (= cualquier construcción clasificable como **casa**).
*¿Tienen **el** asiento? / ¿Tienen asiento?* (= algo que sea **asiento**).

Pero nótese que la opcionalidad de su uso conlleva matices distintos en el significado del nombre determinado: se refieren a un objeto concreto (con artículo) o a una clase o categoría (sin artículo).

● En plural, la presencia o ausencia del artículo implica una oposición similar en el significado determinado: plural *identificador* (con artículo) frente a plural *clasificador* (sin artículo):

Perdí las plumas / Perdí plumas (= objetos pertenecientes a la clase de plumas, sin especificar qué plumas).
Compré las cintas de vídeo / Compré cintas de vídeo (= cintas para vídeo, sin especificar qué tipo, marca, etc.).

f) Cuando el nombre determinado funciona como objeto indirecto, es preciso que le preceda siempre el artículo:

Dio limosna al pobre.
Entregó el bolígrafo nuevo al amigo.

No obstante, cuando el objeto indirecto es plural, es posible la presencia o ausencia del artículo, implicando siempre el matiz de identificación (presencia) o de clasificación (ausencia):

Dio limosna a los hombres.
Dio limosna a pobres.

g) Cuando el nombre funciona en aposición, la presencia del artículo indica *especificación*, mientras la ausencia señala *explicación*:

Vosotros, los españoles, sois alegres y ruidosos.
Vosotros, españoles, sois alegres y ruidosos.

h) Los nombres en función de predicado nominal *identifican*, si les precede el artículo, y *clasifican* si no llevan artículo:

Su padre era el profesor de inglés.
Su padre era profesor de inglés.

i) En función de vocativo, el nombre nunca lleva artículo:

¡Oye, papá!
¡Mira, mujer!

j) Los nombres que funcionan como complemento circunstancial presentan una gran variedad de usos en relación con el artículo:

● Suele omitirse éste en los que expresan circunstancia de causa y modo:

Lo hizo por compasión.
Lo escribió con serenidad.
Nos quedamos sin entradas para el cine.

Algunos casos con artículo representan frases hechas y estereotipadas:

Lo hizo a la francesa / a la torera.

● En los complementos de relación espacial es obligatorio su uso:

Se cayó por las escaleras.
Dio un paseo por el campo.

● No se exige en los casos en que los elementos aparecen coordinados:

Caminó por caminos y barrancos.

o en frases idiomáticas y similares en plural:

Pasaba por calles desiertas.

En general, y a manera de resumen, podría decirse que *el artículo debe estar presente después de las preposiciones* **bajo, desde, antes, sobre, tras** *y las locuciones prepositivas* **detrás de, frente a, encima de, debajo de.**

● Ante el nombre que expresa relación instrumental también es necesaria la presencia del artículo:

El niño juega con **la** *pelota.*
Juegan **al** *tenis.*

● Si se trata de expresiones de carácter temporal, ha de usarse el artículo:

— delante de los días de la semana:

el *lunes,* **el** *martes /* **los** *lunes...*

Aunque también se dice

Hoy es lunes / martes...
Se casó en sábado / **el** *sábado.*

— con las horas y partes del día:

Llegó a **las** *seis de* **la** *mañana.*

Pero se omite en rótulos y letreros como:

Consulta de cinco a siete.
(Por la mañana) / a media mañana / a mediodía.
(Por la tarde) / a media tarde.
(Por la noche) / a media noche.

— con los verbos **tener, contar** no se usa el artículo:

Tengo diecinueve años.
Ya cuenta veinte años.

k) Con algunas preposiciones como:

● **a**, normalmente se precisa artículo:

A **los** *diez años.*

Pero también es frecuente su ausencia:

A mediados de enero.
A finales de los noventa.

● **en** no precisa artículo en casos como:

en 1936, en martes, en diciembre

Pero es preciso usarlo delante de decenas y centenas:

En **el** *nueve de esta calle.*
En **el** *ciento veintiuno de la calle de Serrano.*

Con los nombres de las estaciones del año varía el uso:

En Otoño (nombre propio).
En **el** *otoño (nombre común).*

Y del mismo modo,

*En Navidades / En **las** navidades.*
*En Semana Santa / En **la** semana santa.*

l) En las expresiones de relación locativa no predomina el uso del artículo, pero también puede darse:

*Vamos a casa / Vamos a **la** casa.*
*Fuimos a misa / Fuimos a **la** misa.*

Lo mismo ocurre en locuciones verbales como:

*Venir de caza / de **la** caza.*   *Tener tiempo / Tener **el** tiempo necesario.*
*Dar permiso / Dar **el** permiso.*   *Poner casa / Poner **la** casa.*
*Tener ocasión / Tener **la** ocasión.*   *Caer en flor / Caer en **la** flor.*

Nótese que en todos estos casos, la ausencia o presencia del artículo conlleva el significado o no de identificación que aquél aporta. En general la ausencia del artículo implica el significado de «clasificación o pertenencia a una clase», como ya se ha apuntado anteriormente.

m) Los nombres abstractos precisan artículo:

*Detesta **la** pobreza.*
*Admira **la** sencillez de esta persona.*

5. Uso del artículo delante de los nombres propios

a) Generalmente no se usa con los nombres de naciones:

Alemania, Francia, Inglaterra, Colombia, Suecia...

Pero puede anteponerse delante de los de algunos países:

(el) Afganistán, (la) Argentina, (el) Brasil, (el) Camerún, (el) Canadá, (la) China, (el) Ecuador, (los) Estados Unidos, (el) Indostán, (el) Japón, (el) Paquistán, (el) Paraguay, (el) Perú, (el) Salvador, (el) Senegal, (el) Uruguay, (el) Yemen...

b) A pesar de estar separados en la escritura, realmente forman un todo inseparable:

● con los nombres de ciertas unidades:

Los Ángeles, El Cabo, El Escorial, El Ferrol, La Habana, La Haya, Las Palmas...

● con los nombres de clubs, especialmente los de fútbol:

el Barcelona, el Real Madrid, el Valencia...

● con los nombres de clubs, especialmente los de futbol:

la Alcarria, la Mancha, Castilla la Nueva/la Vieja...

● con los nombres de algunos mares:

el Mediterráneo, el Atlántico, el Pacífico, el Índico...

• con los nombres de algunos montes:

los Alpes, los Urales, el Cáucaso, el Himalaya, el Aconcagua, los Andes, las Montañas Rocosas...

• con los nombres de ciertas calles:

la Castellana, la Gran Vía, las Ramblas, los Campos Elíseos...

• delante de un nombre propio que está individualizado mediante un complemento pospuesto:

La España de los años 90 es muy diferente de la España de los años 40.
La Alemania de Hitler fue derrotada.

c) En los nombres de festividades religiosas, el uso del artículo señala que nos referimos a la fiesta y no al tiempo en que ésta ocurre:

Nochebuena	*la Nochebuena*	*Pascua*	*la Pascua*
Navidades	*las Navidades*	*Corpus*	*el Corpus*
etc.			

d) En las fórmulas de tratamiento se coloca el artículo delante de los nombres comunes *señor, señorita, capitán, general, rey, papa, presidente* e *infanta*:

el señor Sánchez   *el rey Juan Carlos*
la señorita Julia   *el Presidente González*
etc.

Pero se dice:

don Luis
fray Junípero

También se usa artículo delante de los apellidos en plural:

los Sánchez   *los Sarmiento*
los Alonso

Y delante de un nombre propio que va precedido de adjetivo:

el famoso Napoleón
el gran sultán Almanzor

e) Con los nombres de objetos o seres únicos siempre se usa el artículo **el, la**:

el Mesías, el Sol, la Tierra, el Papa...

f) Con los nombres que indican partes del cuerpo humano o prendas de vestir, el uso del artículo es obligatorio y su significado equivale al del posesivo:

Ha perdido el bolso (= su bolso).
Le han golpeado en la cara (= su cara).
Se ha roto el pie (= su pie).

g) Los grupos **el que, la que**, formas del pronombre relativo, constituyen un todo inseparable, a pesar de que la escritura no lo haya sancionado como tal.

VI. El neutro *lo*

El neutro **lo** es difícilmente clasificable dentro de los determinantes o artículos, como se ha hecho tradicionalmente, a pesar de que formalmente guarda relación con ellos.

1. Descripción formal

Es morfológicamente invariable:

Lo bueno que es el pan.
Lo hermosa que es la tela.
Lo hermosos que eran los claveles...

2. Descripción sintáctica

a) Está en distribución complementaria con el pronombre neutro **lo**, átono, de tercera persona:

*Envié un **telegrama**, pero no **lo** recibió.*

b) Siempre se usa en contextos no verbales:

● Con adjetivos («lo + adj. + que»):

Lo guapa que eres.
Lo contento que está.

● Con adverbios («lo + adv. + que»):

Lo bien que escribe.

● Con participios:

Lo prohibido gusta más.

● Con adjetivos posesivos:

lo mío, lo tuyo...

c) Siempre acompaña a elementos que funcionan como adjetivos, ya que en español no existen nombres neutros:

Lo de Juan.
Lo del otro día.

3. Valores de *lo*

a) Concreta la atribución del adjetivo hacia una realidad cuya expresión se presenta como imposible por medio de palabras:

Lo guapo de esta mujer (La guapura de... / Es una mujer sumamente guapa).

En tal sentido, **lo** dirige la atención hacia una parte del todo, resaltando la cualidad expresada por el adjetivo «guapo», con sentido selectivo y colectivo. A pesar de que, a veces, podría ser sustituido por un nombre abstracto, el significado no siempre es el mismo:

Lo alto de la torre (= la parte alta) / *La altura de la torre* (= la longitud desde el suelo hacia y hasta el punto más alto).

De igual manera:

Lo bueno del negocio / *La bondad del negocio·*

b) Tiene valor intensivo en expresiones como:

Lo bueno que es (= ¡Qué bueno es!).
Lo bien que vive (= ¡Qué bien vive!).

c) Lo + de hace referencia, de manera vaga, a hechos o situaciones pasadas:

Lo del año pasado.
Lo de bañarse en invierno es una tontería.

En estos casos, equivale realmente a un pronombre demostrativo neutro:

Lo del año pasado = eso del año pasado.
Lo de bañarse en... = eso/aquello de bañarse...

d) Lo forma frases idiomáticas como:

*Vive a **lo** grande* (= vive de modo ostentoso); *a **lo** bestia* (= de forma descomunal, bestial).
*Me da **lo** mismo* (= me da igual).
*Es **lo** de siempre* (= siempre ocurre igual).
*Es **lo** de menos* (= carece de importancia).

VII. El adjetivo posesivo

1. Descripción morfológica

a) El posesivo aporta tres informaciones básicas:

● La de *género:*

Nuestra casa.
Nuestros amigos.

Pero carece de esta información en las formas apocopadas:

Mi casa. Tu amigo.

● La de *número:*

Tu amigo. Tus amigos.

● La de *persona,* y establece una relación de identificación personal con el objeto:

Tu tren (= de ti, no de mí ni de él o ella).
Su tren (= de él/ella, no mío ni suyo).

b) Las formas del posesivo

			ANTE-PUESTO	POS-PUESTO	ANTE-PUESTO	POS-PUESTO	ANTE-PUESTO	POS-PUESTO
relación con una sola persona	sg	m	mi	mío	tu	tuyo	su	suyo
		f	mi	mía	tu	tuya	su	suya
	pl	m	mis	míos	tus	tuyos	su	suyos
		f	mis	mías	tus	tuyas	su	suyas
relación con varias personas	sg	m	nuestro		vuestro		su	suyo
		f	nuestra		vuestra		su	suya
	pl	m	nuestros		vuestros		sus	suyos
		f	nuestras		vuestras		sus	suyas
			1.ª persona		2.ª persona		3.ª persona	

2. Características sintácticas

a) El posesivo suele preceder al nombre y al adjetivo, siguiendo la norma general de los Det:

Mi libro nuevo. Tu joven amiga. Su gran ocasión.

b) Las formas **mi, tu, su, mis, tus, sus** sólo pueden usarse delante del nombre:

Mi libro y no **Libro mi.*

c) Las formas **nuestro/a, vuestro/a** y sus plurales, pueden ir delante o detrás del nombre:

Nuestros amigos llegaron tarde.
Los amigos nuestros llegaron tarde.

En este caso, el nombre puede ir, a su vez, precedido de artículo o no (implicando su presencia o ausencia el matiz de significado que conlleva este mismo artículo):

Hemos recibido los saludos vuestros.
Hemos recibido saludos vuestros.

d) Las demás formas del posesivo, **mío/a, tuyo/a, suyo/a** y sus plurales han de ir siempre detrás del nombre:

Llegó el turno mío.
He recibido libros tuyos.
No hemos tenido noticias suyas (de él /ella/ellos/ellas/usted/ustedes).

e) En las formas **mi, tu, su** y sus plurales el posesivo puede combinarse:

- con el cuantificador universal todo:

Todas mis cuentas están al día.
Todo mi trabajo resultó inútil.

- con los numerales:

Mis dos libros ya están leídos.

- con los numerales de orden:

Tu tercera posibilidad aún no ha llegado.

- con los demostrativos:

Esta mi primera vez ha sido sólo un intento.

f) En las formas **mío/a, tuyo/a, suyo/a** y sus plurales el posesivo puede ir precedido:

- del artículo:

¿Recibiste la carta mía?

- de «un», como actualizador:

Ha llegado un paquete nuestro.

- de cuantificadores indefinidos o de numerales:

No he recibido ninguna felicitación suya.
Me han llamado dos amigos tuyos.

- de los demostrativos:

No me gustó nada este amigo vuestro.

Nota.—En Andalucía, Canarias e Hispanoamérica es frecuente oír el uso dialectal:

¡Oye, mi niño!
¡Escucha, mi hijito!

3. Función sintáctica

La función determinante la realiza el posesivo *identificando los objetos o seres respecto de las personas* que intervienen en la comunicación o discurso.

Es mi amigo (= el amigo de mí).
Es amigo suyo (= amigo de él/ella o de usted).
Es el amigo tuyo (de ti, no de mí ni de él/ella o ustedes).

En el primer ejemplo *(Es mi amigo)*, el posesivo realiza la función de identificar la relación personal entre el hablante y la persona mencionada.
En el segundo ejemplo *(Es amigo suyo)*, el posesivo solamente relaciona «amigo» con alguien ajeno a los hablantes. De hecho, la frase podría combinarse con un indefinido totalizador como «cualquier» *(Es cualquier amigo suyo)*.
En el tercer ejemplo *(Es el amigo tuyo)*, la identificación la realiza el artículo «el». El posesivo se limita a establecer una identificación «de relación personal» entre el hablante y el oyente.
De todo lo expuesto, se puede concluir que el posesivo, en sus formas plenas y pospuestas, no realiza la

función típica de identificar, sino la de «**relacionar**» el objeto con las personas que intervienen en la comunicación. De ahí que se dé una oposición real entre las formas antepuestas y pospuestas, como se evidencia en los ejemplos siguientes:

Cualquier amigo *tuyo* *resolverá el problema.*
Tu *amigo resolverá el problema.*

4. Usos del posesivo

En español, el uso del adjetivo posesivo es menos frecuente que en otras lenguas y puede resultar redundante:

a) Cuando ya está presente el pronombre personal. Así se prefiere (1) a (2):

(1) ***Nos*** *metimos* **las** *manos en* **los** *bolsillos.*
    Luis **se** *quitó* **el** *sombrero.*
(2) ***Nos*** *metimos* **nuestras** *manos en* **nuestros** *bolsillos.*
    Luis **se** *quitó* **su** *sombrero.*

b) En función de complemento directo, con verbos como «tener, llevar, traer», etcétera:

Tenía los ojos azules.

en vez de:

Tenía **sus** *ojos azules.*

No obstante, hay que diferenciar el uso redundante e innecesario del posesivo de aquellos otros casos en que su utilización añade matices especiales de significación:

Ya **se** *tomó* **su** *café* (el de costumbre).
Ya **se** *tomó* **el** *café* (el que le han servido).
Tenía **sus** *buenas razones para no hacerlo* (resalta la relación personal: referencia a «suyas» frente a «las mías» o «las tuyas»).

c) Precedido del artículo en plural, el posesivo equivale a «los partidarios o familiares» de uno:

No le ayudaron **los suyos** *(sus partidarios políticos, sus familiares).*

VIII. Los adjetivos demostrativos

1. Descripción morfológica

a) Los demostrativos forman en español un sistema ternario relacionado con las tres personas gramaticales **yo, tú, él/ella.**
También aporta tres informaciones sobre el nombre determinado:

* género: *este libro* - *esta casa*
* número: *este libro* - *estos libros*

● relación espacial y temporal, señalando proximidad o lejanía de la persona que habla tanto en el espacio como en el tiempo:

esta ventana (proximidad al hablante)
esa ventana (proximidad al oyente)
aquella ventana (lejanía o fuera del área del hablante y oyente)

Nota.—La relación espacio-temporal expresada por el demostrativo depende de la intención del hablante y tiene, por tanto, un alto grado de subjetividad: la adscripción de una cosa o persona al área de la primera o segunda persona es consecuencia de la gradación que en cada caso realiza el hablante, lo cual puede depender de variadas causas externas. No se da, pues, un área espacial o temporal, fija en su extensión, objetiva e igual para todos los hablantes.

b) Formas del demostrativo

	ANTE-PUESTO	POS-PUESTO	ANTE-PUESTO	POS-PUESTO	ANTE-PUESTO	POS-PUESTO
singular:	este, esta		ese, esa		aquel, aquella	
plural:	estos, estas		esos, esas		aquellos, aquellas	
	1.ª persona		2.ª persona		3.ª persona	

Nota.—Las formas en **-o: esto, eso, aquello** no son adjetivos, sino pronombres sustantivados. A pesar de ello, su función significativa como demostrativos se mantiene, pero su función sintáctica es diferente:

Quita **eso** *de ahí* (próximo al oyente).
No traigas **aquello** *blanco* (lejano del hablante y oyente).
Pon **esto** *aquí* (cercano al hablante).

2. Características sintácticas

a) El demostrativo con función identificadora va siempre delante del nombre o del adjetivo, como el artículo:

Este *bello edificio.*
Aquella *bonita casa.*

De hecho, si el demostrativo se pospone, entonces es obligada la presencia del artículo ante el nombre:

El libro **este**.
La verde pradera **aquella**.

b) Si concurren el demostrativo y el posesivo, el primero debe preceder al segundo:

Este su *cuadro.*
Ese mi *coche.*

c) El demostrativo antepuesto es incompatible con el artículo, pero no con **«todo»**:

Todo este *día y los siguientes estuvo lloviendo.*
Todas esas *cosas son suposiciones tuyas.*

d) El demostrativo puede ir seguido de los numerales y de algunos indefinidos:

Esos tres niños se han perdido.
Estas pocas palabras no convencen a nadie.
Estas muchas ilusiones se desvanecerán pronto.

e) En ocasiones concurren varios determinantes en el GN. En tal caso, el orden que debe seguirse, a partir del nombre hacia atrás, es:

Primero: los cuantificadores
Segundo: los posesivos
Tercero: los demostrativos

Estas mis pocas palabras convencieron al público.
  ↑   ↑   ↑   ↑
  3.º   2.º   1.º nombre

Nota.—Al contrario de lo que ocurre en el uso del artículo, si la palabra que sigue comienza por «a» tónica, no se antepone la forma **este, ese,** aunque el nombre sea femenino, sino la forma que corresponda a este género:

  esta agua/águila/aula

y no:

  *este agua...

f) El demostrativo puede posponerse al nombre siempre que éste quede identificado por algún otro determinante:

- mediante el artículo: *La pradera aquella.*
- mediante el posesivo: *Mi casa esta.*

3. Función sintáctica

a) El demostrativo realiza la función determinante *identificando* los objetos **en relación con el espacio y tiempo** y la **posición del hablante y oyente en ese ámbito.**

b) Si el demostrativo se pospone, es preciso utilizar el artículo ante el nombre. En consecuencia, la función primaria de identificación la ejerce el artículo y el demostrativo conserva sus restantes funciones:

El libro ese (en posición no lejana al hablante/oyente), frente a **este** (posición de proximidad) o **aquel** (posición de lejanía).

c) El demostrativo también puede tener ocasionalmente función nominalizadora:

Ese despertar de cada día, con mal humor y lágrimas.

4. Usos del demostrativo

a) Una de las características más sobresalientes del demostrativo es la de indicar la situación, en el espacio o en el tiempo, de aquello a lo que nos referimos *(deixis).*

Esta relación es esencialmente subjetiva, como ya se dijo. El hablante puede adscribir aquello a que hace referencia:

- a su propio ámbito (primera persona)
- al ámbito del oyente (segunda persona)
- a ninguno de esos dos ámbitos (tercera persona)

Nótese que el diálogo

(a) —Me parece que es *esta bujía la que falla.*
(b) —Sí, *esa bujía está muy engrasada.*
(c) —Pongamos **aquélla.**

es perfectamente posible en un taller mecánico, entre dos personas que se refieren al mismo objeto:

(a) remite a la zona de interés del hablante, a su esfera personal; (b) le contesta remitiendo al campo de interés del interlocutor anterior, un tanto alejado de su propio ámbito (antes como oyente, ahora como hablante); (c) por el contrario, hace referencia a un campo ajeno a ambos.

b) El demostrativo puede utilizarse también, simplemente, para hacer referencia a la ubicación de algo en el espacio que nos rodea:

Mira **aquel** coche rojo.
Quiero **este** traje.

c) Si con el demostrativo hacemos referencia al tiempo, entonces

- o adquiere un valor *anafórico* y señala cercanía o lejanía respecto a una realidad ya mencionada:

Pero, dime, ¿cuál es **esa** fiebre del oro a que te refieres?

- o *catafórico* y remite a lo que se va a mencionar a continuación:

El timbre sonaba de **esta** manera: «Pii...».
Lo dijo con **estas** palabras: «Sal corriendo».

Si queremos indicar relación con el tiempo, los demostrativos **ese** y **aquel** son preferidos para referirnos a algo pasado, mientras **este** se utiliza para hacer referencia al tiempo presente o momento en que se habla:

Sale en **este** momento.
Aquel invierno fue terrible.
En **ese** preciso momento no había nadie en casa.

d) El valor o matiz despectivo que a veces puede adquirir el demostrativo en posición *pospuesta* deriva del hecho de señalar un «alejamiento psicológico» respecto a los objetos o personas considerados dentro del ámbito del hablante:

No me vengas con la frasecita **esa** de la jornada legal de treinta horas...
Ahí vienen las brujas **esas**.

En este caso, dado que la relación espacio-temporal es subjetiva y depende del hablante, la distribución del espacio y del tiempo tiende a reducirse a dos campos:

yo + tú	él + ella
este, esta	ese, esa, aquel, aquella

IX. Los determinantes interrogativos y exclamativos

I. INTERROGATIVOS

Sirven para preguntar sobre la identidad significativa de la persona o cosa afectada, tanto en forma interrogativa directa como indirecta. Sus formas son similares a las de los pronombres relativos:

qué	cuánto

1. Qué

Es invariable en género y número:

¿Qué casa es la tuya?
¿Qué coche es el tuyo?

Se exige su presencia en la estructura interrogativa «(interrogación) + nombre»:

¿Qué hora es? ¿Qué niños? ¿Qué días voy?

y no:

*¿Cuál hora es?,
    etc.

2. Cuánto / a / os / as

2.1. Concuerda en género y número con el nombre:

¿Cuántos días tiene el año?
¿Cuánta agua queda en el depósito?

2.2. En singular adquiere un sentido partitivo:

¿Sabes cuánta agua bebiste?

Nota.—**Cuyo,** como adjetivo interrogativo, ya no se usa, siendo considerado como forma arcaica:

¿Cuyo libro es éste?

II. LOS EXCLAMATIVOS

Tienen las mismas formas que los interrogativos y se emplean en las oraciones exclamativas para indicar sorpresa, admiración, indignación.

Como determinante, al igual que el interrogativo **que,** es incompatible con los demás identificadores (artículo, posesivo o demostrativo).

1. Qué

1.1. Es un signo variable y siempre precede al nombre:

*¡**Qué** día más hermoso hace hoy!*
*¡Mira **qué** cielos tan azules!*

1.2. Lo expresado por el exclamativo se refiere a la cualidad o a la cantidad del nombre. Cuando indica cantidad es sustituible por:

*¡**Qué** calor siento!*
*¡**Qué** hambre tengo! = ¡**Cuánta** hambre tengo!*

1.3. No debe confundirse con las formas «**que** + adjetivo» *(¡**Qué azul** está el cielo!)*, ya que en esta estructura el **qué** es pronombre neutro, de la misma naturaleza que «**lo** + adjetivo».

2. Cuánto/a/os/as

2.1. Concuerda siempre en género y número con el nombre al que acompaña:

*¡**Cuánta** alegría siento!*
*¡**Cuántos** días pasaron sin saber de ti!*

2.2. Su función exclamativa suele referirse a la cantidad:

*¡**Cuánta** pobreza hay en el mundo!*
*¡**Cuántos** libros se amontonan sobre la mesa!*

Nota.—No debe confundirse con **cuán**, que es un intensificador o modificador del adjetivo:

*¡**Cuán** bello me lo describís!*
*¡**Cuán** largo me lo fiáis!*

X. El relativo anafórico: cuyo/a

1. Es siempre adjetivo, como *mío, tuyo* lo son respecto de los pronombres personales.

2. Concuerda en género y en número con el consiguiente:

*Aquellos papeles **cuyas fotocopias** conservo no sirven.*

3. Realiza siempre una función anafórica y, por ello, no sustituye nunca al nombre:

*Hay negocios **cuyas** salidas son inciertas*

5 | EL ADJETIVO

I. Adjetivo calificativo

1. Definición de la clase de adjetivos calificativos

1.1. Es un constituyente o elemento opcional del Grupo del Nombre (GN):

Det + N + Adj = *El gato blanco maúlla.*
Det + Adj + N = *La blanca nieve de la alta montaña nunca se derrite.*

1.2. Pero es también constituyente obligatorio del Grupo del Verbo en algunas estructuras como:

Ser + Adj: *El gato es blanco.*
Parecer + Adj: *El gato parece blanco.*
Estar + Adj: *El gato está enfermo.*
Llegar + Adj: *Los corredores llegaron cansados.*

1.3. Como indica su nombre, el adjetivo es un «adyacente» o modificador directo del nombre: precisa o amplía una cualidad o característica de un ser animado o inanimado:

Nos mira una niña delgada, triste y pensativa.
Aquella casa es alta, antigua y noble.

1.4. Los calificativos forman una clase muy numerosa de palabras *léxicas.* En tal sentido se oponen a los adjetivos determinativos, que forman una clase cerrada de palabras *gramaticales.*

2. Descripción formal

2.1. Desde el punto de vista morfológico, el calificativo presenta rasgos comunes con el nombre, como son los de:

Género: *La casa blanca.*
Número: *Las casas blancas.*
Derivación: *La mesita redonda* (mesa pequeña).
La mesa redondita (muy redonda).

Pero tiene un rasgo distintivo: el del grado:

Montaña altísima, pero no **Montañísima.*

2.2. El género de los calificativos

Los adjetivos calificativos se limitan a adoptar el género de los nombres que califican. Pero formalmente pueden distinguirse dos clases: los variables y los invariables.

a) Adjetivos variables: presentan dos marcas, una para el masculino y otra para el femenino, según el siguiente cuadro:

los acabados en vocal cambian ésta en **-a**	**-o**	**-a**	*pequeño / pequeña*
	-ete	**-eta**	*regordete / regordeta*
	-ote	**-ota**	*grandote / grandota*
los acabados en consonante añaden una **-a**	**-án**	**-ana**	*holgazán / holgazana*
	-ín	**-ina**	*parlanchín / parlanchina*
	-ol	**-ola**	*español / española*
	-ón	**-ona**	*burlón / burlona*
	-or	**-ora**	*trabajador / trabajadora*
	-és	**-esa**	*inglés / inglesa*
	-uz	**-uza**	*andaluz / andaluza*

b) Adjetivos invariables: tienen sólo una forma para ambos géneros:

los acabados en vocal:	**-a**	*pueblo belga / población indígena*
	-e	*hombre ilustre / mujer agradable*
	-ente,	*niño / niña insolente*
	-iente	*niño / niña sonriente*
	-ense	*hombre / mujer oscense*
	-ble	*vecino / vecina amable*
	-í	*acción israelí / gesto baladí*
	-ú	*lengua / pueblo hindú*
los acabados en consonante:	**-al**	*hecho / hazaña ideal*
	-ar	*luz / frío lunar*
	-az	*tierra / prado feraz*
	-il	*acción / gesto pueril*
	-iz	*hombre / mujer feliz*
	-or	*huerto / huerta mejor*
	-oz	*viento / ave veloz*

2.3. El plural de los adjetivos

Los adjetivos forman el plural de manera similar a como lo hacen los nombres:

añaden -s	todos los terminados en vocal átona:	
	un pueblo indígena *la muchacha rubia*	*unos pueblos indígenas* *las muchachas rubias*
añaden -es	todos los terminados en vocal acentuada o en consonante:	
	cuestión baladí / cuestiones baladíes *templo hindú / templos hindúes* *caballo veloz / caballos veloces* *acción contumaz / acciones contumaces*	

2.4. La concordancia

a) Tanto en el grupo nominal como en el verbal, el adjetivo concuerda con el nombre en género y en número:

*Cortó las flores con sus manos **blancas y finas**.*
*Los días en otoño son más **cortos**.*

b) Cuando en el grupo concurren varios nombres de distinto género, el adjetivo debe concordar con el masculino y en plural:

*Hombres, mujeres, niños y niñas se mostraron siempre **atentos**.*
*Recibí una carta y un paquete **curiosísimos**.*

c) No obstante la regla anterior, el uso acepta la concordancia por atracción con el nombre más cercano:

*Lo llevó a cabo con una **exquisita** delicadeza y tiento.*

2.5. Formas apocopadas

Algunos adjetivos pierden la última vocal del masculino singular delante del nombre masculino:

Bueno: ***Buen** hombre,*   pero ***Buena** mujer.*
Malo: ***Mal** día,*   pero ***Mala** tarde.*
Grande: ***Gran** amigo,*   pero ***Gran/Grande** amiga, **Gran** fiesta.*
Santo: ***San** Antonio, **San** Luis, **San** José,* pero ***Santa** Teresa,* y también, por excepción, ***Santo** Tomás, **Santo** Domingo, **Santo** Tomé.*

Primero: ***Primer** paso, **Primera** mañana.*
Tercero: ***Tercer** piso, **Tercera** puerta a la derecha*

2.6. Clases de adjetivos sobre bases morfológicas

a) Primitivos o **no derivados**, que cumplen las funciones de epíteto, atributo o aposición y admiten, en su mayoría, grado:

*Rompió un **hermoso** vaso; era **muy fino**.*
*Muy **pensativo**, Juan abandonó su casa.*

b) Derivados

A partir de nombres:

semana / semanal
selva / selvático

trigo / trigueño
sombra / sombrío

A partir de adjetivos:

amarillo / amarillento
verde / verdoso

rojo / rojizo
alto / altivo

A partir de verbos:

agradar / agradable
vengar / vengativo

decidir / decisorio
sonreír / sonriente

c) Compuestos, en su mayoría, procedentes de dos adjetivos:

agri-dulce, verdi-negro, alti-bajo...

Nota.—Véase capítulo sobre la Derivación, pág. 219.

2.7. Los grados del adjetivo

El grado es propio sólo de los adjetivos calificativos. Sea cual sea su función, los calificativos pueden expresar diferentes grados de significación:

POSITIVO	COMPARATIVO	SUPERLATIVO
	de superioridad *Más valiente*	**de superioridad** relativa: *El más valiente* absoluta: *Muy valiente* *Valentísimo*
valiente	**de igualdad** *Tan valiente*	
	de inferioridad *Menos valiente*	**de inferioridad** relativa: *El menos valiente* absoluta: *Muy poco valiente*

El grado **positivo:** el adjetivo señala una cualidad sin compararla con la de otros seres.

El grado **comparativo:** expresa una cualidad en relación de superioridad, igualdad o inferioridad con la de otros seres.

El grado **superlativo:** señala una cualidad en su más alto grado de relación absoluta o relativa con todos los demás seres.

a) El comparativo

● **Formas:**

Superioridad	más ... que más ... de (+ oración)	*Soy más valiente que tú* *Soy más valiente de lo que crees*
Inferioridad	menos ... que menos ... de (+ oración)	*Es menos listo que tú* *Es menos listo de lo que piensas*
Igualdad	tan ... como tan ... que (+ oración)	*Es tan morena como tú* *Es tan morena que parece negra*

● **Observaciones**

1.ª En oraciones con el verbo **ser** es frecuente la omisión de este verbo en el segundo miembro de la comparación:

> *Isabel es **tan** guapa **como** inteligente.*
> *María Teresa es **tan** activa **como** tranquila (**es**) Milagros.*

2.ª La forma comparativa implica dos marcadores: **más, menos, tan**, que preceden al adjetivo calificativo y **que, como, de**, precediendo al segundo término de la comparación:

> *El tigre es* $\begin{Bmatrix} más \\ menos \\ tan \end{Bmatrix}$ *feroz* $\begin{Bmatrix} que \\ como \end{Bmatrix}$ *el león.*

El segundo término de la comparación puede ser:

- un nombre: *El tigre es más feroz que **el león**.*
- otro adjetivo: *Isabel es tan guapa como **inteligente**.*
- un adverbio: *Te quiero más que **ayer**.*
- complemento circunstancial: *Se divierten más en la universidad que **en la calle**.*
- una oración: *Es más alta de/que **lo que aparenta**.*

El primer término de la comparación puede darse por sobreentendido:

> *Hace peor tiempo que ayer* (hoy).

De la misma manera el segundo puede omitirse por idéntica razón:

> *El sol hace la playa más blanca* (que las nubes).

3.ª Existen comparativos irregulares, en su mayoría formas derivadas de sus correspondientes latinas:

> *bueno / mejor*
> *grande / mayor*
> *malo / peor*
> *pequeño / menor*

En estos casos, sin embargo, la comparación se lleva a cabo sin la presencia del primero de los marcadores propios de la comparación normal:

> *El vino de la Rioja es **mejor** que el de Jumilla.*

Nota.—**Mejor** y **peor** pueden funcionar también como adverbios:

> *Las cosas le van **peor/mejor**.*

Otras formas como **superior/inferior, anterior/posterior, ínfimo/supremo** no admiten el comparativo por implicar ya ese significado:

> *Juan es **superior** a Pedro en el tenis.*

Y no:

> * *Juan es **más superior** a Pedro...*

Se puede considerar como idiomático el uso de **mayor** o **menor** como adjetivos:

> *La* calle **mayor** (principal).
> *La* hermana **mayor** (la de más edad).
> *El* hermano **menor** (el de menos edad).

b) El superlativo

● Formas:

Superlativo relativo	el/la ... más ... de el/la ... menos .. de	*El día más triste de su vida* *El viaje menos largo de todos*
Superlativo absoluto	muy + (Adj positivo) (Adj positivo) + –ísimo/a	*Un día muy aburrido* *Un tema interesantísimo*

● Observaciones

1.ª El superlativo relativo puede ser de superioridad o inferioridad relativa:

> *Juan era el tenista* **más hábil de** *todos.*
> *Juan era el futbolista* **menos hábil de** *todos.*

2.ª El superlativo absoluto señala una cualidad en su máximo grado, pero sin establecer relación entre el sustantivo a que se aplica y otros sustantivos:

> *La fiesta fue* **entretenidísima** *y* **muy agradable.**

Este superlativo se forma de dos maneras:

— por método sintético: mediante la terminación **-ísimo/a**
— por método analítico:
● mediante adverbios: **muy, sumamente, extremadamente, altamente, extraordinariamente...**
● mediante prefijos: **super-, archi-, requete-, extra-...:**

> *Estás* **superguapo/requetebién...**

● mediante sufijos diminutivos usados con valor superlativo:

> *Estás* delga**tito** (= muy delgado).
> *Póngame un café* calen**tito** (= muy caliente).

● mediante locuciones adverbiales:

> *Estás* **la mar de** *guapa.*
> *Está* **pero que** *furioso.*

● mediante mecanismos prosódicos:

> *¡Qué bello! ¡Magnífico!*

3.ª Algunos superlativos han sido heredados del latín, como son:

máximo = el más grande
mínimo = el más pequeño
óptimo = el mejor
pésimo = el peor

> *Este coche tiene una garantía* **máxima** *y un precio* **mínimo**

4.ª En la formación del grado superlativo absoluto algunos adjetivos sufren alteraciones diversas:

— Los que derivan de términos latinos con vocales «o/e» breves oscilan entre la diptongación y la no diptongación:

bueno: **buenísimo / bonísimo**
fuerte: **fuertísimo / fortísimo**
cierto: **certísimo / ciertísimo**
nuevo: **novísimo / nuevísimo**

— El grupo consonántico -bl- puede admitir o no vocal intermedia:

noble: **noblísimo / nobilísimo** (esta última es más usual)

— Cambio de **g** por **c**:

sagrado: **sacratísimo**

— Recuperación de la **d**:

fiel: **fidelísimo**

— Cambio de **g** por **qu**:

antiguo: **antiquísimo**

— Cambio de las terminaciones **-z, -co, -go** por:

z: tena**z** / **tenacísimo**
qu: blan**co** / **blanquísimo**
gu: lar**go** / **larguísimo**

— Los terminados en **-ue, uo** sin acento pierden la última vocal:

ten**ue** / **tenuísimo**
exig**uo** / **exigüísimo**

— Los terminados en **-ío/io** también pierden la última vocal:

ampl**io** / **amplísimo**
p**ío** / **piísimo**
vac**ío** / **vaciísimo**

5.ª El español cuenta con un grupo de adjetivos que no admiten el grado superlativo

— porque su significado no admite grados de más o menos. Así son:

dos, tres... (los numerales)
inmenso, inmóvil, inmutable, celeste...

— porque su estructura no se presta a la inflexión, por razones de mero hábito lingüístico o por condicionamientos fonológicos: es el caso de los adjetivos con el acento en la antepenúltima sílaba (esdrújulos):

-eo: férreo, sanguíneo...
-imo: legítimo
-ico: lógico
-fero: mortífero, fructífero
etc.

6.ª Formas superlativas irregulares de algunos adjetivos de uso frecuente:

amigo: *amicísimo, amiguísimo*
áspero: *aspérrimo, asperísimo*
cruel: *cruelísimo, crudelísimo*
difícil: *dificilísimo* (en desuso «dificílimo»)
íntegro: *integrísimo, integérrimo*
simple: (en desuso «simplícimo»), *simplicísimo*
noble: *nobilísimo* (en desuso «nobílimo»)
pobre: *paupérrimo, pobrísimo*
mísero: *misérrimo* (poco usado «miserísimo»)

3. Descripción sintáctica

El adjetivo calificativo puede desempeñar varias funciones:

3.1. Si pertenece al Grupo del Verbo puede funcionar como:

— atributo: *Esta casa es **antiquísima**.*
— predicativo: *El agua viene **turbia**.*
— atributo del complemento: *Tomaron a Juan por **tonto**.*

3.2. Si pertenece al Grupo Nominal, puede funcionar como:

— epíteto antepuesto: Las **altas** cumbres están nevadas.
— adjetivo calificativo pospuesto: El árbol **seco** ya no retoñará.
— aposición: **Indignado** por lo ocurrido, el juez levantó la sesión.

3.3. El adjetivo como atributo

a) El adjetivo calificativo más frecuente funciona como atributo del sujeto. Cuando desempeña esta función no es posible suprimirlo:

El **hombre** parecía **cansado**; su **rostro** estaba **pálido**.
  sujeto   atributo   sujeto   atributo de
              de sujeto   sujeto

b) Con un verbo copulativo («ser», «estar») o semicopulativo («parecer, venir, quedar»...) el adjetivo depende del Grupo Nominal sujeto, como lo manifiesta la concordancia con éste:

María estaba pensativa.
Los niños están inquietos.
El viento viene frío.

c) Con verbos como «creer, considerar, juzgar, encontrar, dejar...», el adjetivo depende del complemento directo y concuerda con él:

Yo **te** creo **mentiroso/sincero**.
A Juan lo tomaron por **tonto**.

3.4. El adjetivo como epíteto y especificativo

a) Como epíteto, asigna al nombre una cualidad sin necesidad de soporte verbal: esto es lo que le diferencia sintáctica y semánticamente del atributo:

La **vieja** casa de la colina (epíteto).
La casa de la colina es **vieja** (atributo).

b) El epíteto puede ser suprimido sin que por ello la oración resulte inaceptable:

La **blanca** nieve cubre la montaña o La nieve cubre la montaña.

c) El adjetivo antepuesto a los nombres propios hace obligatorio el uso del artículo:

Ha llamado Marta.
Ha llamado **la pequeña** Marta.

3.5. El orden del adjetivo en la oración depende de factores varios:

a) De factores semánticos:

● El adjetivo tiende a ser usado después del nombre cuando indica «color, forma, nacionalidad, religión...»:

Vestían un chandal **amarillo**.
Era un patio **rectangular**.

● Algunos adjetivos cambian de significado, según vayan antes o después del nombre:

Una cierta (= indefinida) *cosa*   *Una cosa cierta* (= verdadera)
Un pobre (= de poca personalidad) *hombre*   *Un hombre pobre* (= sin riqueza)
Un gran (= famoso) *hombre*   *Un hombre grande*
Un buen (= de buen corazón) *hombre*   *Un hombre bueno*
Un raro (= escaso) *genio.*   *Un genio raro* (= extraño)
Una sola (= única) *mujer.*   *Una mujer sola* (=sin acompañantes)
Una bonita (= curiosa) *escena*   *Una escena bonita*
Una extraña (= rara) *persona*   *Una persona extraña* (= no conocida)
Una pura (= total) *ilusión*   *Una ilusión pura*
Una triste (= pobre) *figura*   *Una figura triste*
Un simple (= sólo) *colega*   *Un colega simple* (= sencillo)
Alta (= noble) *cuna*   *Cuna alta*
Viejos (= antiguos) *amigos*   *Amigos viejos*
Nueva (= otra) *casa*   *Casa nueva* (= recién construida)
Valiente (= irónico) *salida*   *Salida valiente* (= con valor)

● También existen adjetivos que forman expresiones fijas con el nombre. El cambio de orden implica un nuevo sentido:

Va de hombre bueno   *El día de Año Nuevo*
Tiene muy buen ver   *La Noche Vieja*
El Espíritu Santo   *Los Santos Evangelios*
Los Santos Lugares   *El Santo Padre*
Tierra Santa   *La Semana Santa*
El Código Civil   *La historia sagrada*

● En ciertas expresiones o frases idiomáticas, el adjetivo ocupa un lugar «anómalo» dentro del Grupo Nominal:

Felipe el Hermoso   *Alfonso el Sabio*
Juana la Loca   *Perico el Ciego*
Castilla la Vieja   *Castilla la Nueva*

● El adjetivo antepuesto al nombre tiene siempre un valor enfático, si exceptuamos las estructuras fijas o idiomáticas:

*Llegó un **reducido** (= pequeño) número de estudiantes.*
*En **menudo** (= grande) lío nos hemos metido.*

b) Desde el punto de vista sintáctico, el adjetivo ha de ir detrás del nombre siempre que aquél exija una preposición pospuesta:

*Una regla **fácil de** memorizar.*
*Una noticia **digna de** los periódicos.*
*Una persona **hábil** para los negocios.*

4. Semántica y sintaxis de los adjetivos

Algunos adjetivos presentan rasgos semánticos que restringen sus posibilidades combinatorias con los nombres.

4.1. Adjetivos aplicables a nombres animados o inanimados

Los hay que sólo se aplican a seres animados o seres humanos; sólo metafóricamente pueden aplicarse a seres no animados. De ahí surge el uso normal y el uso *figurado* de ciertos términos:

> *Hombre pensativo.*
> *Flor pensativa* (figurado).

O la diferenciación del significado, según se use en uno u otro sentido:

> *El campo está verde.*
> *El niño está aún verde* (= no maduro).

> *La leche está tibia.*
> *El muchacho está tibio* (= poco decidido).

4.2. Los adjetivos que significan un estado permanente o una cualidad pasajera exigen el verbo «ser» o «estar»:

> *La torre es alta.*   *La mesa es pequeña.*
> *El día está lluvioso.*   *María está guapa*

4.3. Los adjetivos que señalan una cualidad concreta no admiten gradación si dicha cualidad no permite variación en su esencia:

> *El hombre es mortal.*
> *Producto lácteo.*
> *Está en el Polo Norte.*

Normalmente, los adjetivos abstractos señalan una cualidad mensurable y, en consecuencia, admiten gradación:

> *La muchacha es **muy** generosa y **muy** lista...*

4.4. Los adjetivos que exigen régimen preposicional *(transitivos)* deben ir seguidos de un complemento:

> *El niño está **deseoso de** jugar.*
> *Es un animal **útil para** el trabajo.*

Pero no así los *intransitivos,* que no exigen ir seguidos de preposición:

> *Los niños están contentos.*
> *Luisa es muy amable.*

Este hecho condiciona sus posibilidades sintácticas: los primeros deben ir siempre pospuestos, mientras los segundos pueden ir antes o después del nombre.

4.5. Se dan otros grupos semánticos que originan construcciones típicas con adjetivos de dimensión, de color...:

> *Tiene **altas** aspiraciones* (= elevadas, en sentido no físico).
> *Es un empleado de **bajo** rendimiento* (= escaso, en sentido no físico).

II. Adjetivos numerales ordinales

Los numerales ordinales señalan la situación de lo determinado dentro de la secuencia de los números.

1. Son portadores de los marcadores de género y número:

*Un **tercer** alumno.*
*La **cuarta** planta.*
*Siempre acaparan **los** primer**os** números.*

Primero y **tercero** pierden la vocal final si preceden al nombre:

*El **primer** día de la semana.*

2. Los numerales ordinales pueden ir antes o después del nombre:

*Resucitó al **tercer** día / el día **tercero**.*
*Vino al **cuarto** piso / al piso **cuarto**.*

3. Las formas de los ordinales son de uso frecuente hasta el doce. A partir del doce suelen ser sustituidos por los cardinales:

Alfonso V (quinto)
Isabel II (segunda)
Alfonso XII (doce)
Piso 13.º (trece)

4. Formas

1.º *primero*	2.º *segundo*	3.º *tercero*	4.º *cuarto*
5.º *quinto*	6.º *sexto*	7.º *séptimo*	8.º *octavo*
9.º *noveno (nono)*	10.º *décimo*	11.º *undécimo*	12.º *duodécimo*

13.º *decimotercero o trece*		60.º *sexagésimo*	
14.º *decimocuarto o catorce*		70.º *septuagésimo*	
20.º *vigésimo*		80.º *octagésimo*	
30.º *trigésimo*		90.º *nonagésimo*	
40.º *cuadragésimo*		100.º *centésimo*	
50.º *quincuagésimo*		1.000.º *milésimo*	

6 LOS PRONOMBRES

I. Generalidades

1. Descripción sintáctica

1.1. Bajo la denominación de «pronombre», la gramática tradicional agrupa signos cuyo comportamiento sintáctico es muy diferente.

En un ejemplo como:

Ha llegado mi amiga. Mi amiga está descansando

el español recurre a la *pronominalización* para evitar la repetición de *mi amiga:*

Ha llegado mi amiga. (Ella) está descansando.

Se recurre, pues, a la sustitución del grupo nominal («mi amiga») por otro elemento que llamamos «pronombre».

El mismo ejemplo anterior podría ser modificado mediante el recurso de la *relativización:*

Mi amiga, que está descansando, ha llegado.

En este caso, hemos integrado una oración dentro de otra, evitando la repetición del GN «mi amiga» y sustituyéndolo por el elemento pronominal «que».

1.2. Los pronombres desempeñan en la oración las mismas funciones que el Grupo Nominal, pero de una manera específica.

Desde el punto de vista funcional, podemos decir que un pronombre puede:

- Sustituir a un GN ya expresado *(pronombre anafórico).*
- Anunciar otro GN que sigue *(pronombre catafórico).*
- Representar a la persona que participa en el discurso *(pronombre enunciativo o fórico).*

Las tres clases «funcionales» del pronombre tienen como característica común la capacidad de *señalar o referirse (deixis)* a otro elemento. Técnicamente podría, pues, definirse el pronombre como «la categoría de la deixis».

a) Los pronombres anafóricos

— Pueden sustituir un GN:

El Presidente salió en la TV. El Presidente hizo un llamamiento a la calma.
El Presidente salió en la TV. (Él) hizo un llamamiento a la calma.
*Tengo varios lápices, pero sólo uso **uno**.*

— Permiten transformar dos oraciones en una:

*El Presidente, **que** hizo un llamamiento a la calma, salió en la TV.*

b) Los pronombres catafóricos

Estos pronombres señalan o «anuncian» otro elemento o elementos que seguirán a continuación y exigen que se cumplan algunas condiciones restrictivas, según el tipo de palabra anunciada:

—*¿**Quién** ha llamado?*
—***El cartero**.*

«Quién» anuncia «el cartero» y conlleva los rasgos de «animado y humano», propios de «cartero».

c) Pronombres enunciativos o fóricos

Los pronombres fóricos señalan las personas que toman parte en el discurso: hablantes y oyentes:

***Yo** leo y **tú** escribes.*

En este ejemplo, los pronombres **yo** y **tú** funcionan como sujetos, como podría hacerlo un N, y se refieren a **quien** emite y a **quien** recibe el mensaje del discurso. Ambos elementos podrían ser sustituidos por un GN, pero cambiaríamos el punto de referencia hacia «personas ausentes», no pertenecientes al campo del que habla ni del que escucha como ocurre en el ejemplo:

Amalia lee y Ramón escribe.

Incluso en el caso de que Amalia sea «yo» y Ramón «tú», los discursos no serían equivalentes en referente.

1.3. La deixis pronominal

La capacidad de señalar o hacer referencia a otros elementos no es exclusiva de los pronombres: también la poseen otros signos como los adverbios y las conjunciones. El pronombre ofrece al hablante la gran ventaja de poder prescindir de un nombre o de grupos de nombres cuya repetición en el discurso resultaría no sólo molesta sino redundante. Signos como **lo** pueden sustituir a oraciones enteras:

—*Hace frío.*
—***Lo** sé.*

O a elementos individuales tales como adjetivos:

*El vino Rioja es **bueno**, pero el Málaga también **lo** es* (= también es **bueno**).

2. Descripción formal

2.1. El pronombre y el Grupo Nominal

a) El pronombre cumple funciones semejantes a las del GN, pero se diferencia de éste en los siguientes aspectos:

● El pronombre no es portador de significado léxico por sí mismo, sino en cuanto mediador entre el contexto en que se inserta y los elementos verbales a que hace referencia o que señala. Su valor es gramatical. **Yo**, por ejemplo, no consta en los diccionarios con un significado (como ocurre con cualquier sustantivo o adjetivo) porque su valor consiste en referirse a «la persona que actúa como hablante en el discurso».

● La sintaxis del pronombre no es igual que la del GN. Por ejemplo, los GN tienden a ir detrás del verbo:

*Leo **un libro.***
*Hace **la comida.***

mientras que los pronombres deben ir antes del GV:

***Lo** leo* (= el libro).
***La** hace* (= la comida).

● Los pronombres tienen formas diferentes para cada función sintáctica; los nombres sólo poseen una única forma:

***El** no quiere venir.*   *Lo hace por **ti**.*
*Estudia **conmigo**.*   ***Le** di un regalo.*

b) No obstante, los pronombres y el GN presentan algunas características comunes:

● Pueden variar en género y en número:

***Él/ella** canta.*   ***Ella** escribe postales.*
***Nosotros/-as** jugamos.*   ***Nosotros** escribimos muchas cartas al día.*

En los pronombres con forma única *(yo, tú)*, el género se manifiesta solamente a través de la concordancia:

Yo siempre estoy atenta en clase.
Tú no eres serio.

● Tienen formas distintas para diferenciar entre referentes humanos o no humanos:

quién	-	**nadie**	-	**alguien** (= persona)
qué	-	**nada**	-	**algo ello/lo** (= cosa)

*¿**Quién** canta?*	*¿**Qué** canta el niño?*	
***Nadie** se mueve*	*No se mueve **nada***	*No creo en **ello***
***Alguien** viene*	*Piensa **algo***	***Lo** bello agrada*

2.2. El pronombre y el determinante

a) El pronombre y el determinante son signos que aparecen en distribución complementaria: el pronombre aparece en contextos pre- o post-verbales. El determinante se da en contextos nominales:

***Él** juega al tenis* (= pronombre + verbo).
***El** niño juega al tenis* (= artículo + nombre).

*Juan siguió **esta** señal hasta el final* (= demostrativo + nombre).
*Juan **la** siguió hasta el final* (pronombre + verbo).

b) Se da una estrecha relación entre el pronombre personal y el determinante posesivo: éste equivale al artículo más un complemento pronominal:

Mi *libro* = *El libro **de mí*** (mi / mí).
Tu *coche* = *El coche **de ti*** (tu / ti).

2.3. El pronombre y el verbo

Ambos comparten las marcas morfológicas de número y persona:

a	yo tú él/ella nosotros/as vosotros/as ellos/as	le corresponde la desinencia	-o -s -ø -mos -is -n

3. Clases de pronombres

Tomando como punto de referencia el comportamiento sintáctico y las formas, los pronombres pueden agruparse en las clases siguientes:

Pronombres personales: **yo, tú, él, ella...**
Pronombres demostrativos: **éste, ése, aquél...**
Pronombres posesivos: **mío, tuyo, suyo...**
Pronombres indefinidos: **alguno, ninguno, cualquiera...**
Pronombres relativos: **quien, que, cual...**
Pronombres interrogativos: **cuál, quién, qué...**
Pronombres exclamativos: **qué, cuánto, quién...**

II. El pronombre personal

1. Descripción sintáctica

1.1. Teniendo en cuenta la función comunicativa de estos pronombres, pueden agruparse en dos clases:

a) Pronombres con función fórica o enunciativa:

yo, tú, nosotros, nosotras (primera y segunda persona del singular y plural).

b) Pronombres con función anafórica o de referencia a lo ya expresado:

él, ella, ellos, ellas (tercera persona, singular y plural).

Los primeros designan a los seres animados que intervienen en la comunicación, mientras que los segundos pueden designar seres animados o inanimados o referirse a los ya expresados por otros nombres.

Nota.—Téngase en cuenta que, desde el punto de vista de la concordancia, todos los nombres que puedan figurar en un diccionario pertenecen a la tercera persona gramatical: siempre hemos de referirnos a ellos mediante los pronombres **él, ella, ellos, ellas**.

1.2. **Yo, tú, nosotros, nosotras, vosotros, vosotras** son siempre *nombres personales:* el referente que les corresponde es siempre un nombre propio. Así, **yo** puede tener como referente a Juan, Isabel, Pedro, María, etc.:

Yo (= Juan, Isabel...) estudio las estrellas en verano.

1.3. **Él, ella, ellos, ellas** pueden designar a personas presentes en el momento en que tiene lugar la comunicación y funcionar, por tanto, como pronombres personales equivalentes a un nombre propio:

*Llegó **ella*** (= Llegó Isabel).

O bien pueden designar un GN ya mencionado, como en:

*Llegó el avión de Buenos Aires. He soñado con **él**.*

Él funciona como pronombre, en calidad de sustituto anafórico del GN «el avión de Buenos Aires».

2. Descripción formal

2.1. Los pronombres personales presentan variación en género, como los nombres. Debe notarse, sin embargo:

a) **Tú** y **yo** son invariables y su género gramatical se manifiesta sólo a través de la concordancia exigida, como ya se vio anteriormente.

b) La primera y segunda persona del plural presentan variación de género en las formas:

nosotros, nosotras
vosotros, vosotras

c) El pronombre de tercera persona cuenta con la forma **él** para el masculino y **ella** para el femenino. La elección de una u otra forma depende del sexo de la persona o animal al que haga referencia o del género gramatical del grupo nominal que sustituye:

Él (= Ramón) acaba de salir.
Ellas (= María e Isabel) pasean por el parque.
*Acaba de salir el tren, pero no les vi subir a **él**.*
*Llegó una ambulancia: en **ella** venía un enfermo.*

2.2. En la variación de número, los pronombres presentan algunas peculiaridades:

a) Yo, tú forman el plural cambiando la raíz de sus formas: **nosotros, nosotras, vosotros** y **vosotras**

b) Él y **ella** lo forman de manera regular: **ellos, ellas** (masculino, femenino).

Nota.—El significado de plural también es más complejo en los pronombres que en los nombres. Así, por ejemplo, la pluralidad implicada por *nosotros/-as* puede ser asociativa: *yo + tú; yo + él; yo + tú + él.* El de *vosotros/-as* puede implicar, de manera similar: *nombre (Luis...) + tú; tú + tú + él; tú + él;* el de *ellos/-as* puede representar a un GN en plural *(los chicos = ellos)* o a uno o varios GN coordinados con personas *(él + ella + GN = ellos).*

2.3. Los pronombres personales poseen un rasgo exclusivo: el **caso**. Ello permite usar formas pronominales diferentes para las distintas funciones que desempeñan en la oración:

> *Llegó el Príncipe Felipe, aunque no vi al Príncipe Felipe; manifestaron al Príncipe Felipe gran afecto.*

equivaldría, utilizando elementos pronominales, a:

> *Él llegó, aunque no lo vi; le manifestaron gran afecto.*

Las formas pronominales utilizadas (**él, lo, le),** todas de tercera persona singular, cumplen, cada una de ellas, funciones de sujeto, objeto directo e indirecto, respectivamente.

De igual manera, en la oración:

> *Yo me vi perdido, cuando comprobé que nadie se dirigía a mí, para salir conmigo.*

las formas **yo, me, mí, conmigo,** todas de la primera persona del singular, cumplen funciones diferentes en la oración (sujeto, objeto directo, objeto indirecto y complemento circunstancial, respectivamente).

3. Formas de los pronombres personales

El pronombre personal presenta las siguientes formas, según las distintas funciones que puede desempeñar en la oración:

PERSONAS GRAMATICALES			FORMAS TÓNICAS			FORMAS ÁTONAS			
			Sujeto	Compl. prep.		Compl. directo		Compl. indirecto	
				No refl.	Refl.	No refl.	Refl.	No refl.	Refl.
1.ª	sing.		yo	mí, conmigo		me			
	pl.	masc.	nosotros			nos			
		fem.	nosotras						

87

PERSONAS GRAMATICALES		FORMAS TÓNICAS			FORMAS ÁTONAS			
		Sujeto	Compl. prep.		Compl. directo		Compl. indirecto	
			No refl.	Refl.	No refl.	Refl.	No refl.	Refl.
2.ª	sing.	tú (usted)	ti, contigo		te			
	pl. masc.	vosotros (ustedes)			os			
	pl. fem.	vosotras (ustedes)						
3.ª	sing. masc.	él	sí, consigo		lo	se	le (se)	se
	sing. fem.	ella			la			
	sing. neutro	ello/lo			lo			
	pl. masc.	ellos			los		les (se)	
	pl. fem.	ellas			las			

4. Usos del pronombre personal en función de sujeto

El español puede prescindir de la explicitación de los pronombres personales en función de sujeto: las desinencias verbales que corresponden a cada una de esas personas bastan para señalar ésta y, por lo tanto, también la función:

Temo por su vida (yo).
Sabes que es verdad (tú).
Dice la verdad (el/ella).

Por esta razón, el pronombre personal sujeto sólo se hace obligatorio en casos especiales:

1.º Para evitar la ambigüedad que podrían conllevar las formas de tercera y primera persona, cuando coinciden varias en la oración:

*No sabía **yo** que **él** vendría tan pronto.*
*Siempre decía **él** que **yo** no lo podía hacer.*

2.º Para resaltar la oposición de las personas que intervienen en la comunicación:

*Aunque **tú** no me esperes, **yo** estaré allí a las doce.*
*Si **tú** lo dices, **yo** te creo.*

3.º Para realzar la importancia de la persona que habla o escucha:

*Te lo digo **yo**.*
*A Marta, no la has visto **tú**.*

Nota.—En plural es frecuente elidir «nosotros» y «vosotros», aún en los casos en que la presencia de un sintagma en aposición exigiría su explicitación:

(Vosotros), los estudiantes, sois el futuro del país.
Todos (nosotros) soñamos con algo en la vida.
(Nosotros), todos, procuraremos ser responsables.

5. El pronombre personal sujeto y su orden o colocación en la frase

5.1. En general, los pronombres en función de sujeto no obedecen a un orden fijo en la frase. Pero se dan casos en los que el contexto predetermina de alguna manera su colocación:

1.° En las oraciones interrogativas suele aparecer detrás del verbo:

*¿Por qué lo haces **tú**?*, y no **¿Por qué lo tú haces?*
*¿Vienes **tú** o no vienes?*, equivalente de *Tú, ¿vienes o no vienes?*

2.° En concurrencia con algunos adverbios *(apenas, quizás...)* también suele ir pospuesto:

*Apenas había salido **él**, llegué yo.*
*Quizás lo sepas **tú**.*

3.° En el estilo indirecto se posponen:

*—No irá —contestó **ella**.*
*—Es Pedro —dije **yo**.*

4.° Detrás de las formas de imperativo en función apelativa o vocativa, también se posponen:

Vete, tú.

5.2. Los pronombres personales pueden combinarse con *mismo/-a, propio/-a, solo/-a;* además del valor enfático que imprimen al pronombre, sirven para señalar el género, especialmente en la primera y segunda persona, ya que la tercera dispone de formas distintas para estos casos:

*Lo hice **yo misma**.*
*Vine **yo solo**.*
*Lo dijo **él mismo**.*

5.3. También puede combinarse el pronombre con el numeral y los indefinidos:

***Vosotros dos** vendréis conmigo.*
***Todos nosotros** aplaudiremos.*

5.4. Las formas personales **yo, tú** no pueden construirse con preposición. Si aparecen con *entre, hasta, según...*, estos elementos funcionan como adverbios, significando *juntamente, incluso:*

***Hasta tú** lo sabes.*
*Lo haremos **entre tú y yo**.*

5.5. El pronombre personal en función de sujeto solamente admite construcciones apositivas u oraciones adjetivas explicativas:

(Yo), molesto, me marché de la reunión.
Tú, que en tanto te tienes, fuiste el primero en equivocarte.

5.6. Las formas de 3.ª persona, **él, ella, ellos, ellas,** en función de sujeto, se refieren a seres humanos. Para referirnos a cosas, es posible utilizar las formas correspondientes del demostrativo:

Ésta es mi casa.   Éste es mi coche.
*Ella es antigua.   *El es del último modelo.

5.7. **Ello** es la forma neutra del pronombre de 3.ª persona. A veces equivale a **eso** y se emplea con valor anafórico o de referencia a algo ya explicitado:

*No tienen dinero, pero **ello** no quita que sean generosos.*
*Le dolía la cabeza, pero **ello** (= eso) no le impidió trabajar.*

6. Fórmulas de tratamiento personal

El sistema pronominal cuenta en español con formas diversas y sustitutorias para señalar o aportar significados distintos de la deixis o señalamiento, propio del pronombre. Dado que otros signos lingüísticos, como el verbo y el posesivo, conllevan también una función deíctica similar, cualquier cambio en una de estas clases de palabras implica cambios en las demás:

***Tú** llegaste en **tu** coche.*
***Nosotros** llegamos en **nuestro** coche.*

No obstante, los cambios y sustituciones de las personas gramaticales no siempre presentan el mismo carácter. He aquí un intento de sistematización de los distintos usos:

6.1. La forma **yo,** de primera persona, puede ser sustituida en los casos siguientes:

1.º Por la forma **nos,** ya anticuada, de primera persona del plural *(plural mayestático);* es usada con significado de singular, pero exige concordancia verbal en plural. Su uso se restringe a la jerarquía eclesiástica y al Rey, en circunstancias solemnes:

***Nos** ordenamos y mandamos... (= el Rey).*
***Nos** os bendecimos (= el Papa).*

2.º Por la forma **nosotros** *(plural de modestia),* también con significado singular, pero concordancia en plural. La usan con mayor frecuencia oradores, escritores y periodistas y tiene como finalidad el atraer la benevolencia y disposición favorable por parte de los oyentes o lectores:

***Nos** parece una idea interesante (= a mí me parece).*
***Proponemos** como solución una política de ahorro energético (= [yo] propongo como solución...).*

3.º Por la forma **se,** de tercera persona, o por el pronombre indefinido **uno.** Con este recurso, el hablante despersonaliza lo que dice y oculta su «yo» al amparo de la impersonalidad:

*Pues aquí **se** hace lo que **se** puede (= yo hago lo que puedo).*
***Uno** dice lo que sabe (= yo digo lo que sé).*

En el lenguaje coloquial es también frecuente el uso de la segunda persona de singular, **tú:**

***Tú** lo haces con buena intención y luego ni te lo agradecen.*

4.º Por un nombre de determinadas características, a fin de resaltar o poner de relieve la personalidad de quien habla. El uso de esta forma se da casi exclusivamente en la lengua vulgar:

Mi menda nunca dice que no (= yo nunca digo que no).
Este cura no va a misa ni los días de fiesta (= yo no voy a misa...).

6.2. Las formas **tú** y **vosotros/-as** podrían ser llamadas «formas de la intimidad, ternura y amor». Por esa razón, cualquier tratamiento de cortesía y de respeto impuesto por convenciones o exigencias sociales desaparece con su uso:

Tú me quieres mucho.
Vosotras exigís demasiado

En razón de esta realidad, la segunda persona debe ser sustituida:

a) Por las formas **usted/ustedes (Ud., Uds.),** si queremos expresar cortesía o respeto:

Ustedes no tenían por qué haberse levantado.
Usted se lo merece todo.

● Téngase en cuenta que **usted, ustedes,** no suelen funcionar como vocativo. Las formas **vuecencia, usía** *(= vuestra excelencia, vuestra señoría)* están menos lexicalizadas y son de uso muy restringido (para determinadas autoridades civiles o religiosas).

● Estas cuatro formas implican algunas restricciones morfológicas y paradigmáticas, reflejadas en el cuadro siguiente:

P e r s o n a l e s	Sujeto C. preposicional C. directo C. indirecto	**usted** **a usted le...** **lo** (masc.) **la** (fem.) **le**	**ustedes** **a ustedes les...** **los** (masc.) **las** (fem.) **les**

Posesivos	**su, suyo, suya** **sus, suyos, suyas**

Reflexivos	Compl. directo/indirecto Compl. preposicional	**se** **sí**

Así:

Su coche (= de usted) está preparado.
A ustedes, les cuidan muy bien.
A ustedes las cuidan de maravilla.
Usted se lo guarda todo para sí.

Este regalo se lo merece.
Este libro es suyo (= de ustedes, masc. o fem.).
Estas cartas no son suyas.

b) En algunas zonas de Hispanoamérica, especialmente en Argentina, la forma **vos** ha constituido con **tú** un solo paradigma, adquiriendo también los matices de intimidad y confianza de este último. Su uso se atiene al siguiente cuadro de formas:

Sujeto	**vos**	*Vos recibís*
C. directo	**te**	*Vos te recibís*
C. indirecto	**te**	*A vos te lo digo*
C. preposicional	**vos**	*Yo te acompañaré a vos*
Reflexivo	**te**	*Acordate bien de esto*

● Debe tenerse en cuenta, igualmente, que las formas verbales asociadas a **vos** en el presente, indefinido e imperativo son las siguientes:

-és	por **-éis:**	*Vos sabés* (presente)
-es	por **-eis:**	*Vos recibistes* (indefinido)
-i	por **-id:**	*Decidí* (imperativo)

● A pesar de lo anterior, el español de América es bastante uniforme. En realidad las formas dialectales que diferencian el habla de un argentino y un mexicano no son mayores que las existentes entre Asturias y Aragón (dos regiones de España), por ejemplo.

● A manera de resumen, las **fórmulas de tratamiento** podrían reducirse a:

	Fórmulas familiares/coloquiales	Fórmulas de respeto/cortesía
Formas estándar	**tú** **vosotros/-as**	**usted** **ustedes**
Formas no estándar	**vos** **ustedes**	

Las formas no estándars son frecuentes en Río de la Plata (Argentina) y algunas zonas de América Central, donde conviven con las formas del español estándar, ya sea por influencia de los escritos literarios, ya sea por la educación recibida en la escuela.

6.3. La tercera persona tiende a ser sustituida por un sintagma nominal en los siguientes casos:

a) Cuando el núcleo de la oración es un nombre de persona:

El bueno de Antonio aceptó con agrado.

O cuando el nombre va precedido de «señor/-ra, don/doña, amigo/a, paisano/a» (apelativos de carácter genérico) o de ciertos títulos que indican pofesión, cargo, grado, etc.: «doctor, juez, marqués/-sa, general», etc.:

Don Luis ha salido de viaje.
¿En qué piensa mi señora la **marquesa?**
El **doctor** Sánchez acaba de llegar.
Llama el **juez.**

b) Cuando la forma utilizada es un nombre abstracto femenino que indica «dignidad, virtud o cualidad»:

Alteza: para príncipes
Eminencia, excelencia: para obispos
Grandeza: para nobles
Majestad: para Reyes
Santidad: para el Papa
Señoría: para parlamentarios o diputados en Cortes

Nota.—Las fórmulas que utilizan el adjetivo «vuestro/a» exigen el uso de **vos/os:**

Alteza, vuestra generosidad **os** hace acreedores de toda gratitud.

7. Los pronombres átonos en función de complemento directo e indirecto

A diferencia de lo que ocurre con los pronombres tónicos, los átonos nunca aparecen solos o aislados: necesitan de la presencia de otro signo que pueda cumplir las funciones de complemento directo o indirecto; sólo uno de ellos, **lo,** funciona como atributo:

Parece inteligente, pero no **lo** es.

Las formas átonas son las siguientes:

Persona		singular			plural	
		masc.	fem.	neutro	masc.	fem.
1.ª	O. directo O. indirecto	me		—	nos	
2.ª	O. directo O. indirecto	te		—	os	
3.ª	O. directo	lo	la	lo	los	las
		se			se	
	O. indirecto	le			les	
Atributo		lo			—	

7.1. La construcción de pronombre en función de complemento directo

Existen diferencias formales y sintácticas entre las dos primeras personas gramaticales y la tercera:

a) Las dos primeras personas presentan variación de número, pero no de género. Estas formas pueden, además, desempeñar las funciones de complemento directo o indirecto:

Me/Te (c. d.) llamaron por teléfono.
Te/Me (c. i.) contaron una mentira.

Nos/Os (c. d.) vimos en la fiesta.
Os/Nos (c. i.) comunicaron que no fuérais.

b) Las formas de tercera persona admiten variación de género y número. Salvo **se**, cada una de ellas tiene asignada una función propia:

De complemento directo: **lo, la, lo/las, los:**

A Juan lo vi ayer.
A Julia la llamé por teléfono.
El cuento ya no lo recuerdo.

De complemento indirecto: **le/les:**

A Isabel le haré un regalo.
A los niños les compraré unos caramelos.

c) Las formas **me, te/nos, os** preceden al verbo:

Me/te/nos/os saludó con efusión y alegría.

Excepto:

1.º Si el pronombre se combina con el infinitivo o gerundio:

*Tienes que **avisarme** cuanto antes.*
*Lo resolverás fácilmente **informándoles** con antelación.*

2.º Si el pronombre se combina con el imperativo o subjuntivo con valor desiderativo:

***Decídete** y vente con nosotros.*
***Ayúdenos** la suerte en esos momentos.*

Nota:

● Al combinarse el pronombre con el verbo en la primera persona del plural del presente de subjuntivo, éste pierde la terminación final «-s»:

Pongámonos de acuerdo (pongamos + nos...).

Ayudémonos unos a otros (ayudemos + nos...).

La palabra pasa a ser esdrújula (con acento en la antepenúltima sílaba): *ayudémonos* frente a *ayudemos.*

● El imperativo, en contacto con los pronombres átonos, pierde la terminación «-d» del plural:

Proletarios del mundo, uníos (unid + os).

En el lenguaje coloquial es frecuente la inserción de una «-r-» entre verbo y pronombre por razones meramente eufónicas:

Comportaros como debéis, en vez de *Comportáos como debéis.*

d) El uso no admite el pronombre átono después del verbo cuando ello origina términos de difícil pronunciación y de rara o poco agradable audición. Así se dice:

Me encaramé en vez de *Encaraméme.*
Le duele en vez de *Duélele.*
Lo señaló en vez de *Señalólo.*

Pero:

vístete (de «vestir»).

aunque nunca *vistete* (pretérito indefinido de «verse»).

e) Me (c. indirecto) siempre sigue a **te, se** (complemento directo) cuando concurre con ellos:

*No **te me** escondas* y no **No me te escondas.*
***Se me** paró el coche* y no **Me se paró el coche*

Las normas de la Real Academia recomiendan el uso de las formas átonas de complemento directo e indirecto del pronombre de tercera persona del singular o plural de acuerdo con el siguiente esquema:

	masculino	femenino
C. directo	**lo/los**	**la/las**
C. indirecto	**le/les**	

En consecuencia, **lo/los** y **la/las** aportan no sólo diferenciación de género, sino también de número, mientras que **le/les** sólo aportan diferenciación en número:

*El juez tomó declaración al detenido y **lo** encarceló.*
*Encontró a dos niñas llorando y **las** llevó a casa.*
*Llamó al niño/niña y **le** dio la noticia personalmente.*
*Se acercó a las muchachas/los muchachos y **les** agradeció su ayuda.*

7.2. Problemas de uso: *laísmo, loísmo y leísmo*

A pesar de la norma establecida por la Real Academia, **lo, la, le** y·sus plurales presentan en la actualidad usos pocos estables: la diferenciación entre las distintas formas y sus funciones, en relación con el género, tiende a tomar como base lo animado y lo inanimado. Lo animado incluye tanto el masculino como el femenino, mientras lo inanimado se reserva para el neutro. Se da así un sistema similar al que existe para los demostrativos o para los pronombres personales tónicos:

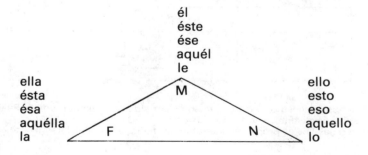

Al prevalecer el género sobre el caso, se originan los fenómenos conocidos como *laísmo, loísmo y leísmo:*

a) Laísmo

Consiste en usar **la** por **le**, en función de complemento indirecto y con referencia a un ser animado:

*Miró a la joven y **la** dirigió la palabra.*

Gráficamente podría representarse así:

	masc.	fem.
c.d.	lo	la
c.i.	le ←	

b) Loísmo

Consiste en el uso de **lo** en vez de **le,** en funciones de complemento indirecto y refiriéndonos a un ser animado masculino:

*Vio a su amigo en la calle, pero no **lo** habló*

Hecho lingüístico concretado así:

	masc.	fem.
c.d	lo	la
c.i.	→ le	

c) Leísmo

Consiste en el uso de **le,** en función de complemento directo y con referencia a un nombre masculino:

*Vieron al ladrón y **le** prendieron* (más frecuente).
*Vieron a los ladrones y **les** prendieron* (menos frecuente).

Se puede representar con el siguiente cuadro:

	masc.	fem.
c.d.	lo ↑	la
c.i.	le	

Nota.—Los fenómenos de **laísmo, leísmo** y **loísmo** han sido condenados por la Real Academia, con diferente intensidad y en distintos momentos históricos.
En general, cada uno de ellos es propio de determinadas regiones peninsulares. El uso culto no admite el

loísmo ni el laísmo, pero sí el leísmo de modo casi generalizado, siempre que **le** sustituya a **lo** en función de complemento directo masculino:

frente a:

> *Buscaba a mi hermano y **le** vi cuando cruzaba la calle.*
> *Buscaba a mi hermano y **lo** vi cuando cruzaba la calle.*

Cuando la referencia se hace a la forma **usted**, el uso suele preferir también **le**:

> *Quería conocer**le** a usted personalmente.*

7.3. La forma neutra **lo** sólo se usa como complemento directo y como atributo; en el primer caso hace referencia a lo significado por la oración precedente:

> *Ayer se inauguró la feria y yo **lo** ignoraba.*

En el segundo caso sólo se hace referencia al adjetivo, que funciona como atributo:

> *Es una señora muy rica, aunque no lo **aparenta**.*

7.4. El pronombre *se* tiene usos muy distintos. Desde el punto de vista sintáctico, puede clasificarse en dos grandes grupos:

— *Se* **flexivo,** que implica variantes y alternancia de formas, según la persona a la que se esté refiriendo.

— *Se* **no flexivo,** que no admite variantes ni alternancia con otras formas gramaticales.

a) *Se* flexivo

Se caracteriza por cinco valores:

1.° Valor de sustituto nominal:

> *Envió un libro a Juan = **Se** lo envió (**le** lo...).*
> *Entregó el premio a los ganadores = **Se** lo entregó (**les** lo...).*

Con este valor, **se** funciona siempre como complemento indirecto, tanto en singular como en plural, masculino o femenino.

Si se desea especificar el género o el número implicado por el **se** «sustituto nominal», debe combinarse con las formas tónicas del mismo pronombre:

> ***Se lo** entregó a él/ella.*
> ***Se lo** entregaron a ellos/ellas.*

2.° Valor reflexivo:

El **se** reflexivo se refiere a la misma persona representada por el sujeto. Implica, pues, identidad entre sujeto y objeto (directo o indirecto). No determina ni el género ni el número, pero, a diferencia del **se** «sustituto nominal», puede funcionar como complemento directo o indirecto, según el verbo con que se construya:

> *Juan **se** mira en el espejo (c. directo).*
> *La niña **se** dio una palmadita en la frente (c. indirecto).*

Si queremos especificar el género o el número de este **se** reflexivo, debemos recurrir a **sí mismo/a/-os/-as**:

> *Juan se lava a **sí mismo**.*
> *Las niñas **se** dan palmaditas en la frente a **sí mismas**.*

3.º Valor recíproco:

Desde el punto de vista morfológico, el **se** recíproco exige siempre un sujeto plural, ya que cada uno de los sujetos realiza la acción sobre el otro o los otros al tiempo que es receptor de esa misma acción por parte de los demás. Dicha reciprocidad suele resaltarse en ocasiones con las expresiones *mutuamente, unos a otros, entre sí...*:

Juan y Ana se odian (**el uno al otro,** c. directo).
Los novios se escribían cartas (**el uno al otro,** c. indirecto).

4.º Valor pronominal o gramaticalizado:

Este tipo de **se** forma parte de la estructura verbal: por esa razón, decimos que «está gramaticalizado», porque ya no realiza función alguna independientemente:

Los usuarios se quejan del servicio de trenes.
El asesino se arrepintió de su acción.

Los verbos no son «quejar, arrepentir», sino «quejarse, arrepentirse».

5.º Valor de modificador léxico:

Con esta función, el **se** es un indicador de las diferencias de significado entre parejas de verbos, uno de los cuales se conjuga con las formas **me, te, se, os, se,** mientras el otro no:

Ramón se fue a Sevilla (= se instaló en Sevilla).
Roberto fue a Sevilla (= viajó a Sevilla).

Marta vino de Argentina (= viajó desde Argentina).
Marta se vino de Argentina (= abandonó definitivamente Argentina).

Creyó que habían subido los precios (= aceptó como verdad).
Se creyó que habían subido los precios (= reflexividad).

Comió paella (= acción de comer, sin más, parte de una paella).
Se comió la paella (= enfatización de la acción de comer por parte del sujeto una paella entera; **se comió paella* es inviable en uso reflexivo).

Nótese que los ejemplos de este apartado son muy abundantes en español.

b) *Se* no flexivo

Tiene dos valores:

1.º Valor pasivo. Las construcciones con **se** «pasivo» sólo son posibles en tercera persona del singular y del plural:

Se rompió el cristal (el cristal fue roto).
Se rompieron los cristales (los cristales fueron rotos).

El sujeto suele ser de cosa y concuerda con el verbo en número, lo cual facilita la transformación de este tipo de oraciones en pasivas. Pero, a diferencia de la pasiva construida con el verbo «ser», la construida con **se** carece de agente expreso.

2.º Valor impersonal. Esta construcción sólo es posible en tercera persona del singular:

Se vende piso.
Se busca secretaria.

Estas oraciones carecen de sujeto y por eso el verbo se caracteriza por la concordancia en tercera persona del singular.

Nota.—Este tipo de oraciones puede coincidir con el **se** «pasivo» cuando el sujeto está en singular:

Se realizó una investigación (= impersonal o también pasivo = fue realizada una investigación).

7.5. La construcción del pronombre en función de c. indirecto

a) Con esta función, el pronombre átono posee formas invariables para los dos géneros: **me, te, le, se, nos, os, les, se**:

Me trajo un regalo.	*Nos remitió el informe.*
Te envió una postal.	*Os presentó a su amiga.*
Le ofreció empleo.	*Les gustó la ciudad.*
Se lavó las manos.	*Se devolvieron el saludo.*

b) Con frecuencia el pronombre en función de c. indirecto es exigido por el régimen del verbo. Así en:

Me parece bueno.	*Me parece que no es él.*
Te duele la cabeza.	*Te duele que no haya ganado.*
Le molesta el ruido.	*Te molesta que critiquen su obra.*
Nos interesa la oferta.	*Nos interesa que no vengan hoy.*
Os agrada la foto.	*Os agrada que sea tan mimoso.*
Les gusta el baile.	*Les gusta que baile el pasodoble.*

c) **Le/les** se utilizan como correferentes o formas relacionadas con **usted/ustedes** para indicar cortesía, respeto o falta de confianza:

*Les deseo a **ustedes** un feliz año nuevo.*
*A **usted le** doy la enhorabuena.*

d) Cuando concurren en la oración las formas átonas de tercera persona (**lo, la, los, las**) y otra cualquiera de primera o segunda persona, siempre debe preceder ésta última:

Me lo contó.	*Nos la dio.*
Te la vi.	*Os lo remití por correo.*
Se las entregué en mano.	*Se los devolví íntegros.*

8. La enclisis pronominal

Se denomina así el hecho de que los pronombres personales átonos se pospongan a determinadas formas verbales formando una sola palabra con ellas. Estas formas verbales son el infinitivo, imperativo y gerundio.

La casuística es la siguiente:

8.1. Con infinitivo en función de complemento directo o de sujeto.

En este caso el pronombre se pospone, pero en otros puede también preceder a la forma verbal con la que concierta el infinitivo. Si el infinitivo funciona como sujeto, nunca admite anteposición del pronombre:

*Poder enfrentar**se** a ellos es lo que le gustaría.*
*Se poder enfrentar a ellos...

a) Con infinitivo concertado con otro verbo:

Los dos equipos no pudieron enfrentarse.
Los dos equipos no se pudieron enfrentar.
No conviene asustarles, pero no **Les conviene asustar* (que cambiaría de significado).
Le satisface vernos aquí, pero no **Le satisface nos ver aquí.*

b) Con infinitivo dependiente de verbos de movimiento:

No vino a vernos.   *No nos vino a ver.*
Iremos a decirles la verdad.   *Les iremos a decir la verdad.*

c) Con infinitivos dependientes de verbos que implican mandato, el cambio de orden implica cambio de significado:

Mandé construirle una casa (para él).
Le mandé construir una casa (le mandé a él...).
Ordenaré buscaros una entrada para el cine (para vosotros).
Os ordenaré buscar una entrada para el cine (os ordenaré a vosotros...).

d) Con infinitivo dependiente de verbos que indican actos de voluntad:

Se lo puedo enviar mañana.   *Puedo enviárselo mañana.*
No quiso verle la herida.   *No le quiso ver la herida.*

8.2. Con infinitivos precedidos de verbos en función auxiliar no es posible anteponer el pronombre:

a) Cuando se trata de verbos de movimiento («ir, salir, venir...») o que signifiquen tendencia o impulso («aspirar, obligar, tender...»):

Fueron a buscarle.
Salieron a verla.
Tendía a mejorarla (la marca).
Aspiraba a enseñarlos (a los alumnos).

b) Cuando concurre con verbos que denotan esfuerzo («trabajar, esforzarse, luchar, pugnar, hacer...») y exigen la preposición «por» o «para»:

Rabiaba por sacarla a pasear (a su perrita).
Trabajaba para ayudarles en sus estudios.

c) Cuando el infinitivo se utiliza en función de complemento circunstancial es siempre obligada la enclisis:

- Tras expresiones temporales:

Al comunicarle la sentencia se derrumbó.

- En expresiones modales:

Demostró gran habilidad en derribarlo.
Se contentó con comentarlo en voz alta.

- Cuando el infinito tiene valor causal:

No pude comprar el periódico por faltarme diez pesetas.

Si el infinitivo tiene valor condicional:

De saberlo, hubiésemos ido enseguida.

8.3. La enclisis con el gerundio:

● **a)** El pronombre puede o no posponerse si es complemento directo de la forma de gerundio:

Andaban buscándolos.   *Los andaban buscando.*
Estaba viéndolas venir.   *Las estaba viendo venir.*

● **b)** Con verbos de percepción o comprensión («sentir, ver, observar, distinguir...»), si el pronombre es objeto directo de este verbo (no del gerundio), la enclisis es obligada:

Lo vi paseando con su mujer, y no **Vi paseándolo con su mujer.*

● **c)** Con verbos reflexivos seguidos de gerundio, es también obligada la enclisis:
El público se aburre escuchándola.

● **d)** Debe posponerse el pronombre cuando el gerundio inicia la oración:

Haciéndolo así, gustará a todos.
Dedicándole tiempo, aprenderás a tocar bien el piano.

8.4. La enclisis con el imperativo:

Con el imperativo, la enclisis es siempre obligatoria:

dímelo   *cuéntanoslo*
dásela   *compradselo*

8.5. Consecuencias fonéticas y ortográficas de la enclisis:

● **a)** Con la enclisis, las formas de infinitivo, gerundio o imperativo cambian la cantidad silábica y, en consecuencia, pueden ser esdrújulas y hacer necesario el acento gráfico:

cuéntaselo   *dádselo*   *dándolas*
cantándola   *ámala*   *dínoslo*

● **b)** En el imperativo se dan algunas alteraciones ortográficas:

sentad = *sentaos*   (pérdida de la **-d**)
unid = *uníos*   (pérdida de la **-d**)

*Nota.—*Se exceptúa el imperativo de «ir», que, según la norma, debería ser «idos», pero que en la lengua coloquial es siempre «iros».

9. Lexicalización con pronombres átonos

Debido a la enclisis provocada por algunos pronombres átonos, ciertos verbos han cristalizado en formas fijas, especialmente dentro de la lengua coloquial y familiar. Así:

Arreglárselas   *Ingeniárselas*
Componérselas   *Pasarlo bien*
Dormirla   *Tenérselas con alguien*
Guardársela   *Emprenderla con alguno*
Verlas venir   *Tomarla con alguien*
etc.

10. El pronombre tónico en función de c. directo e indirecto

Este tipo de pronombre personal suele construirse con preposición. Deben ser tenidas en cuenta algunas características:

10.1. Las formas **mí, ti, usted/ustedes** son idénticas para el masculino y el femenino:

*Es para **mí** un honor invitarte a casa.*
*«A **ti** nunca te ha gustado viajar en avión», le dijo a su amiga.*

10.2 El resto de pronombres tónicos cuenta con formas para diferenciar el género:

*Para **nosotros/-as, vosotros/-as, ellos/ellas** todo esto es mejor.*

10.3. El reflexivo **sí** exige siempre preposición antepuesta:

*Sólo piensa en **sí**.*
*Y dijo para **sí**: voy a ganar.*

10.4. En función de c. circunstancial, los pronombres tónicos admiten cualquier preposición:

***ante/contra/de/por...** «mí, ti, sí, él, nosotros, vosotros, ellos»...*

Nota.—No se admite «según» ante **mí, ti, sí**, pero sí ante **tú** (*Según tú, no es verdad nada de lo que dice Pepa*). En este caso «según» es adverbio, como lo son «hasta, entre» en combinación con **tú, yo**:

Hasta yo lo hice.
Entre tú y yo no hay nada convenido.

La preposición «con», al combinarse con **mí, ti, sí**, da lugar a las formas fijas siguientes:

conmigo
contigo
consigo

11. Los pronombres redundantes o expletivos

11.1 En español es frecuente el uso de un pronombre equivalente y correferente en los casos en que por razón de énfasis o tematización se antepone el complemento directo o indirecto:

*A **ellas** no **las** he vuelto a ver.*
*A **ella** **le** compré un vestido.*

Nótese que ejemplos como el último son ambiguos en cuanto al significado, ya que puede interpretarse como que «yo compré un vestido para ella» o que «yo le compré a ella un vestido».

11.2. La función del pronombre redundante o expletivo puede ser:

a) referente anafórico en relación con el c. directo, indirecto o atributo:

*A **ella** no **la** vi.*
*A **él** no **le** envié el regalo.*
*Estas camisas, **baratas** no **lo** son.*

Nota.—En las oraciones interrogativas y exclamativas no aparecen los pronombres redundantes a que nos estamos refiriendo:

¿Qué novela («la») está leyendo?
¡Buen susto («lo») nos diste!

b) anunciadora de un complemento indirecto (catafórica):

*Le repito **a usted** que me resulta imposible hacerlo.*

*Te avisaremos **a ti** personalmente.*

c) indicadora de contraste o exclusión:

*Me lo dieron **a mí*** (y no a ti...).
*Os lo digo **a vosotras*** (y no a ellas...).

d) resaltar el interés puesto por el sujeto en la acción expresada por el verbo:

*Me temo **yo** que no vengan.*
*¡Lléva**telo tú**!*

Esta función suele darse con los verbos **beberse, creerse, ganarse, jugarse, merecerse, olvidarse, perderse, saberse, tenerse, tragarse** (transitivos) y **estarse, llegarse, morirse, quedarse, salirse, subirse, venirse** (intransitivos).

11.3. Conviene tener en cuenta que el español no usa pronombres redundantes «por capricho»: su uso siempre implica una determinada función o significado:

*Busqué las fotos, pero **me** las debí perder* (el «me» enfatiza la responsabilidad del sujeto en la acción).
*Ya **se** lo entregué a tu padre* (el «se» pone de relieve el complemento indirecto que sigue, «a tu padre», para enfatizar su importancia en la acción expresada por el hablante).

III. Los pronombres demostrativos

1. Descripción sintáctica

Desde el punto de vista sintáctico, el pronombre demostrativo se caracteriza:

a) Por ser un signo deíctico, es decir, con función de señalar e identificar la relación espacial y temporal entre algo que cae dentro del campo o esfera personal del hablante u oyente y un objeto o persona. Además, esta función identificadora siempre conlleva la concordancia de género y número con el nombre identificado:

Ésta es la puerta de Alcalá.

donde «ésta» implica oposición con otras puertas («ésa, aquélla...») y, en consecuencia, la identifica frente a ellas.

b) Por referirse a un grupo nominal ya expresado o por anunciar el que se va a expresar:

Aquélla fue mucho mejor que ésta (señalamiento anafórico).

Éste es el tema: el cese de la violencia (señalamiento catafórico).

c) Por referirse al sentido global de una oración anterior o que seguirá:

*Viajar a Méjico es una aventura: **eso** me gusta.*
*Nunca digas **esto**: «Mañana lo haré».*

d) Por situar lo identificado o señalado en el espacio o en el tiempo (reales, contextuales o mentales) en relación con el hablante, el oyente/interlocutor y el entorno:

*Estuve con **éste*** (deixis ad oculos: «éste está presente).
*Vino otro señor: **éste** preguntó por ti* (deixis contextual).
*Hay días buenos y malos, pero nunca pienso en **ello*** (deixis ad phantasmata: identificación realizada en la mente).

e) Por poder realizar todas las funciones de un Grupo Nominal, salvo la de atributo:

Éste es grande (es una ecuación del tipo A = B).
La mejor es ésta (es una ecuación del tipo A = B).

2. Formas del demostrativo

Son las mismas que las del adjetivo demostrativo, excepto las formas neutras singulares, exclusivas del pronombre:

	masc.	fem.	neutro	valor	persona
sing. pl.	**éste** **éstos**	**ésta** **éstas**	**esto**	proximidad al hablante *(aquí)*	1.ª
sing. pl.	**ése** **ésos**	**ésa** **ésas**	**eso**	proximidad al oyente *(ahí)*	2.ª
sing. pl.	**aquél** **aquéllos**	**aquélla** **aquéllas**	**aquello**	externo/alejado del hablante y oyente *(allí/allá)*	3.ª

Nota.—Las normas establecidas aconsejan diferenciar los adjetivos de los pronombres demostrativos mediante el uso del acento gráfico en estos últimos:

Aquellos libros.
*Compré **aquéllos** (los libros...).*

3. Valores y funciones

3.1. Las formas **éste/ésta** y sus plurales pueden referirse tanto a seres animados como inanimados:

Ésta (= la piedra) nunca la había visto antes.
Ésta (= la niña) sí que es lista.

3.2. Las formas neutras **esto, eso, aquello** sólo se refieren a objetos inanimados y sin distinción de género:

Esto (= pera, acción, obra...) *no me gusta.*

3.3. Esto, eso, aquello pueden referirse a algo desconocido para el hablante y oyente:

¿Qué es **aquello** que se ve a lo lejos?

o a algo conocido, que incluso pueden estar viendo tanto el hablante como el oyente:

¿Qué es **esto?** (señalando un lápiz).

Adviértase que en ambos casos la función del demostrativo no es la de nombrar, sino sólo la de «señalar».

4. Usos del demostrativo

4.1. Para referirnos a varias cosas anteriormente mencionadas, **aquél/aquélla** o sus plurales se usan para señalar lo mencionado en primer lugar y **éste/ésta** o sus plurales para hacer referencia a lo señalado en segundo lugar:

Tiene un Rolls y un utilitario; **aquél** *lo usa en los actos oficiales y* **éste** *para desplazarse por la ciudad.*

4.2. Al igual que ocurre con los adjetivos demostrativos, los pronombres también pueden adquirir matiz despectivo en las formas de primera y segunda persona:

Ése es un perdido.
¡Qué se habrá creído **éste!**

4.3. A veces se usa con valor enfático, siendo en tal caso redundante:

Éste es un chico simpático = Es un chico simpático.
Ésas son cuestiones menores = Son cuestiones menores.

4.4. El español cuenta con expresiones en las que participan demostrativos y han quedado fijas o gramaticalizadas, precisamente con valor demostrativo:

Esto es = exactamente esto es lo que buscaba.
Eso es = justamente.
Por esto = por esta razón.
A eso de las diez = hacia las diez.
En éstas estamos = éstas son las circunstancias/condiciones en que nos encontramos/estamos.

IV. Los pronombres posesivos

1. Descripción sintáctica

1.1. Desde el punto de vista **sintáctico,** se caracterizan estos pronombres:

a) Por ser los signos de la deixis o identificación personal en relación con los objetos señalados:

*Es tu amigo y **el mío**.*
*Se trata de su dinero, no **del tuyo**.*

b) Por funcionar siempre como adjetivos y presentar un comportamiento sintáctico similar.

En efecto, como ocurre en este caso, su uso presupone una estructura atributiva implícita:

*El coche azul = El coche **es** azul.*
*El coche mío = El coche **es** mío.*

*El coche no **es** azul, sino rojo.*
*El coche no **es** mío, sino tuyo.*

Si en vez de referirnos al sustantivo sólo, nos referimos al sintagma nominal sujeto («el coche»), entonces el posesivo también va precedido de artículo, como ocurre con los adjetivos:

*El coche no es **el azul**, sino **el rojo**.*
*El coche no es **el mío**, sino **el tuyo**.*

Este hecho contrasta con lo que ocurre en el caso del demostrativo, que presupone una identidad o ecuación entre el sujeto y el predicado (*El libro es éste*, donde «libro» = «éste»). En *El libro es mío*, «mío» funciona como atributo de «libro».

c) Por ser portadores en posición postverbal de la «mención de la persona» en relación con el objeto identificado, hecho que se puede dar en distintos momentos. Por lo tanto, es y funciona como adjetivo en tales circunstancias:

$$El\ libro \underset{(objeto)}{\uparrow} \left\{ \begin{array}{l} es \\ fue \\ será \end{array} \right\} \underset{(persona)}{\underset{\uparrow}{mío.}}$$

Como los adjetivos, admite también cuantificación:
*El libro es **más** mío que tuyo.*

d) Por no poder anteponerse a los adjetivos calificativos, a diferencia de lo que ocurre con el demostrativo. Así no ha de decirse:

* *El libro es mío azul.*
* *El libro es mi azul.*
* *Dame mi azul.*

Sino:

*El libro azul es **mío,** o El libro **mío** es azul, o Dame el azul **mío**.*
*Este azul es **mío**, o Este azul **mío**.*

El posesivo antepuesto no puede asumir la función de sustantivo suplido que comporta el artículo, sino sólo la función de identificación.

e) Por no suplir nunca a un nombre. Esto queda patente si tratamos de sustituir en la frase:

*Toma tu libro, yo me quedo con **el mío**.*

«el mío» por «libro»:

> *Toma tu libro, yo me quedo con **el libro***.

oración que no equivale en absoluto a la primera.

1.2. En suma, la deixis o señalamiento posesivo con valor pronominal parece propia de las formas posesivas con artículo: **el mío, la mía, los míos, las mías, lo mío,** etc.

2. Formas pronominales del posesivo

personas	poseedor	número	masc.	fem.	neutro
1.ª	uno	sing. pl.	**el mío** **los míos**	**la mía** **las mías**	**lo mío**
	varios	sing. pl.	**el nuestro** **los nuestros**	**la nuestra** **las nuestras**	**lo nuestro**
2.ª	Uno	sing. pl.	**el tuyo** **los tuyos**	**la tuya** **las tuyas**	**lo tuyo**
	varios	sing. pl.	**el vuestro** **los vuestros**	**la vuestra** **las vuestras**	**lo vuestro**
3.ª	uno o varios	sing. pl.	**el suyo** **los suyos**	**la suya** **las suyas**	**lo suyo**

Notas sobre formas y usos

a) Las formas **suyo/a, suyo/-as** pueden referirse tanto a uno como a varios poseedores, es decir, tanto a la tercera persona singular como plural, así como también a usted/ustedes. No obstante, el contexto que exige el uso pronominal es suficiente para evitar ambigüedades:

> *Él no encontró en su casa ni un solo libro, ni siquiera **los suyos**.*
> *A Pepe le gustan los coches, pero sobre todo **el suyo**, un descapotable rojo.*

b) El posesivo no tiene forma especial para el neutro. La suple con la anteposición de la forma neutra **lo.**

c) El español ha desarrollado numerosas formas fijas y expresiones hechas con los posesivos:

> *Ya es mío/mía* (= ya me pertenece).
> *Siempre tuyo* (para finalizar cartas).
> *Siempre se sale con la suya* (= consigue lo que quiere).
> *Los tuyos* (= familiares).
> *A lo mío* (= a mi obligación o preferencias).
> *Lo mío es...* (= lo que me gusta o prefiero...).

V.   Los pronombres indefinidos, cuantitativos y numerales

En cuanto a las formas, la mayor parte de los pronombres indefinidos y cuantitativos coinciden con las de los adjetivos indefinidos.

1. Características generales

1.1. Los pronombres indefinidos sirven para mencionar personas o cosas, pero sin identificarlas, ya sea porque no conviene, no importa o no es posible.

1.2. La denominación de «cuantitativos» suele aplicarse en especial a los indefinidos que designan un número no preciso de personas o una cantidad indeterminada:

Muchos participaron en la carrera, pero pocos llegaron a la meta.
Comió demasiado.

1.3. Tanto la cantidad como el número pueden graduarse de mayor a menor o viceversa:

> **uno, dos, tres, ... otro, pocos, muchos, todos**
> **nadie, alguien, dos, tres, ... varios, muchos**
> **nada, algo, poco, bastante, demasiado**

1.4. En su forma neutra, los indefinidos y cuantitativos pueden funcionar como adverbios de cantidad. Para distinguirlos, pueden tenerse en cuenta los siguientes criterios:

a) Se trata de adverbios cuando siguen a verbos intransitivos o verbos utilizados como tales:

Lloraba mucho/algo/bastante/demasiado.
Reía poco / No reía nada.

b) Con verbos transitivos, depende del contexto:

Leía mucho es adverbio si equivale a «constantemente».
          es pronombre si equivale a «muchos libros».
Vivió mucho es adverbio si equivale a «intensamente».
          es pronombre si equivale a «muchos años».

La especificación del significado sirve, por tanto, de criterio diferenciador.

c) Alguien, nadie, quienquiera son siempre pronombres.

d) Mucho, poco, bastante, nada, algo pueden ser pronombres o adverbios, según el significado implicado.

e) Alguno, ninguno, pueden ser pronombres o adjetivos determinantes.

f) Uno puede ser pronombre indefinido o pronombre numeral.

1.5. Los indefinidos poseen dos formas neutras diferenciadas: **algo, nada.** En otros casos, las formas del neutro corresponden a las del masculino singular: **todo, mucho, demasiado, uno, otro;** o bien coinciden con la forma del singular cuando no tiene variación de género, como en **bastante.**

Nótese que es precisamente la carencia de concordancia la que impide que estos pronombres reproduzcan los términos del contexto o situación a que hacen referencia. Las formas neutras sólo «aluden» algo.

2. Clases y formas de los indefinidos

2.1. El indefinido **uno** tiene variación de formas para el género y número: **uno, una, unos, unas.**

Uno se utiliza también como impersonal:

*Persiguen a **uno** por todas partes.*
__Uno__ se defiende como puede.

2.2. Los compuestos de **uno, alguno, ninguno** forman una oposición de término positivo frente a negativo, sin que se den entre ambos otras diferencias o matices. Son formas que:

- varían en género y número.
- se refieren a personas o cosas.
- compiten con *alguien* y *nadie,* cuando se refieren a personas:

Ninguno *lo sabe* = **Nadie** *lo sabe.*

Algo, nada son las formas neutras correspondientes a la oposición término positivo-negativo. No admiten variación en número:

*Que yo sepa, no ha ocurrido **nada**.*

Pueden también adverbializarse:

*Está **algo** cansada.*
*No es **nada** tonto.*

2.3. Cualquiera no individualiza ni identifica lo designado y, además, denota indiferencia. Equivale a «lo mismo da uno que otro»:

Cualquiera *de vosotros lo sabe.*

- Se aplica tanto a personas como a cosas:

*Dame **cualquiera** (referido a libros).*

- El plural lo forma sobre el primer elemento del compuesto, **cualesquiera**. Pero su uso es escaso.
- Se usa como sustantivo, precedido de «un/a», con valor despreciativo:
*Tú eres un/-a **cualquiera**.*

2.4. El indefinido cuantitativo **todo** tiene las siguientes formas: **todo, toda, todos, todas** y para el neutro **todo.**

- También se aplica a personas o cosas, indistintamente:

Todos *se alegraron de su victoria.*
*Me gusta **todo**.*

- Puede tener valor anafórico:

*Los aficionados del Betis, **todos** eran sevillanos.*

2.5. Mucho, poco, en sus formas masculina y femenina, singular y plural, tienen volor anafórico cuando van precedidas de artículo:

Los pocos *que han quedado en casa.*

- Cuando funcionan como partitivos, suelen conservar la concordancia:

Muchos de ellos se fueron.
Pocas de nosotras lo sabíamos.

Nota.—Según la Academia de la Lengua, el uso en concordancia de *una poca (de) agua* es vulgar. Debería decirse: *Un poco de agua.*

2.6. Otro varía en género y en número y da por supuesta la mención de algo:

Otro no lo habría hecho (da por sentado que tú o alguien lo hizo ya).

Se puede usar en correlación con «uno/-a»:

Uno llegó, (el) otro se fue...

2.7. Cada indefinido distributivo, se emplea como determinante, pero también como pronombre, con valor anafórico, en **cada uno, cada cual**:

Cada uno se contenta con lo que tiene.
Cada cual echa la culpa a su vecino.

Cada uno enfatiza menos lo individual y diferencial que **cada cual** y por eso es desplazado a veces por este último.
Con complementos partitivos, se usa **cada uno**:

Cada uno de nosotros/de ellos/de los alumnos... debe atenerse a las conse-cuencias.

2.8. Tal, como cualitativo, pondera la cualidad, y es anafórico:

No hará tal.

El plural es **tales**.

2.9. El cuantitativo **tanto** pondera la cantidad, y es también anafórico:

No digo tanto (= eso).
No haré tanto (todo eso, en exceso).

Las formas son **tanto, tanta, tantos, tantas,** y el neutro, **tanto**.

3. Usos pronominales de los numerales

3.1. Los numerales adquieren a veces un valor anafórico:

Consulté varios libros, pero sólo me sirvió uno.
Me visitaron algunos estudiantes y dos me preguntaron por ti.
—¿Cuántos libros has leído? —Cuatro.

3.2. Las formas **ambos/-as entrambos/-as** equivalen a «el uno y el otro». Por ello resulta absurda la frase *El primero de ambos,* que debería ser *El primero de los dos.*

VI. Los pronombres relativos

1. Descripción sintáctica

Desde el punto de vista de la **sintaxis,** el pronombre relativo:

- Sustituye a un nombre o grupo nominal, como los demás pronombres:

Abre este libro. [Este libro] está sobre la mesa.
Abre este libro   que   está sobre la mesa.

- Subordina así una oración a otra, por lo que la subordinada pasa a desempeñar una función adjetiva dentro de la primera (de ahí el nombre de oraciones «adjetivas» o de relativo).

- El relativo hace referencia a un término que se denomina *antecedente;* con él concuerda en género y número. Dicho antecedente puede ser:

Explícito: = un nombre: *Compró el **coche que** le gustaba.*
          = un pronombre: *No será **él quien** te ayude.*
          = una oración: ***Estaba cansado,** por lo que me acosté.*

Implícito: ***Quien** calla, otorga.*
          *No me gustó **lo que** dijo.*

- La función del relativo es la de «recordar» el antecedente oracional (anafórica):

*Nada **que** yo sepa, ha pasado.*

2. Formas del pronombre relativo

	masc.	fem.	neutro
sing.	**(el) que** **el cual** **quien**	**(la) que** **la cual** **quien**	**lo que** **lo cual**
pl.	**(los) que** **los cuales** **quienes**	**(las) que** **las cuales** **quienes**	
sing. pl.	**cuyo** **cuyos**	**cuya** **cuyas**	Véase el capítulo de los determinantes (págs. 39 y 69)
sing. pl.	**cuanto** **cuantos**	**cuanta** **cuantas**	**cuanto**

3. Valores y usos

3.1. Que es la forma más frecuentemente usada. Puede seguir a un nombre, a un pronombre, artículo u oración:

> *Agua que no has de beber, déjala correr.*
> *Yo, que soy responsable, no te lo aconsejo.*
> *Bienaventurados los que tienen hambre y sed de justicia.*
> *Todo lo apuntado, que me parece muy bien, no puede cumplirse.*

3.2. En algunos casos el artículo que precede al relativo equivale a un demostrativo:

> *Lo que me dijiste, era verdad = Eso que me dijiste...*

3.3. Sólo las oraciones con **el que** y todas sus variantes pueden combinarse con el cuantificador «todo»:

> *Todo lo que se aprende, es útil.*
> *Todas las que trabajan, triunfan.*

3.4. El que y sus variantes puede ser sustituido por **que, quien, el cual** y sus variantes correspondientes:

> *Llegó la señorita de la que me hablaste.*
> *Llegó la señorita de que me hablaste.*
> *Llegó la señorita de quien me hablaste.*
> *Llegó la señorita de la cual me hablaste.*

La presencia del artículo delante de **que** es importante, en su función determinante, para evitar ambigüedad respecto al antecedente, tanto en lo que se refiere a género como a número. Así:

> *Los fines para/por los que hemos venido.*
> *Frutas, cebada y trigo, del que se hace el pan...* («que» = trigo).

Frente a:

> *Frutas, cebada y trigo, de que se hace el pan...* (el «que» puede referirse a cualquiera de los nombres que preceden, o a todos ellos, a diferencia de la frase anterior).

3.5. El neutro **lo que** se usa para referirnos a un antecedente que no puede ser expresado o cuando aquél equivale a una oración:

> *No recuerdo lo que vi.*
> *Hubo amenaza de bomba, lo que me obligó a salir corriendo.*

Combinado con preposiciones, funciona como un todo inseparable; por eso la preposición debe preceder a ambas:

> *Sé de lo que eres capaz.*

Nota:

a) Con determinados verbos (de habla o entendimiento), *que*, precedido de preposición, puede ser sustituido por el equivalente **qué**, pero este último siempre sin artículo:

> *Sé al blanco a que tiras = Sé a qué blanco tiras.*

Esta sustitución puede darse también cuando la oración introducida por **qué**, con los verbos señalados, es complemento directo de aquellos verbos:

*Te diré **lo que** he decidido = Te diré **qué** he decidido.*
*No entiendo **lo que** dice = No entiendo **qué** dice.*

b) La forma **que** puede dar lugar o introducir tres tipos de oraciones:

- las de relativo o adjetivas: *Los alumnos **que estudian**, aprueban.*
- las interrogativas, con el **que** acentuado: *No sé **qué** quieres.*
- las completivas: *Pienso **que** desea acompañarnos.*

4. Quien

4.1. No admite nunca artículo y siempre requiere antecedente de persona. No tiene variación de género, pero sí de número:

*El joven de **quien** te hablé.*
*Las jóvenes con **quienes** hablabas eran de Galicia.*

4.2. Si la forma **quien** es sujeto de la oración que introduce, ésta no puede ser especificativa, sino sólo explicativa:

*Los padres, **quienes** tanto habían hablado en su favor, no le apoyaron.*

y no:

*Los padres **quienes** tanto habían hablado en su favor...*

4.3. Puede encabezar una oración, implicando en este caso un antecedente tácito, menos determinado que el implicado por su posible sustituto **el cual/la cual**:

***Quien** calla otorga.*

es menos específico que:

***El que** calla otorga.*

Por ello, el primer ejemplo es más usado en refranes o dichos, de carácter y validez más general.

5. Cuyo (Véase el capítulo de los Determinantes)

5.1. Es el único relativo con función adjetiva. Concuerda en género y número con el nombre al que acompaña, sin tener en cuenta el género y número del antecedente:

*Los estudiantes, **cuyas madres** lloraban en el pasillo, fueron expulsados del colegio.*
*La niña, **cuyo reloj** encontré en el patio, tenía sólo seis años.*

5.2. Nunca admite artículo y siempre debe preceder al nombre al que acompaña.

5.3. Las oraciones con esta forma pueden ser parafraseadas por otras oraciones de relativo:

*El libro **cuyas** hojas rompiste, era mío.*
*El libro **del cual** rompiste las hojas, era mío.*

6. **El cual, la cual, los cuales, las cuales** constituyen formas pronominales inseparables.

Pueden referirse tanto a personas como a cosas. El artículo que participa en las formas hace posible una mayor determinación del antecedente, precisamente a través del género señalado por éste. De ahí que su uso se prefiera cuando el antecedente esté más alejado:

> *Las causas de la catástrofe fueron el terremoto y la falta de previsión,* ***las cuales*** *(causas) constituyeron también un ejemplar aviso para el futuro...*

7. **Cuanto** implica el antecedente no expreso **todo, todo lo que**:

> ***Cuantos*** *vinieron, recibieron un regalo* (= **Todos los que**...).
> *Dime* ***cuanto*** *sepas* (= Dime **todo lo que** sepas).

7.1. En las formas no neutras concuerda en género y número con el antecedente:

> *Que se levanten* ***cuantos*** *sepan la lección.*

7.2. Como todos los relativos, es indicador e iniciador de una oración subordinada.

7.3. **Cuanto** participa en varias expresiones, como **en cuanto** (= inmediatamente después de que), **en cuanto a** (= en lo que se refiere a) y en términos de comparación, combinado con **tanto** (tácito o expreso):

> ***En cuanto*** *llegó, se puso a comer.*
> ***En cuanto a*** *nosotros, ya tenemos el problema resuelto.*
> ***Cuanto más*** *estudia,* ***(tanto)*** *menos aprende.*

8. **Cual, como** pueden funcionar como relativos de carácter adverbial. En tal caso tienen valor comparativo de identidad. El grado de identidad expresado por **cual** es más enfatizado que el significado por **como**:

> *Comía* ***cual*** *si estuviera muerto de hambre.*
> *Comía* ***como*** *si estuviera muerto de hambre.*

VII. Los pronombres interrogativos

Coinciden en cuanto a la forma con los pronombres relativos, pero se diferencian de ellos en el acento de intensidad, gráficamente representado con una tilde.

1. Las formas son:

MASCULINO		FEMENINO		NEUTRO
sing.	pl.	sing.	pl.	
qué		qué		qué
quién cuál cuánto	quiénes cuáles cuántos	quién cuál cuánta	quiénes cuáles cuántas	cuánto

2. Se diferencian también de los relativos porque sólo se usan en función apelativa:

*Dime **quién** llama.*
*¿**Quién** llama?*
*Dime **cuál** deseas.*
*¿**Cuál** deseas?*
etc.

3. **Quién** se usa sólo referido a personas o cosas personificadas.

*¿**Quién** era?* El cartero.

4. **Qué** se usa para preguntar por la esencia de algo, la clase o la especie:

*¿**Qué** te gusta?*
*¿De **qué** se trata?*

5. **Cuál** pregunta por seres individuales de una clase que ya nos es conocida:

*De estos dos nombres, ¿**cuál** es el tuyo?*

Obsérvese que **cuál** no es equivalente a **qué**.

5.1. Se usa **cuál** siempre que le sigue la estructura «ser» o «de + sustantivo»:

*¿**Cuál** es su nombre?*
*¿**Cuál de ellos** tiene cinco años?*

5.2. Se usa **qué** cuando el interrogativo va seguido de sustantivo:

*¿**Qué** mesa tienes en casa?*

Y no:

¿Cuál** mesa tienes en casa?*

5.3. **Cuál** nunca se usa con «esto», aunque sí con «éste, ésta»:

*¿**Cuál** es éste/ésta?*
¿Cuál** es esto?*

VIII. Los pronombres exclamativos

Las formas del exclamativo coinciden, en parte, también con las del relativo: **qué, quién, cuánto,** con sus diferentes variantes.

1. **Qué** es invariable y siempre neutro.

A veces se combina con la preposición «de» y equivale a «cuántos/-as»:

*¡**Qué de** cosas te podría contar!*

2. **Quién** varía solamente en número:

*¡**Quién** estuviera allí!*
*¡**Quiénes** lo vieran!*

3. **Cuánto** funciona con valor adverbial, equivalente a «mucho»:

*¡**Cuánto** charla!*
*¡No sabes **cuánto** me alegro de verte!*

7 | EL GRUPO VERBAL

I. Definición y descripción del *grupo verbal* (GV)

1. ¿Qué es el GV?

1.1. Definición

Se denomina GV aquella estructura lingüística, de una o varias palabras, que puede funcionar como predicado en una oración. En consecuencia, el GV es uno de los constituyentes de la oración, tal como se esquematiza en el cuadro siguiente:

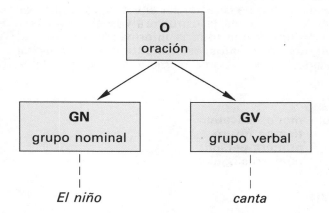

1.2. Componentes del GV

El GV en español siempre consta de un elemento o núcleo que constituye el soporte de la estructura: el verbo. Por eso se denomina «constituyente obligatorio» porque nunca puede faltar, a diferencia de otros posibles elementos que pueden ser opcionales:

componentes del GV	
obligatorios	opcionales
V	GN Gadj. Gadv. Gprep.

GV = Grupo verbal: **Corre. Canta** *canciones.*
GN = Grupo nominal: *Escribe una* **carta.**
Gadj. = Grupo adjetival: *El niño es* **bueno.**
Gprep. = Grupo preposicional: *Ha escrito un poema* **de amor.**
Gadv. = Grupo adverbial: *El perro juega* **continuamente.**

De la naturaleza del componente obligatorio (V), depende la presencia o no de alguno o algunos componentes opcionales.

2. Constituyentes y funciones del GV

2.1. El verbo

El verbo es el elemento esencial y clave del GV. Indica un proceso, una acción o un estado, si bien no es la única palabra capaz de transmitir esta información; los nombres pueden también indicar idénticos significados. Así *un paseo* significa el lugar o la acción de pasear»; *limpieza,* la acción y el resultado de «limpiar». Incluso los adjetivos son capaces de señalar cualidades correspondientes a estas acciones; así se aplica *pensativo* a «quien piensa».

Por lo tanto, es preferible caracterizar al verbo, más que por su significado, por su función sintáctica dentro de la estructura verbal. Si aparece solo o aislado, el verbo condensa en una forma toda la información propia del GV. Si aparece en combinación con otros elementos, éstos contribuyen a explicitar matices informativos o de significado, y actúan como elementos auxiliares del verbo principal. Por ejemplo,:

amaré

señala por sí solo **modo indicativo**
tiempo futuro
primera persona
número singular

2.2. Los auxiliares

A veces el verbo puede aparecer acompañado de otros elementos, y da lugar a estructuras verbales más complejas. De los elementos que lo acompañan, algunos pueden haber perdido total o parcialmente su valor léxico y haber adquirido otros significados. Se dice entonces que estos elementos están *gramaticalizados* y que «auxilian» la estructura y el significado verbal.

Los *auxiliares* deben preceder siempre al verbo y son portadores de la expresión de **tiempo, número, persona, modo, modalidad y aspecto:**

Función: modificadores			**Núcleo**
Auxiliares			**Verbo**
Puede	*haber*	*estado*	*leyendo*
3.ª p. sing. «posibilidad»	perfectivo	pasivo	verbo en forma tensiva **-ndo**

2.3. Estructura del GV con auxiliares

El participio, infinitivo o gerundio, que ocupan siempre el último lugar en la estructura verbal, aportan la información semántica. Las demás informaciones gramaticales las aporta el auxiliar integrante de esa misma estructura. Los **auxiliares** se atienen a un orden fijo y rígido. Cada forma auxiliar determina la forma flexiva de lo que le sigue, según este cuadro:

1.º el auxiliar **modal** consta de una forma verbal **básica**
2.º el auxiliar **perfectivo** exige una forma en **-ado**
3.º el auxiliar **progresivo** exige una forma en **-ndo**
4.º el auxiliar **pasivo** exige una forma en **-ado**

	Aux. modal	Aux. aspectual perfectivo	Aux. aspectual progresivo	Aux. aspectual pasivo	Forma básica
	Estructura del Grupo Verbal con Auxiliares				
1	—	—	—	—	ama
2	—	—	—	—	amar
3	—	—	—	es	amado
4	—	—	—	está	amado
5	—	—	está (pas.)	siendo (progr.)	amado
6	—	ha	—	—	amado
7	—	ha	—	sido	amado
8	—	ha	—	estado	amando
9	—	ha	estado (pas.)	siendo (progr.)	amado
10	puede	—	—	—	amar
11	puede	—	—	ser	amado
12	puede	—	estar	—	amando
13	puede	—	estar (pas.)	siendo (progr.)	amado
14	puede	haber	—	—	amado
15	puede	haber	—	sido	amado
16	puede	haber	—	estado	amando
17	puede	haber	estado (pas.)	siendo (progr.)	amado

3. Los complementos del GV

Podemos esquematizar los posibles componentes del GV en el siguiente cuadro:

GV =		
	cop. + adj. cop. + GN cop. + adv. cop. + grupo preposicional	I
	V V + GN V + GN + grupo preposicional V + oración subordinada	II

Cop. = cópula o lazo de unión

Por lo tanto, según el verbo pertenezca a una u otra subclase semántica, la estructura verbal se podrá clasificar en dos grandes grupos:

- **Estructura verbal atributiva** (I)
- **Estructura verbal predicativa** (II)

3.1. Estructura verbal atributiva

El verbo señala una cualidad atribuida al sujeto y lo hace mediante un verbo copulativo *(ser, estar)* o semi-atributivo *(parecer, resultar...)*:

*Mis **primos** son   **simpáticos**.*
*Mis **primos** parecen **simpáticos**.*
*Mis **primos** resultan **simpáticos**.*

Si la palabra que sigue a la cópula es un adjetivo, éste debe concordar con el sujeto (primos... simpáticos); si el atributo es un nombre, la concordancia deja de ser obligatoria:

*Mis **primos** son la **ruina** de la casa.*
*Las **huelgas** son un **derecho** de los trabajadores.*

3.2. Estructura verbal predicativa

El verbo señala una acción, proceso, etc. y se caracteriza por ir seguido de términos adyacentes en función de complemento directo, indirecto o circunstancial:

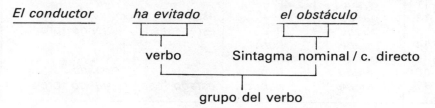

El sintagma nominal en función de complemento directo va precedido de la preposición «a» si se trata de un nombre de persona, un pronombre o un nombre apelativo de persona o animal equivalente a un nombre propio:

*He visto **a** Juana.*
*No he visto **a** nadie / Os mencionó **a** vosotros.*
*Vio **a** Rocinante en la pradera.*
*Besó **a** la novia.*

El complemento indirecto se caracteriza también por la marca preposicional «a» o «para»:

*No quiso abrir **a** la policía.*
*No quiere trabajar **para** los demás.*

En consecuencia, puede producirse ambigüedad siempre que concurran el complemento directo e indirecto:

*Recomiende usted **a** mi sobrino **al** señor director.*

Para resolver esta dificultad es frecuente colocar el complemento directo junto al verbo y sin preposición, seguido del complemento indirecto con «a»:

*Recomiende usted mi sobrino **al** señor director.*

Nota.—Adviértase que en ocasiones la preposición que sigue al verbo puede constituir con éste una unidad inseparable, de carácter léxico, llamada régimen preposicional:

*Juan **creyó a** María.*
*Juan **creyó en** María.*

En el segundo caso, el significado de «creer» es «confiar». De la no equivalencia de ambas formas verbales da fe el hecho de la pronominalización que permite cada una de las frases con sus respectivas formas verbales:

*Juan la **creyó** (a María).*
*Juan **creyó en** ella (en María).*

Algunos verbos admiten también una predicación especial, llamada de complemento predicativo o atributo de complemento directo. Dicha predicación se da:

a) Con verbos como «considerar, juzgar, encontrar, convertir, dejar» más *adjetivo:*

*Consideró esta solución **difícil**.*

Ejemplo en el que «difícil» equivale a un atributo de la estructura subyacente *«(esta solución es) difícil».*

b) Con verbos como «llamar, nombrar, elegir» más *nombre:*

*Eligieron a González **presidente**.*

3.3. Diferencia sintáctica entre las estructuras predicativas y las atributivas

De hecho, la diferencia reside en que se trata de dos estructuras que sólo en la superficie aparecen como similares, cuando en realidad no lo son. La no equivalencia queda manifiesta si intentamos aplicar transformaciones semejantes a ambas. Así:

*Su padre es **un cineasta**.*
*Su padre conoce **un cineasta**.*

Si las transformamos sustituyendo lo que sigue al verbo por un adjetivo, obtenemos:

*Su padre es **feliz**.*

Pero no:

Su padre conoce **feliz.*

En el primer ejemplo atribuimos algo al sujeto, mientras que en el segundo tal atribución no se da; lo que hacemos es «predicar» algo del sujeto, denotar una acción, un proceso...

II. El verbo

1. Descripción sintáctica

Como ya se dijo, el verbo es el constituyente esencial de la estructura verbal. Todas las demás palabras que la integran están en relación directa o indirecta con él. Así en:

Ayer ganó una bicicleta azul en la tómbola,

«ayer», «bicicleta» y «tómbola» están en relación directa con «ganó». La primera en relación de complemento circunstancial de tiempo, la segunda en relación de complemento directo y la tercera en relación de complemento circunstancial de lugar. Estas relaciones se perciben mejor en el siguiente diagrama arbóreo:

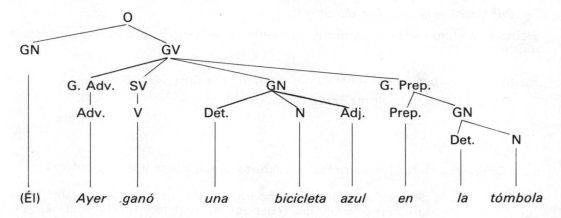

Recae en el verbo la expresión de la *relación predicativa* y, en consecuencia, es el núcleo del predicado en su conjunto. Además, mediante los morfemas de persona y número, remite al sujeto. Precisamente por estos marcadores que porta el verbo, se hace con frecuencia innecesaria en español la mención expresa del sujeto (en el caso anterior el sujeto omitido es tercera persona del singular («él, ella»):

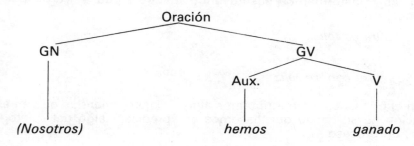

2. Descripción morfológica

2.1. Características generales

El verbo posee morfemas flexivos de número, como el nombre y el pronombre, y morfemas flexivos de persona, como el pronombre. Además, a diferencia del nombre y del pronombre, también cuenta con morfemas flexivos de tiempo y de modo. Debido a esta complejidad morfológica, el verbo no es equiparable en simplicidad y sencillez a la mayor parte de formas de la lengua.

Al significado léxico que conlleva toda palabra, el verbo añade las siguientes informaciones:

- **persona** (sujeto)
- **número** (singular, plural)
- **tiempo** (pasado, presente, futuro)
- **modo** (indicativo, subjuntivo, condicional...)
- **aspecto** (perfectivo, progresivo...)

Todas estas informaciones están contenidas en una forma como **amaron** de la siguiente manera:

a) Por el morfema **-n** se indica el sujeto gramatical.

b) Por el morfema **-n** de número se señala también que se trata de un sujeto plural («ellos» frente a «él» y «ella» frente a «ellas»).

c) Por el morfema de tiempo **-ro-**, se sitúa la acción verbal dentro de la coordenada temporal de pasado remoto, en contraste paradigmático con el presente *(aman)* y el pasado próximo *(han amado)*.

d) Por el morfema de modo **-ro-** se informa sobre la actitud del hablante respecto de la acción reflejada por el verbo: se presenta como una información objetiva y, por tanto, contrasta con el subjuntivo (**-ran,** de «amaran»), que señala la actitud subjetiva del hablante.

e) Por último, también mediante el morfema de aspecto **-ro-,** unas formas temporales se oponen a otras y, a través de ellas, se informa sobre si la acción verbal, independientemente del tiempo en que ocurre, está desarrollándose (imperfectiva) o se ha desarrollado ya (perfectiva).

Nota.—Algunos morfemas verbales pueden reunir más de una de las funciones mencionadas anteriormente.

2.2. Estructura morfológica del verbo

Los morfemas verbales guardan un orden estricto que, en términos generales, responde al de la configuración de la palabra.

Así, el primer lugar lo ocupa siempre el prefijo; el segundo, el morfema radical y el tercero, la vocal temática. En cuarto lugar aparecen los morfemas de modo, aspecto y tiempo y en último lugar los morfemas de número y persona:

Estructura morfológica del verbo				
1	2	3	4	5
prefijos	radical	vocal temática	modo, aspecto, tiempo	número, persona
des-	-arm-	-a-	-ro-	-n
re-	-vel-	—	-ó	ø

● **El morfema número 1** es un constituyente opcional de composición o creación de nuevas palabras:

Hacer	**des**hacer **re**hacer
Poner	**re**poner **im**poner **su**poner **ante**poner **tras**poner **dis**poner
Partir	**re**partir **im**partir **com**partir

● **El morfema número 2** es un componente obligatorio: es el lexema portador del significado léxico. En verbos como **amar, temer, partir** se mantiene invariable a lo largo de la conjugación, si exceptuamos la posición del acento de intensidad, que unas veces afecta a la última sílaba de la raíz *(/reparto/)* y otras a la primera sílaba después del morfema radical *(/repartimos/)*. En el primer caso, se habla de una forma *fuerte;* en el segundo, de una forma *débil*. Este tipo de conjugación se denomina *regular*.

Son muchos los verbos, sin embargo, que además de esta variación de posición del acento, presentan otras alteraciones en el morfema radical. Así, por ejemplo:

alteración por diptongación			alteración por cierre de vocal		
acertar	ac**ie**rto	(e → ie)	decir:	d**i**go	(e → i)
adqu**i**rir	adqu**ie**ro	(i → ie)	poder	p**u**do	(o → u)
mover	m**ue**vo	(o → ue)	tener	t**u**vo	(e → u)
j**u**gar	j**ue**go	(u → ue)			

● **El morfema número 3**. Aunque todos los verbos poseen los mismos morfemas flexivos, sus formas pueden variar de unos a otros. En la vocal temática, por ejemplo, puede darse una doble variedad, como ocurre en el perfecto simple o indefinido:

> **a,** como en **am-a-ron**
> **ie,** como en **tem-ie-ron** y **part-ie-ron**

O una triple variedad, como se da en el presente de indicativo o en el imperativo:

am-**a**-mos	am-**a**-d
tem-**e**-mos	tem-**e**-d
part-**i**-mos	part-**i**-d

Esta triple variación se repite simétricamente en los infinitivos correspondientes: de ahí que en español los verbos se clasifiquen conforme a **tres** terminaciones o paradigmas:

1.ª conjugación	en	**-ar**
2.ª conjugación	en	**-er**
3.ª conjugación	en	**-ir**

● **El morfema número 5** es el último que aparece, ateniéndonos al orden lineal; señala tanto el número como la persona y de manera tal que es imposible deslindar una modalidad de la otra, debido al sincretismo del morfema.

2.3. Desinencias verbales

Sobre las desinencias o terminaciones verbales, conviene destacar algunas características:

● Se dan en español dos tipos de desinencias verbales: **generales** y **especiales** (estas últimas propias sólo de unos pocos tiempos):

		Desinencias generales		Desinencias especiales			
				perfecto simple		imperativo	
sing.	1.ª pers.	ø	**amo**	ø	**amé**		
	2.ª pers.	**-s**	**amas**	-ste	**amaste**	ø	**ama**
	3.ª pers.	ø	**ama**	-ø	**amó**		
plural	1.ª pers.	**-mos**	**amamos**	-mos	**amamos**		
	2.ª pers.	**-is**	**amáis**	-steis	**amasteis**	**-d**	**amad**
	3.ª pers.	**-n**	**aman**	-ron	**amaron**		

● En el presente, perfecto simple y futuro de indicativo, las formas de 1.ª y 3.ª personas de singular, a pesar de aparecer como iguales, no lo son en realidad, ya que el morfema presenta variantes en todos ellos, como se aprecia en el siguiente cuadro:

presente	1.ª pers. 3.ª pers.	**amo** **ama**	**temo** **teme**	**parto** **parte**
perfecto simple	1.ª pers. 3.ª pers	**amé** **amó**	**temí** **temió**	**partí** **partió**
futuro	1.ª pers. 3.ª pers.	**amaré** **amará**	**temeré** **temerá**	**partiré** **partirá**

• En los tiempos restantes se da sincretismo o coincidencia de formas en la 1.ª y 3.ª personas del singular:

pretérito imperfecto	1.ª y 3.ª pers.	**amaba**	**temía**	**partía**
presente subjuntivo	1.ª y 3.ª pers.	**ame**	**tema**	**parta**
futuro hipotético	1.ª y 3.ª pers.	**amaría**	**temería**	**partiría**

Dado que la coincidencia de formas en estos casos podría originar ambigüedad, ésta se resuelve anteponiendo el pronombre que corresponda en cada caso, *yo* para la primera persona, *él/ella* para la tercera:

Yo amaba.   *Él/Ella* amaba.
etc.

• Las terminaciones **-mos** y **-ron** constituyen sílabas. Las restantes son sólo parte de sílaba: **-s, -is, -n, -d,** o bien se componen de una sílaba entera y de una consonante que es coda de la sílaba anterior, como **-s-te, -s-teis.**

• La desinencia **-mos** de 1.ª persona del plural adopta la forma **-mo** cuando le siguen los enclíticos *nos* o *se,* en construcciones reflexivas y recíprocas, especialmente en el subjuntivo desiderativo o exhortativo:

*Esté**mo**nos quietos y callados.*
*¡Alegré**mo**nos todos!*

Asimismo, el imperativo pierde la **-d** final ante el pronombre enclítico:

*am**ad**   am**a**os*
*tem**ed**   tem**e**os*

Nota.—De esta regla se exceptúa «ir»: *idos.*

• Es un vulgarismo el traslado de la terminación de tercera persona al pronombre enclítico, cuando éste está presente:

Márchensen**.*

2.4. El morfema número 4: *el modo*

El español puede expresar el modo de dos maneras:

- **flexivamente,** y hace contrastar las formas del indicativo con las del subjuntivo;

- **analíticamente,** y expresa otros matices de modalidad.

1.º El modo flexivo:

Las formas *amáis, amad, améis* pertenecen todas al mismo verbo, las tres expresan tiempo presente y 2.ª persona de plural, pero se diferencian en cuanto al modo:

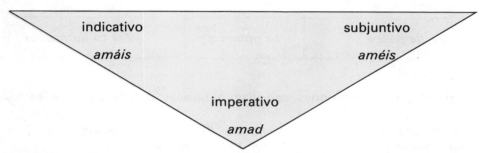

indicativo   subjuntivo

amáis   *améis*

imperativo

amad

El modo verbal señala una acción como ajustada a la realidad objetiva o bien como algo que nosotros vemos o presentamos, subjetivamente, de una determinada manera, pero *sin que se le atribuya existencia objetiva fuera de nuestro pensamiento.* Así decimos:

*En España **luce** un sol espléndido.*
*Sabía que tu avión **había aterrizado** a las ocho.*
*Mañana no **iré** a clase.*

Utilizamos el modo *indicativo* para expresar la realidad que constatamos o para afirmar algo que consideramos que se ha producido o se producirá frente a:

*Temo que en España **luzca** un sol espléndido.*
*No sabía que tu avión **hubiera aterrizado**.*
*Es posible que mañana no **vaya** a clase.*

Frases en las que anunciamos un temor no real *(no estoy seguro si luce o no el sol en España),* el aterrizaje de un avión cuya realidad nos era desconocida y la posibilidad de que mañana no asistamos a clase: en los tres casos, lo expresado refleja algo que está relacionado y depende de la subjetividad de quien habla, no de la realidad de la acción. En estos casos se utiliza el modo **subjuntivo.**

a) La actitud del hablante respecto de lo que se dice se expresa mediante los **modos:**

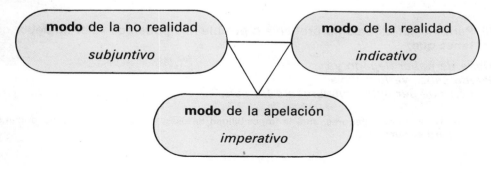

modo de la no realidad

subjuntivo

modo de la realidad

indicativo

modo de la apelación

imperativo

b) El modo desempeña varias funciones:

● Permite oponer oraciones:

declarativa		expresiva
Tú vas de paseo	se opone a	*Ojalá/Que vayas de paseo*
imperativa		interrogativa
Ve de paseo	se opone a	*¿Vas tú de paseo?*

● Permite oponer oraciones sencillas o básicas a oraciones de estructura compleja:

Pablo vendrá mañana.   *Temo que Pablo **venga mañana**.*
Vengo mañana.   *Deseo **venir mañana**.*

Nota.—En el último ejemplo, el modo infinitivo sustituye al subjuntivo porque se da coincidencia de sujeto en ambos verbos. (Compárese con *Yo deseo que tú vengas,* que no admite la construcción con infinitivo: **Yo deseo que tú venir*).

● En casos como el anterior, en los que el uso del infinitivo anula la explicitación formal del modo, el español puede recurrir a otros medios para expresar modalidad como son las formas del modo *analítico.*

2.° El modo analítico:

a) Para expresar acciones verbales que el hablante considera como de obligado cumplimiento nos podemos valer de **haber de, hay que, deber, tener que**:

***Has de** pasear después de cenar.*
***Hay que** escuchar al que habla.*
***Debes** acudir a la cita con tu novia.*
***Tienes que** acompañarnos.*

b) Para indicar algo como probable o posible nos podemos valer de **deber de, poder, tener que**:

***Debe de** haber llegado ya.*
***Puede** saber ya la noticia.*
***Tienen** que ser aproximadamente las seis.*

Nota.—En todos los casos anteriores, ante la imposibilidad de usar los modales auxiliares, podemos recurrir al uso del subjuntivo:

*Es obligado que **pasees** después de cenar.*
*Está mandado que **escuches** siempre al que habla.*
*Es norma que **acudas** a la cita con tu novia.*
*Es posible que **haya llegado** ya.*
*Es probable que ya **sepa** la noticia.*
*Es posible que **sean** aproximadamente las seis.*

c) Son formas analíticas o auxiliares de la modalidad:

```
haber  + de    ⎫
haber  + que   ⎬
tener  + que   ⎪
               ⎬ + infinitivo
poder          ⎪
deber          ⎬
soler          ⎪
osar           ⎬
acostumbrar    ⎭
```

2.5. El morfema número 4: el aspecto

El aspecto también puede ser expresado mediante flexión verbal o analíticamente. El aspecto matiza la duración de la acción verbal.

1.° El aspecto flexivo:

En español, el aspecto señalado por las flexiones verbales presenta características propias (frente a otras lenguas como, por ejemplo, el inglés): indica si la acción verbal ha tocado ya a su fin *(perfectivo)* o no *(imperfectivo)*:

*Juana **estudió** la lección*   (la acción ha acabado ya; ahora ya no estudia).
*Juana **estudiaba** la lección* (no se hace referencia al hecho de si la acción ha acabado ya, sino al hecho de que estaba realizándose en el pasado).

a) El aspecto *perfectivo* está implícito en todas las formas compuestas del verbo, más el perfecto simple o indefinido: *he/había/habré/haya/hubiera estudiado; estudié.*

b) El aspecto *imperfectivo* está presente en todas las formas simples, salvo el indefinido: *canto/cantaba/cantaré/cante/cantara.*

Los tiempos imperfectivos, al no definir el término o finalización de la acción verbal, permiten que el hablante los matice de muy diferentes maneras, especialmente valiéndose de **auxiliares aspectuales**, generalmente mal denominados *perífrasis:*

***Íbamos a ir** al cine, pero llovió y nos quedamos en casa.*

Puesto que «íbamos» no implica que la acción esté ya terminada, cabe la posibilidad de matizar que de hecho la acción no se llevó a cabo por determinadas razones («porque llovió...»).

Este tipo de construcción sería imposible con tiempos «perfectivos». Así:

****Fuimos** a ir al cine...*

no es posible porque el tiempo verbal ya señala que la acción se efectuó, pero sí es posible matizar el aspecto perfectivo: *acabamos de ir al cine.*

2.º El aspecto analítico:

La estructura verbal que expresa el aspecto mediante auxiliares consta de dos formas, una de las cuales está gramaticalizada (ha perdido su significado léxico o parte de él para adquirir otros valores), mientras que la otra es una forma verbal no personal (gerundio, participio o infinitivo):

Ha estudiado la lección.

Ha, como forma gramaticalizada portadora del significado de aspecto, tiempo, número y persona, ha perdido el valor léxico propio de «haber»; **estudiado** sigue con el significado léxico que le es propio y constituye como tal el núcleo de la estructura verbal.

Las dos formas verbales que constituyen el aspecto analítico pueden ir unidas por una preposición:

Se echó a reír.

Aunque no siempre es así:

Está riéndose.

La expresión del aspecto mediante auxiliares puede adquirir matices muy diversos. De ahí que el número de formas auxiliares utilizadas para la expresión del aspecto analítico sea mayor que el correspondiente de auxiliares modales. He aquí un cuadro a modo de resumen y síntesis:

Formas verbales auxiliadas	Aspecto analítico (formas auxiliares)						
	ingresivo	incoativo	progresivo	durativo	perfectivo	pasivo	resultativo
infinitivo	ir a pasar a estar para	echarse a ponerse a romper a comenzar a resolverse a			terminar de dejar de cesar de concluir acabar de/por llegar a venir a		
gerundio			ir estar venir seguir andar llevar				
participio				ir venir (estar) andar	haber	ser estar	llevar dejar tener traer quedar

— El auxiliar ingresivo

Presenta la acción verbal considerando solamente el punto o momento inicial previo a la misma:

Iba a venir, pero finalmente se quedó en casa.
Estaba para llover, pero no llovió.

En ambos casos la acción especificada no llega ni siquiera a ocurrir.

— El auxiliar incoativo

Sirve para presentar la acción verbal en su punto inicial, de manera momentánea, sin considerar su desarrollo posterior:

Empieza a estudiar idiomas.
Se echó a reír.
Comenzó a llover a las diez.

— El auxiliar progresivo

Indica que la acción verbal está en curso de desarrollo *creciente,* como en:

Va mejorando día a día.
Sigue trabajando mucho.

o *decreciente,* como en:

No va mejorando como esperábamos.
No viene estudiando como desea.

— El auxiliar durativo

Expresa que algo permanece todavía, tanto estática como dinámicamente, en la acción verbal y sin limitación en el tiempo:

El equipo anda cansado.
Mamá sigue enfadada conmigo.
La modelo va peinada a la última moda.
Este niño viene muerto de miedo.

— El auxiliar perfectivo

Expresa el estado presente del sujeto como resultado de una acción pasada. Ya se ha dicho que **haber,** como perfectivo, sólo señala la manifestación objetiva de una acción en relación con su estado actual en el tiempo: «que ha finalizado en el presente al que hacemos referencia» *(He trabajado mucho).* Los auxiliares mencionados en el recuadro añaden matices diferentes, además del común de «acción terminada». Así:

Llegó a gustarme Alemania,

presupone una actitud inicial neutra respecto a esta nación.

Acabó por gustarme Alemania,

presupone una actitud inicial dubitativa o negativa.

Nota.—La última oración no admite la negación en el verbo auxiliar que marca el aspecto, ya que niega el valor perfectivo:

*No acabó por gustarme Alemania.

Pero sí lo admitiría en el verbo léxico:

Acabó por no gustarme Alemania,

ya que entonces negamos el hecho de «gustar o no», pero no el aspecto perfectivo expresado por «acabar por»

— El auxiliar pasivo

Indica el estado del sujeto como paciente de la acción verbal:

María **es amada** frente a María **ha amado** (sujeto agente).
El perro **ha sido mordido** frente a El perro **ha mordido**

El auxiliar pasivo presenta, sin embargo, ciertas características que conviene tener presentes:

1.ª El español no cuenta con flexiones propias de la pasiva, como es el caso del latín. Nuestra lengua dispone de una construcción de verbo auxiliado aspectual, consistente en la combinación del auxiliar «ser/estar» más el participio del verbo correspondiente:

Yo **soy** amado. / María **es** amada.

2.ª Esta construcción se diferencia de las formas compuestas del verbo (perfectivas) en que:

   ● éstas se sirven siempre del verbo «haber»;
   ● las formas perfectivas hacen que el participio con que se combina «haber» quede inmovilizado en cuanto al género y al número:

María **ha llegado.**
Mis amigos **han llegado** también.

3.ª Sólo ciertos verbos, los tradicionalmente llamados «transitivos», admiten la construcción pasiva:

Los albañiles construyeron la casa.
La casa ha sido construida por los albañiles.

4.ª Entre oraciones activas y pasivas no existe relación formal alguna. Los referentes extralingüísticos son los mismos, pero las funciones y las relaciones que se expresan son diferentes:

Juan ama a María.   Juan ha amado a María.
María es amada por Juan.   María anda amada.
                                     María queda amada (por Juan).

— El auxiliar resultativo

Indica la acción verbal como acumulativa o como resultado continuado de la acción expresada:

Llevo leídos dos libros (una acumulación de libros leídos).
Quedé asustado por la fiera (resultado que permanece después).
Tengo contados muchos cuentos (acumulación de cuentos contados).

2.6. El morfema número 4: el tiempo

Otra de las funciones del morfema denominado por nosotros «4.º» es la de expresar el tiempo.

Las formas **vengo/venía/vendré/había venido** denotan todas ellas la misma persona: la 1.ª del singular. Pero se diferencian en **el tiempo**: *presente/imperfecto/futuro/pluscuamperfecto.*

Los tiempos del verbo expresan las relaciones de tiempo real, a las que se pueden agregar los valores de aspecto. Sin embargo, la acción o estado indicado por el verbo pueden ser situados en el tiempo desde puntos de vista diferentes:

1.º Tiempos relativos y tiempos absolutos:

Si decimos:

Su llegada me sorprendió, porque no la había previsto.

advertimos que el verbo de la oración principal está en perfecto simple o indefinido, mientras que el segundo está en pluscuamperfecto. El primero sitúa la acción en el pasado en relación con el momento presente del que habla: *es un tiempo absoluto.*

El pluscuamperfecto *(había previsto)* sitúa la acción en el pasado en relación con el momento en que está el que habla, pero también en relación con el tiempo expresado por el verbo de la oración principal *(sorprendió): es un tiempo relativo.*

2.º Las formas verbales:

La primera división que podemos trazar en el sistema de la conjugación nace de la siguiente correlación:

• Formas que no tienen modo, tiempo ni persona: *formas no personales.*
• Formas que tienen modos, tiempos y personas: *formas personales.*

III.   Formas no personales

1. Descripción formal

Estas formas configuran un sistema de tres miembros: positivo, neutro y negativo:

+	ø	−
amado	amar	amando

• El miembro **positivo** es el participio pasivo, porque señala el proceso en su término o final.
• El miembro **negativo** es el gerundio, porque se refiere al proceso sin expresar su término o finalización.

● El miembro **neutro** es el infinitivo, porque expresa el proceso sin hacer referencia a su terminación o realización.

● Las tres formas tienen en común el no expresar por sí mismas el tiempo en que ocurre la acción. Éste se deduce del contexto lingüístico:

Deseo no **fumar** *más* (= manifiesto el deseo de que no **fumaré** más).
Comiendo, *me acordé de ti* (= mientras **comía**...).
Agotados por el cansancio, descansamos sobre la hierba (= cuando **nos** agotó **el cansancio**...).

● Tampoco expresan el número ni la persona.

● En las construcciones con verbos de «lengua, sentido, deseo, etc.», estos significados gramaticales son expresados por el verbo principal, siempre que haya coincidencia de sujetos:

Deseo ir de vacaciones a Canarias.
Temo viajar en avión.

● En otros casos, el castellano prescinde de la expresión de dichos morfemas.

Veo (yo) crecer las plantas.
Oigo (yo) cantar los pájaros.

● En las construcciones absolutas, que pueden adquirir cierta independencia oracional, el tiempo, número y persona son fácilmente deducibles del contexto:

Al amanecer, partimos (= cuando amaneció, partimos).
Al pasear por el parque, pensaré en ti (= cuando pasee por el parque...).

Desde el punto de vista funcional, cada una de estas formas no personales puede ser definida como un sustantivo verbal *(infinitivo)*, como adverbio verbal *(gerundio)* o como un adjetivo verbal *(participio)*.

2. Valor de las formas no personales del verbo

2.1. El infinitivo

Podría decirse de él que es «el nombre del verbo». En realidad, tiene características tanto del nombre como del verbo. E incluso algunos infinitivos han llegado a lexicalizarse totalmente y a convertirse en nombres, como es el caso de:

pesar, haber, deber

Y entonces admiten concordancia en género y número:

Me gustan los cantares populares.
No le gusta cumplir con los deberes trabajosos.
¡Qué hermoso atardecer!
No han percibido sus haberes.

Además, siempre que el infinitivo funcione como nombre, puede llevar determinantes y complementos verbales y desempeñar también las mismas funciones que cualquier otro nombre (sujeto, predicado, complemento...):

*El **fumar** es pernicioso para la salud.*
*El **pensar** es el empezar.*
*Es difícil **de encontrar**.*
*Espera **hablar** bien el español.*

Nota:

1. El infinitivo puede ir precedido de cualquier preposición, excepto *ante, bajo, durante, hacia, según, contra, desde.*

2. Con algunas preposiciones, el infinitivo adquire un significado especial:

● Valor condicional:

De haberlo sabido, no habríamos venido.

Este mismo valor condicional tienen los grupos «a no ser por, a juzgar por, a poder ser»:

A no ser por ti, no hubiéramos comprado este coche.
A juzgar por lo que dices, la sorpresa fue muy grande.

● Valor temporal:

Al salir de clase, nos fuimos todos al cine.
Al llegar mi hermano, nos escondimos.

● Valor concesivo:

Con ser tan experto, no es capaz de hacer funcionar esta máquina.
Con tener dinero, no es más feliz.

● Valor o aspecto imperfectivo:

El crimen está por investigar y por aclarar.
Me quedan lecciones por aprender.

● Valor final (con verbos de movimiento, como «ir, venir, llegar, volver, salir»):

Vine a/para veros.
Salió a/para visitar algunos parientes.

2.2. El gerundio

Es una forma verbal simple e invariable: no admite flexión y desempeña una función adverbial. Tampoco admite determinantes, pero sí complementos propios de su calidad verbal:

*Estoy **leyendo** una novela de Cela.*

Como los adverbios, el gerundio también puede admitir sufijos y diminutivos:

*Lo hizo calland**ito**.*

Desde el punto de vista de su valor, el gerundio expresa:

a) La duración de la acción verbal:

***Caminando**, todo parece más fácil* (= mientras se camina...).
*Viene **leyendo** el periódico* (= viene y al mismo tiempo lee / mientras lee...).

b) Una acción que ocurre al mismo tiempo que otra:

*Le vi **paseando*** (= le vi mientras paseaba).
***Enseñando** se aprende* (= al mismo tiempo que se enseña, se aprende).

Nota.—Téngase en cuenta que en las dos oraciones anteriores se da:

1. En la primera, un hecho acabado *(le vi),* quedando la duración expresada por el gerundio reducida a un momento de esa duración o a parte de ella.

2. En la segunda, como el verbo «aprender» denota aspecto imperfectivo, la coincidencia temporal se extiende a toda la duración de la acción (que se presenta sin finalización o término).

Por esta razón son, si no incorrectos, sí carentes de lógica ejemplos como:

El agresor huyó, siendo detenido horas después.
Se dictó la sentencia, ejecutándose ésta al día siguiente.

porque el gerundio no es adecuado para expresar posterioridad, efecto o consecuencia respecto a otra acción. Los dos ejemplos implican acciones coordinadas, pero *no acciones coincidentes.* Debería decirse:

El agresor huyó y fue detenido horas después.
Se dictó la sentencia y se ejecutó ésta al día siguiente.

c) El gerundio compuesto denota una acción perfecta o acabada, anterior a la del verbo principal:

Habiendo acabado su trabajo, se fue a casa.

d) Cuando el gerundio funciona como adverbio *(hablaba **gritando,** contesta **sonriendo,** pasan **corriendo**),* expresa la manera de expresarse la acción de «hablar, sonreír, pasar»...

Nótese que el gerundio, por lo general, va después del verbo, pero también puede anteponerse:

Contestó sonriendo.
Sonriendo, contestó,

adquiriendo en este último caso un valor estilístico similar al de los adjetivos antepuestos al nombre.

e) El gerundio puede también desempeñar una función adjetiva:

*El profesor, **viendo a los alumnos cansados,** concluyó la clase,*

ejemplo en el que dicha función equivale a una oración adjetiva explicativa: *El profesor, **que veía a los alumnos cansados...***
Referido a un complemento directo (con verbos de percepción u otros), no lleva comas en el lenguaje escrito ni implica pausas en el lenguaje hablado:

*Encontré a su madre **llorando.***
*Lo vieron **probándose** un traje.*

f) En términos generales, el gerundio expresa una acción secundaria que se suma a la del verbo principal, modificándola o describiéndola. De ahí que haya sido considerado como «una cualidad del verbo» *(adverbio)* o señale otra acción atribuida al sujeto o al objeto directo del verbo principal. Algunas formas adverbiales han llegado a convertirse en adjetivos, como es el caso de «ardiendo» e «hirviendo»:

*Se quemó con agua **hirviendo.***
*Vi el horno **ardiendo**.*

g) El gerundio puede expresar los valores siguientes:

● Causal:

***Sabiendo** que eres tú, te haré este favor* (= porque sé que eres tú...).

● Condicional:

Estando tú conmigo, no me pasará nada (= si tú estás conmigo...).

● Temporal:

Habiendo pasado la frontera, fueron detenidos por la policía (= cuando ya habían pasado la frontera...).

● Concesivo:

Estando reñidos, todavía se hablan (= aunque están reñidos...).

● Copulativo:

Es muy inteligente, sobresaliendo entre todos sus compañeros (= es muy inteligente y sobresale...).

2.3. El participio

Es una forma no personal del verbo comparable, en sus funciones, a un adjetivo. Varía, por tanto, en género y número, excepto cuando funciona como auxiliar perfectivo en la formación de los tiempos compuestos de los verbos:

Visto el museo, iremos a descansar al hotel.
Vistas las aves, el zoo carece de interés.
Isabel ha visto a su hermana en Sevilla.

a) El participio puede desempeñar en la oración las funciones siguientes:

● La de atributo, con el verbo «ser, estar» u otros verbos copulativos:

Juan está disgustado.
María viene dormida.

● La de complemento predicativo del complemento directo, con verbos transitivos o pronominales:

La dejé contenta.
Me quedé aturdido.

● La de complemento de un nombre:

Del árbol caído, todos hacen leña.
Comieron patatas asadas.

b) El participio no siempre tiene valor pasivo, cuando expresa el resultado de una acción acabada. Algunos sólo tienen valor activo en determinados usos. Un libro puede *ser leído* (valor pasivo), pero una persona *leída* es aquella que *ha leído mucho* (valor activo). De iguales características son:

decidido, agradecido, callado, cansado, considerado, desesperado, desprendido, disimulado, encogido, entendido, esforzado, fingido, medido, mirado, moderado, precavido, resuelto, sabido, sentido, etc.

c) El participio pasivo de los verbos intransitivos y reflexivos indirectos sólo tiene valor «reflejo» (es decir, la acción mencionada vuelve sobre el sujeto que la ejecuta):

        acostumbrado = que tiene costumbre
        arrepentido = que se arrepiente

atrevido	= que se atreve
osado	= que tiene osadía
parecido	= que se parece
presumido	= que presume
sentido	= que se siente u ofende con facilidad
válido	= que vale

Si este participio reflexivo está construido con el verbo «ser», denota que la cualidad verbal es inherente al sujeto:

*Juan es **atrevido/osado/callado**...*

Con «estar» u otros verbos, denota que la cualidad es de carácter transitorio:

*Juan está **arrepentido** (en estos momentos).*

d) Algunos verbos tienen dos formas de participio pasivo, una regular y otra irregular:

bendecido	bendito
confundido	confuso
convencido	convicto
corrompido	corrupto
difundido	difuso
elegido	electo
eximido	exento
expelido	expulso
expresado	expreso
extinguido	extinto
freído	frito
hartado	harto
insertado	inserto
maldecido	maldito
prendido	preso
presumido	presunto
proveído	provisto
sepultado	sepulto
suspendido	suspenso

e) En el español actual, la construcción absoluta se inicia generalmente con el participio:

***Omitidos** los informes del Presidente, la reunión careció de importancia.*

Nota.—Se denomina «construcción absoluta» porque el nombre que concuerda con el participio absoluto no forma parte de la oración con la que se halla relacionado formal o semánticamente.

f) El participio absoluto puede tener valor.

● modal:

*Por la gruta, los pies **descalzos**, los brazos **desnudos**, caminaban las ninfas...*

● concesivo:

***Leído** el libro en voz alta, nadie lo entendió (= aunque leyó el libro...).*

● temporal:

***Acabado** el banquete, se retiraron los camareros (= cuando acabó...).*

IV. Formas personales del verbo

1. Descripción formal

Estas formas constituyen los modos indicativo y subjuntivo. El imperativo es tratado aparte porque no admite la construcción de pronombre proclítico y por tener morfema ø para la 2.ª persona del singular y morfema **-d** para la segunda persona del plural.

Las formas personales del verbo se oponen en **correlación modal:**

● Unas indican *realidad*, otras *irrealidad* de la acción. Las primeras son propias del indicativo y las segundas, del subjuntivo.

● Tienen diferentes exigencias morfológicas y semánticas (verbos o palabras que expresan irrealidad, duda o deseo), como se señala en el siguiente cuadro:

Duda		Deseo	
oraciones independientes	oraciones subordinadas	oraciones independientes	oraciones subordinadas
Quizá lo sepas *Tal vez llegue*	*Dudo que lo sepas* *Temo que llegue* *Lamento que llegue* *Es posible que llegue*	*¡Ojalá venga!* *¡Que venga!*	*Quiero que vengas* *Conviene que venga* *Es necesario que venga*

● Indican oposición entre tiempos *relativos* y *no relativos* o *absolutos.* Así, las formas de presente y futuro se oponen a las de pasado y potencial, respectivamente:

cantaré	cantaría
canto	canté cantaba
cante	cantara cantase

Esta distribución no es arbitraria: cuando la acción es vista o presentada bajo un matiz modal (posibilidad, necesidad, volición...), las formas de indicativo ceden su puesto a las de subjuntivo; cuando la acción se señala en pasado, el presente cede su puesto al indefinido o al perfecto (según el matiz que se desea transmitir respecto al tiempo en que ha finalizado la acción), como se puede comprobar en el siguiente esquema:

Indicativo	Subjuntivo
Creo que viene Juan	*No creo que venga Juan*
Creo que vendrá Juan	
Creo que ha venido Juan	*No creo que haya venido Juan*
Creo que habrá venido Juan	*No creo que haya venido Juan*
Creo que vino Juan	*No creo que viniera Juan*
Creo que vendrá Juan	*No creo que viniera Juan*
Creo que venía Juan	*No creo que viniera Juan*

2. Valor de los tiempos personales del verbo

2.1. Modo indicativo

Indica hechos reales y objetivos. Dentro de este modo se encuadran cinco tiempos simples y cuatro compuestos:

a) El presente

Generalmente expresa la acción que tiene lugar u ocurre en el momento en que se habla:

*Ahora **estudio**.*
***Hablo** por teléfono con mi hija.*

Desde el punto de vista de la forma, es un tiempo neutro, porque:

- no indica modo (ni es subjuntivo, ni es imperativo)
- no indica tiempo pasado (como *cantaba, canté...*)
- no indica futuro (como *cantaré*)

En el uso, sin embargo, el presente puede tener valores de realización especiales:

1.º Valor de *presente habitual:* expresa acciones continuadas que implican tanto el presente como el pasado y el futuro de quien habla:

***Paso** los veranos en la playa.*
*Siempre **me acuesto** temprano y me levanto tarde.*
*Aquí **llueve** poco.*
***Trabajo** para una empresa.*

2.º Valor de presente *histórico:* expresa acción o acciones pasadas y subraya tanto el interés como la implicación del hablante en el tema:

*Colón **descubre** América en 1492.*

3.º Valor de *futuro:* señala que ocurrirá algo a partir del momento en que se sitúa el hablante. Suele ir acompañado de adverbios como *mañana, después,* etc., verdaderos marcadores de futuro:

*Mañana **salgo** para Moscú.*
*Después **regreso** a Madrid.*

4.° Valor de *presente gnómico (a manera de dicho o aforismo):* indica un valor que resulta de la experiencia, al margen de límites temporales:

*La tierra **gira** en torno al sol.*
*El dinero no lo **es** todo en la vida.*

Nota.—Este tipo de presente se utiliza sobre todo en proverbios, moralejas y refranes, así como en el lenguaje científico, precisamente por el valor «atemporal» que se exige en estos casos:

La gravedad es una ley física.

5.° Valor de *presente de mandato:* se utiliza para expresar una orden o mandato con mayor énfasis y energía que en el imperativo:

*Tú **obedeces** cuando yo lo digo*
*Ahora mismo **te pones** a estudiar*

b) El imperfecto

Indica que la acción verbal se desarrolla en el pasado, pero sin expresar nada en relación con su terminación, bien porque no ha finalizado bien porque este tema no interesa expresarlo:

Llovía mucho aquella noche.
Estudiaba una hora cada día en aquella época.

Formalmente, es un tiempo *relativo* porque expresa el desarrollo de la acción verbal en el pasado, siempre en relación con otra acción o con el acto mismo del habla.

Esta relación puede ser **simultánea:**

*Ayer **llovía** torrencialmente mientras **comíamos*** (la acción de «llover» y de «comer» transcurren paralelamente).

o **puntual:**

*Ayer **llovía** torrencialmente cuando me **llamaste*** (la acción de «llamar» se da en un momento determinado: durante el período en que llovía).

Paradigmáticamente el imperfecto se opone:

- por el **modo,** a *cantara, cantase* (imperfecto de subjuntivo)
- por el **tiempo,** a *cantaría* o *canto* (condicional o presente)
- por el **aspecto,** a *canté* (indefinido)

Además de lo anterior, en su realización adopta también otros valores como:

1.° Valor *reiterativo,* de repetición de la acción:

Llovía y llovía sin cesar.

2.° Valor *incoativo* precedido del adverbio «ya»:

*Ya **andaba** solo, cuando tuvo el accidente* (ya había empezado a andar...).

3.° Valor *potencial,* en oraciones de carácter exclamativo:

*¡Que te lo **íbamos** a permitir!* (= permitiríamos).

4.° Valor *condicional,* especialmente en el lenguaje no formal:

*Poco **cambiaba** el mundo sin tu existencia* (= cambiaría).

5.º Valor *de cortesía,* frecuente en el lenguaje coloquial:

*¿**Quería** usted un libro?*
__Quería__ que me explicara este problema.

c) El perfecto simple o indefinido

Expresa el desarrollo de una acción verbal que se presenta como terminada en el momento en que se encuentra el que habla, pudiendo mediar un período mayor o menor de tiempo entre el momento en que se realizó la acción y el presente de quien habla:

__Hablé__ con tu padre.
*Hace unos minutos que le **vi** pasar por la calle.*

Paradigmáticamente, se opone al imperfecto en el aspecto *perfectivo.*

Nótese que existe una estrecha relación entre el indefinido y los adverbios o locuciones adverbiales *ayer, anoche, la semana pasada, el año pasado, entonces, aquel día* y otros similares: todos ellos exigen este tiempo verbal porque se refieren a momentos temporales separados del presente del hablante; en consecuencia, el tiempo verbal debe expresar también que la acción finalizó en el momento señalado por el adverbio o expresión temporal:

Ayer llegué tarde.
Aquel día no durmió en toda la noche.

d) El futuro

Expresa una acción que se realizará más tarde, tomando como punto de referencia el momento en que se sitúa o está el hablante:

*El mes que viene **acabaré** mi trabajo.*
*Mañana **hará** sol.*

Paradigmáticamente, se opone:

- por el **modo**, a *cante* (subjuntivo presente)
- por el **tiempo**, a *cantaría* (condicional, futuro del pasado)

Puede tener también otras realizaciones con:

1.º Valor *imperativo* o de obligación enfocada hacia el futuro:

__Amarás__ a tus padres.

2.º Valor de *probabilidad,* expresando el resultado de una suposición, tras tener en cuenta algunos datos pertinentes:

__Serán__ las diez de la mañana.
__Tendrá__ doce años.

3.º Valor de *sorpresa, estupor,* frecuentemente con valor atenuante:

*¡**Serás** tonta!*
*¿**Te atreverás** a negarlo?*

e) El futuro hipotético (condicional)

Puede ser entendido como el «futuro del pasado», en cuanto que expresa un futuro respecto al momento en que se utiliza esta forma verbal:

*Me **dijeron** que llegarías hoy.*

El valor temporal que expresa depende del contexto, especialmente del verbo principal, careciendo por sí mismo de esa capacidad de señalar tiempo:

*Me **gustaría** salir con María,*

se refiere a un futuro y, en tal sentido, expresa una posibilidad aún no realizada (futura).

Pero en:

*Me dijiste que **estudiarías**,*

el tiempo referido es el pasado, por depender de «dijiste»; el condicional expresa una posibilidad que realmente tenía que haberse cumplido o no antes del momento en que se sitúa quien habla.

Paradigmáticamente se opone:

* por el **modo**, a *cantara, cantase* (subjuntivo)
* por el **tiempo**, a *canté, cantaba* (pasado)

Además, puede realizarse con:

1.º Valor de *cortesía:*

*¿**Podría** decirme qué hora es?*

2.º Valor de *consejo:*

***Deberías** estudiar más.*

3.º Valor de *probabilidad:*

***Serían** las doce cuando sonó la alarma.*

Nota.—La correlación de probabilidad tiene en español distintas realizaciones, pudiéndose expresar mediante unos u otros tiempos verbales y con la ayuda o no de otras formas auxiliares no verbales. Las formas de futuro y de condicional son las utilizadas, como se observa en el siguiente cuadro:

A lo mejor está en casa	= Estará en casa
A lo mejor ha estado en casa	= Habrá estado en casa
A lo mejor estuvo/estaba en casa	= Estaría en casa
A lo mejor había estado en casa	= Habría estado en casa

f) Los tiempos compuestos o perfectivos *de indicativo*

No introducen novedades de relieve respecto a lo indicado para los correspondientes simples. Merece la pena destacar, sin embargo, el valor del *pretérito perfecto:* en cuanto «perfectivo», señala que la acción especificada ha terminado ya, pero el hablante la asocia o engloba en su presente, generalmente porque es relevante para el sujeto por alguna razón. Conviene tener en cuenta que el hablante puede considerar como englobado en el presente cualquier espacio temporal, ya sea reducido o extenso, de días, semanas, años o siglos:

*Esta mañana **me he duchado**.*
*Este año **he jugado** al tenis.*
*En nuestro siglo **ha nevado** mucho.*
*En la historia del hombre sobre la tierra, **ha habido** momentos de especial desarrollo genético.*

2.2. Modo subjuntivo

Las formas del subjuntivo ofrecen un valor temporal muy impreciso. Su uso viene a veces exigido por el contexto, en frases subordinadas:

● Con verbos de *lengua o percepción:*

*Me dijeron que te **visitara** en casa* (hoy, mañana...).

Cuando a los verbos de percepción se les antepone la negación, debe usarse el subjuntivo obligatoriamente:

*Creo que **viene**.*   *No creo que **venga**.*
*Veo que **estudia**.*   *No veo que **estudie**.*

● Con verbos de *voluntad y deseo:*

*Ordenó que **vinieras**.*
*Te aconsejo que te **vayas**.*
*Deseo que **llegues, juegues** y **ganes**.*

● Con verbos de *emoción o sentimiento:*

*Me molesta que **hables** alto.*
*Temo que no **puedas** hacerlo solo.*
*Siento que lo **tomes** así.*

Se da una correspondencia *(consecutio temporum)* entre los tiempos del indicativo y los del subjuntivo, con la diferencia de que éstos expresan la acción como subjetiva:

Creo que viene Juan *Creo que vendrá Juan*	*No creo que venga Juan*
Creo que ha venido Juan *Creo que habrá venido Juan*	*No creo que haya venido Juan*
Creí que venía Juan *Creía que vendría Juan* *Creo que vino Juan*	*No creí que viniera Juan* *No creía que viniera Juan* *No creo que viniera Juan*

El subjuntivo es la categoría verbal del **modo** y no del tiempo; sus formas o tiempos cumplen precisamente esta función. El carácter dependiente del subjuntivo es característico (salvo unas pocas excepciones) y en general los tiempos de subjuntivo dependen de otro verbo principal, que es el que señala o marca los parámetros temporales en que se engloba la acción.

a) Presente de subjuntivo

Se caracteriza por la indiferencia ante la distinción de tiempo futuro o no futuro. Así en:

*Quiero que **cantes**,*

la acción expresada por el subjuntivo puede realizarse ahora o después, pero nunca en el pasado:

Quiero que **cantes ayer.*

El presente de subjuntivo puede darse de manera independiente o por exigencia del verbo principal:

1.º De manera independiente:

● En oraciones de *carácter imperativo negativas:*

*No **vengas** pronto.*

● En oraciones que implican *duda:*

*Quizá te lo **cuente** todo.*

Los adverbios que implican duda o probabilidad exigen siempre la forma de subjuntivo: *quizá(s), acaso, tal vez. Seguramente, posiblemente* pueden construirse con indicativo o subjuntivo, según el matiz de duda, probabilidad o posibilidad que quiera expresar el hablante:

*Seguramente **vendrá** mañana* (= seguridad, carencia de duda).
*Seguramente **venga** mañana* (= posibilidad de que venga).

Nótese que cuando estos adverbios de duda siguen al verbo, éste no tiene por qué ir en subjuntivo:

***Llegaremos**, quizás, mañana a las diez.*

A lo mejor, aunque también implica duda, exige siempre el indicativo:

*A lo mejor **es** cierto lo que dice.*

● En oraciones que expresan *exclamación o deseo:*

*¡Ojalá **tenga** suerte en la lotería!*
*¡Que **seas** muy feliz!*

● En reduplicaciones en que el verbo adquiere *matiz concesivo:*

***Digan lo que digan,** lo haremos.*
***Trabajes lo que trabajes,** nunca lo lograrás.*

2.º Dependiente de otro verbo principal:

Implica la existencia de oraciones subordinadas. El uso del subjuntivo viene exigido:

● Por la expresión de una acción con *verbos de percepción y comunicación* en forma negativa:

*No ve que **hagas** nada por ella.*
*No creen que tú les **aventajes**.*

● Por *verbos de voluntad y deseo* que ejercen alguna influencia sobre el sujeto de la oración subordinada:

*Te ordena que **bajes** del coche.*
*Me aconsejan que no **oculte** la verdad.*

● Por verbos que expresan una reacción *emotiva o sensitiva* y que provocan también una reacción o efecto en el agente de la oración subordinada:

*Le molesta que **hables** tanto.*
*No le gusta que le **califiques** de «descuidada».*

● Por la existencia de estructuras con **es** + **adjetivo** + **que,** siempre que aparezcan los adjetivos *bueno, importante, indiferente, fácil, lógico, probable, posible, verosímil, necesario, mejor, natural,* así como sus contrarios:

Es **bueno que adelgace** un poco.
Es **importante que tome** el sol.

Nota.—A este grupo se une la estructura **Es mentira que**...:

Es mentira que sea tan morena.

● cuando la acción de la oración subordinada se presenta como algo que todavía no se ha realizado (por lo tanto «irreal» o «no experimentada» por el agente):

*Cuando **hable**, verás cuánto sabe.*
*Aunque **trabaje** día y noche, no podrá acabarlo.*

b) El imperfecto de subjuntivo

La referencia temporal del imperfecto de subjuntivo está condicionada por el verbo principal del que depende la oración de subjuntivo. En este sentido, la referencia temporal puede situarse en el pasado, en el presente o en el futuro. Esto hace que en el uso independiente del imperfecto aparezca el matiz de presente o futuro temporal: precisamente porque el carácter de hipótesis o irrealidad obliga a situar la acción necesariamente en un tiempo de no realización, es decir, en el «no-pasado».

1.º En oraciones subordinadas:

El imperfecto se utiliza:

● Por *exigencias de la correlación temporal* del verbo principal en forma negativa:

— Con *verbos de percepción y comunicación* en formas de pasado:

*No **creía** que lo **hicieras** tan bien.*

— Con *verbos de voluntad, de deseo, de reacción emotiva* o *sensitiva* en formas de pasado:

*Les **aconsejaba** que se **lavaran** los dientes antes de ir a la cama.*
*Le **gustó** que la **alabaras** en público.*
*No **quiso** que le **ayudaras** a pagar la deuda.*

Nota.—Obsérvese que el presente de subjuntivo tiene un comportamiento similar, exigiendo, en los casos similares, que el verbo principal aparezca con formas de «no-pasado» (es decir, en presente o futuro):

*Quiero que lo **digas**.*
*Querrá que lo **digas**.*

La correlación de tiempos desaparece al utilizar el verbo principal con formas de pasado:

Quería que lo **dijeras**.
Quiso que lo **dijeras**.

En:

*Querría que lo **dijeras**,*

se asimila al modelo anterior, a pesar de que no es forma de pasado y expresa matiz de futuro (en cuanto que indica el deseo sobre algo no realizado aún).

● Siempre que en la subordinada se exprese la acción verbal como irreal, no experimentada, en *diversos contextos* (concesivas, condicionales, modales...):

*Aunque me **quisiera**, no me casaría con ella.*
*Como nadie **mencionara** el tema, él se fue de la sala.*
*Si **fuera** cierto, ya lo habrían publicado.*

2.º En oraciones independientes:

● En oraciones exclamativas introducidas por **quién, ojalá, así:**

*¡Quién lo **dijera**!*
*¡Ojalá **comprara** la casa!*

Nota.—Adviértase que **ojalá** también puede construirse con presente de subjuntivo:

*¡Ojalá **compre** la casa!*

El hablante parece que da mayor grado de posibilidad de que la acción llegue a realizarse en este caso que utilizando el imperfecto *(¡Ojalá comprase la casa).*

● En oraciones que expresan cortesía, con los *verbos modales querer, deber:*

***Quisiera** ir con usted.*
***Debiera** venir conmigo.*

● En construcciones reduplicativas con *valor concesivo:*

***Dijeran lo que dijeran**, no es cierto.*
***Escribiera lo que escribiera**, sus argumentos son siempre flojos.*

c) Los tiempos compuestos o perfectivos de subjuntivo (pretérito perfecto y pluscuamperfecto de subjuntivo).

Son similares en su uso a los tiempos simples, con la diferencia de que se refieren a una acción que se expresa como finalizada, tanto en oraciones subordinadas, dependientes de otra principal, como en oraciones de uso independiente:

*Lo dirá cuando todos **hayan abandonado** la sala.*
*Le habría gustado que lo **hubieras dicho** tú.*

*¡Ojalá **hayan encontrado** a la familia reunida!*
*¡Quién **hubiera creído** que España era así!*

2.3. El modo imperativo

Es el modo de la apelación, para expresar órdenes, mandatos, ruegos o deseos. Desde el punto de vista formal presenta algunas peculiaridades:

a) No tiene más que las formas de 2.ª persona, singular y plural, expresadas por los morfemas **ø** y **-d:**

canta, cantad

b) Los morfemas de estas dos personas no coinciden con los que desempeñan estas funciones en los demás tiempos verbales **(-s / -is).**

c) A diferencia de las demás formas verbales, no admite pronombres antepuestos o proclíticos, sino solamente pospuestos:

*cánta**lo***

pero no:

Lo canta.

Si se utiliza en forma negativa, entonces los pronombres deben anteponerse al verbo:

No lo cantes,

pero en este caso ya se utilizan las formas de subjuntivo.

d) En combinación con «os», la 2.ª persona del plural pierde la «-d»:

Sentaos,

pero:

Idos, por razón del contexto fonético.

e) Las formas de imperativo no admiten la negación porque ésta es incompatible con la noción positiva de *mandar.* Para realizar esta función se utilizan las formas correspondientes del presente de subjuntivo:

No vengas.
No cantéis.

f) En el español actual hay una marcada tendencia a utilizar la forma del infinitivo en vez de la 2.ª persona del plural:

Sentaros por *Sentaos.*
Quedaros por *Quedaos.*

g) En las prohibiciones se utiliza también con frecuencia el infinitivo en vez del imperativo. El carácter impersonal que se desea dar a este tipo de prohibiciones explica su avance en detrimento de la forma personal implicada por el imperativo:

No fumar.
No tirar objetos por la ventanilla.

3. Modelos de la conjugación regular

CONJUGACIÓN	1.ª	2.ª	3.ª
	amar	**temer**	**partir**
FORMAS NO PERSONALES	**SIMPLES**		
INFINITIVO	*amar*	*temer*	*partir*
GERUNDIO	*amando*	*temiendo*	*partiendo*
PARTICIPIO	*amado*	*temido*	*partido*
	COMPUESTAS		
INFINITIVO	*haber amado*	*haber temido*	*haber partido*
GERUNDIO	*habiendo amado*	*habiendo temido*	*habiendo partido*

CONJUGACIÓN	1.ª	2.ª	3.ª
FORMAS PERSONALES			

Modo indicativo: — TIEMPOS SIMPLES

	1.ª	2.ª	3.ª
Presente: ✓	amo	temo	parto
	amas	temes	partes
	ama	teme	parte
	amamos	tememos	partimos
	amáis	teméis	partís
	aman	temen	parten
Pretérito imperfecto: ✓	amaba	temía	partía
	amabas	temías	partías
	amaba	temía	partía
	amábamos	temíamos	partíamos
	amabais	temíais	partíais
	amaban	temían	partían
Pretérito indefinido o perfecto simple: ✓	amé	temí	partí
	amaste	temiste	partiste
	amó	temió	partió
	amamos	temimos	partimos
	amasteis	temisteis	partisteis
	amaron	temieron	partieron
Futuro simple:	amaré	temeré	partiré
	amarás	temerás	partirás
	amará	temerá	partirá
	amaremos	temeremos	partiremos
	amaréis	temeréis	partiréis
	amarán	temerán	partirán
Condicional o futuro hipotético: ✓	amaría	temería	partiría
	amarías	temerías	partirías
	amaría	temería	partiría
	amaríamos	temeríamos	partiríamos
	amaríais	temeríais	partiríais
	amarían	temerían	partirían

TIEMPOS COMPUESTOS

	1.ª	2.ª	3.ª
Pretérito perfecto:	he amado	he temido	he partido
	has amado	has temido	has partido
	ha amado	ha temido	ha partido
	hemos amado	hemos temido	hemos partido
	habéis amado	habéis temido	habéis partido
	han amado	han temido	han partido

CONJUGACIÓN	1.ª	2.ª	3.ª
Pretérito pluscuamperfecto:	había amado habías amado había amado habíamos amado habíais amado habían amado	había temido habías temido había temido habíamos temido habíais temido habían temido	había partido habías partido había partido habíamos partido habíais partido habían partido
Pretérito anterior:	hube amado hubiste amado hubo amado hubimos amado hubisteis amado hubieron amado	hube temido hubiste temido hubo temido hubimos temido hubisteis temido hubieron temido	hube partido hubiste partido hubo partido hubimos partido hubisteis partido hubieron partido
Futuro compuesto:	habré amado habrás amado habrá amado habremos amado habréis amado habrán amado	habré temido habrás temido habrá temido habremos temido habréis temido habrán temido	habré partido habrás partido habrá partido habremos partido habréis partido habrán partido
Condicional o futuro hipotético compuesto:	habría amado habrías amado habría amado habríamos amado habríais amado habríamos amado habrían amado	habría temido habrías temido habría temido habríamos temido habríais temido habríamos temido habrían temido	habría partido habrías partido habría partido habríamos partido habríais partido habríamos partido habrían partido

Modo subjuntivo: **TIEMPOS SIMPLES**

	1.ª	2.ª	3.ª
Presente:	ame ames ame amemos améis amen	tema temas tema temamos temáis teman	parta partas parta partamos partáis partan
Pretérito imperfecto:	amara/amase amaras/-ases amara/-ase amáramos/-ásemos amarais/-aseis amaran/-asen	temiera/temiese temieras/-ieses temiera/-iese temiéramos/-iésemos temierais/-ieseis temieran/-iesen	partiera/partiese partieras/-ieses partiera/-iese partiéramos/-iésemos partierais/-ieseis partieran/-iesen
Futuro simple:	amare amares amare amáremos amareis amaren	temiere temieres temiere temiéremos temiereis temieren	partiere partieres partiere partiéremos partiereis partieren

CONJUGACIÓN	1.ª	2.ª	3.ª
	TIEMPOS COMPUESTOS		
Pretérito perfecto:	haya amado hayas amado haya amado hayamos amado hayáis amado hayan amado	haya temido hayas temido haya temido hayamos temido hayáis temido hayan temido	haya partido hayas partido haya partido hayamos partido hayáis partido hayan partido

Pretérito pluscuamperfecto:	hubiera/hubiese amado
	hubieras/-ieses amado
	hubiera/-iese amado
	hubiéramos/-iésemos
	  amado
	hubierais/-ieseis amado
	hubieran/-iesen amado
		hubiera/hubiese temido
		hubieras/-ieses temido
		hubiera/-iese temido
		hubiéramos/-iésemos
		  temido
		hubierais/-ieseis temido
		hubieran/-iesen temido
			hubiera/hubiese partido
			hubieras/-ieses partido
			hubiera/-iese partido
			hubiéramos/-iésemos
			  partido
			hubierais/-ieseis partido
			hubieran/-iesen partido

Futuro compuesto:	hubiere amado hubieres amado hubiere amado hubiéremos amado hubiereis amado hubieren amado	hubiere temido hubieres temido hubiere temido hubiéremos temido hubiereis temido hubieren temido	hubiere partido hubieres partido hubiere partido hubiéremos partido hubiereis partido hubieren partido
Modo imperativo:			
Presente:	ama amad	teme temed	parte partid

4. La conjugación de los verbos irregulares

Entendemos por verbo irregular aquel que se conjuga alterando o bien la raíz (lexema) o bien las flexiones (desinencias) que definen la conjugación regular. En consecuencia:

4.1. La identidad de raíces o flexiones no se destruye con los cambios leves que la ortografía origina en ocasiones. Por tanto, no se consideran irregulares aquellos verbos que cambian alguna consonante, como en los ejemplos siguientes, ante la vocal **-e**:

c	→ **qu**	expli*car*	expli**que**
g	→ **gu**	obli*gar*	obli**gue**
z	→ **c**	alcan*zar*	alcan**ce**

151

o en los casos siguientes, ante vocal **-o**:

c	→ z	*vencer*	*ven**z**o*
g	→ j	*proteger*	*prote**j**o*
gu	→ g	*conse**gu**ir*	*consi**g**o*

• Tampoco se consideran irregulares los verbos en **-llir, -ñer, -ñir,** cuya vocal temática es absorbida por la consonante palatal precedente:

gruñir   gruñó   gruñera   (no *gruñió, gruñiera...)
bullir   bulló   bullera
tañer   tañó   tañera

• De igual manera, no son considerados irregulares los verbos que cambian la **i** átona en **y**:

leer   leyó   leyera
roer   royó   royera

• Por similar razón, no son irregulares los verbos que cambian, en algunas personas, la **qu** en **c**:

delinquir   delinco

Se advertirá que en este caso, como en otros anteriores, se trata solamente de un cambio ortográfico, no de pronunciación, para suplir el valor de velar oclusiva que «c» no tiene ante «e/i».

• No se consideran irregulares los verbos con alteraciones del acento sobre una determinada vocal (muchos de los acabados en **-uar, -iar**):

confiar   confío   confíe   confiaban
continuar   continúo   continúe   continuaba

Estos cambios de acento afectan al presente de indicativo y subjuntivo (en todas las formas excepto en la 1.ª y 2.ª personas del plural), así como al imperativo (2.ª persona singular: *acentúa, confía*).

Siguen el mismo modelo:

desconfiar	*desviar*	*enfriar*	*enviar*	*espiar*	*evaluar*	*exceptuar*	*fiar*
fotografiar	*graduar*	*guiar*	*insinuar*	*liar*	*preceptuar*	*resfriar*	*vaciar*
variar	*ataviar*	*chirriar*	*piar*	*rociar*	*graduar*		

y algunos más.

Nótese que algunos presentan indecisión en la asignación o no del acento, como «evacuar, adecuar». Otros, también acabados en **-iar, -uar,** no alteran el acento: *acariciar (acaricio...), apaciguar (apaciguo...), despreciar,* etc.

4.2. Las irregularidades del verbo en español son el resultado de la acción de leyes fonéticas sobre el sistema entero de la lengua. Nos cifraremos, por tanto, en aspectos formales que permitan definir y clasificar dichas irregularidades. Sobre esta base, es posible estructurar las irregularidades en tres apartados:

• irregularidades debidas a *mutación vocálica*
• irregularidades por *mutación consonántica*
• irregularidades de *carácter mixto:* por mutación vocálica y consonántica

Los cambios anteriores pueden afectar tanto a la raíz como a la vocal temática o a la forma verbal en su totalidad.

a) Verbos con irregularidades en la raíz o en el lexema

1.º Irregularidad por cierre de una vocal del mismo timbre en la raíz:

e → i	*pedir*	*pido*
o → u	*podrir*	*pudrió*

El cambio vocálico **e - i** afecta a todos los tiempos (excepto el imperfecto), si la sílaba radical va acentuada *(pido, pida...)* o si la que sigue no contiene **i** silábica *(pidió, pidiera...):*

pedir   pido   pedí/pidió   pide   pida   pidiera   pidiendo

Modelo: pedir

Presente de indicativo: *pido, pides, pide, pedimos, pedís, piden*

Presente de subjuntivo: *pida, pidas, pida, pidamos, pidáis, pidan*

Imperativo: *pide, pedid*

Pretérito indefinido: *pedí, pediste, pidió, pedimos, pedisteis, pidieron*

Imperfecto de subjuntivo: *pidiera/pidiese, pidieras, pidiera, pidiéramos, pidierais, pidieran*

Gerundio: *pidiendo*

Siguen esta irregularidad verbos como:

concebir	*conseguir*	*corregir*	*derretir*	*despedir*	*elegir*	*impedir*
medir	*perseguir*	*repetir*	*seguir*	*servir*	*teñir*	*vestir(se)*

El cambio **o → u** afecta al indefinido, imperfecto de subjuntivo, futuro de subjuntivo y gerundio:

podrir   pudrió   pudriera/-iese   pudriendo

Modelo: podrir/pudrir

Pretérito indefinido: *podrí, podriste, pudrió, podrimos, podristeis, pudrieron*

Imperfecto de subjuntivo: *pudriera/-iese, pudrieras, pudriera, pudriéramos, pudrierais, pudrieran*

Gerundio: *pudriendo*

Siguen este modelo muchos de los verbos que diptongan la vocal radical en o → **ue** (como «dormir»).

2.º Irregularidades por diptongación de la vocal radical:

e → ie	querer	quiero	quiera	quiere
o → ue	poder	puedo	pueda	puede
i → ie	adquirir	adquiero	adquiera	adquiere
u → ue	jugar	juego	juegue	juega

Estos cambios por diptongación se dan sólo cuando la vocal radical afectada recibe el acento tónico (presente de indicativo, de subjuntivo e imperativo singular). Presentan irregularidades de esta índole verbos de las tres conjugaciones:

acertar	acegar	costar	helar	probar	tentar
acostar	calentar	despertar	manifestar	recordar	tostar
alentar	cerrar	empezar	merendar	renovar	trocar
almorzar	cimentar	encomendar	mostrar	reventar	tronar
apacentar	colar	engrosar	negar	sentir	tropezar
apostar	comentar	enmendar	pensar	soltar	volar
apretar	confesar	forzar	plegar	soldar	volcar
atravesar	consolar	fregar	poblar	sonar	volver
avergonzar	contar	gobernar	podar	soñar	etc.

Nota.—En algunos verbos se unen dos irregularidades: la alternancia de vocal radical y la diptongación de ésta:

mentir	miento	mintió
morir	muero	murió

modelos:

acertar

Presente de indicativo: *acierto, aciertas, acierta, acertamos, acertáis, aciertan*

Presente de subjuntivo: *acierte, aciertes, acierte, acertemos, acertéis, acierten*

Imperativo: *acierta, acertad*

contar

Presente de indicativo: *cuento, cuentas, cuenta, contamos, contáis, cuentan*

Presente de subjuntivo: *cuente, cuentes, cuente, contemos, contéis, cuenten*

Imperativo: *cuenta, contad*

sentir

Presente de indicativo: *siento, sientes, siente, sentimos, sentís, sienten*

Presente de subjuntivo: *sienta, sientas, sienta, sintamos, sintáis, sientan*

Imperativo: *siente, sentid*

(**Nótese** que **sentir** también pertenece al modelo de cambio e → i. Así el indefinido será *sentí, sentiste, sintió, sentimos, sentisteis, sintieron,* etc.).

soltar

Presente de indicativo: *suelto, sueltas, suelta, soltamos, soltáis, sueltan*

Presente de subjuntivo: *suelte, sueltes, suelte, soltemos, soltéis, suelten*

Imperativo: *suelta, soltad*

b) Verbos con irregularidades consonánticas

1.° Cambio de **c** por **g**:

decir   digo
hacer   hago

Modelo: **decir**

Presente de indicativo: *digo, dices, dice, decimos, decís, dicen*

Presente de subjuntivo: *diga, digas, diga, digamos, digáis, digan*

2.° Por interpolación de **z** antes de **c** final:

c → zc	*nacer*	*nazco*	*nazca*
c → zc	*conocer*	*conozco*	*conozca*
c → zc	*enardecer*	*enardezco*	*enardezca*

Afecta a la primera persona del presente de indicativo y al subjuntivo presente. Tienen esta irregularidad los acabados en **-acer**, excepto *hacer* y sus compuestos, *placer, yacer;* los en **-ecer** (excepto *mecer*), los terminados en **-ocer** (menos *cocer, escocer* y *recocer*), los en **-ucir**. Así:

nacer	*renacer*	*pacer*	*conocer*	*reconocer*	*desconocer*	*lucir*
relucir	*traslucir*	*deslucir*	*inducir*	*conducir*	*deducir*	*inducir*
introducir	*producir*	*reducir*	*seducir*	*traducir*	*placer*	*yacer*
complacer						

Modelo: **nacer**

Presente de indicativo: *nazco, naces, nace, nacemos, nacéis, nacen*

Presente de subjuntivo: *nazca, nazcas, nazca, nazcamos, nazcáis, nazcan*

3.° Por adición de una consonante:

l	→	**lg**	*salir*	*salgo*	*salga*
n	→	**ng**	*poner*	*pongo*	*ponga*
s	→	**sg**	*asir*	*asgo*	*asga*
u	→	**uy**	*huir*	*huyo*	*huya*

Presentan estas irregularidades:

Los verbos acabados en **-alir, -aler** *(salir, valer...)*.
Los acabados en **-ner, -nir** *(poner, mantener, prevenir...)*.
Los acabados en **-uir** *(argüir, concluir...)*.

Modelo: **salir**

Presente de indicativo: *salgo, sales, sale, salimos, salís, salen*

Presente de subjuntivo: *salga, salgas, salga, salgamos, salgáis, salgan*

4.° Irregularidades por adición de vocal y consonante:

e → ig	*caer*	*caigo*	*caiga*

Siguen este modelo **oír, traer** *(oigo, traigo)* (y sus compuestos), **roer, raer** *(roigo, raigo)*.

Modelo: **caer**

Presente de indicativo: *caigo, caes, cae, caemos, caéis, caen*

Presente de subjuntivo: *caiga, caigas, caiga, caigamos, caigáis, caigan*

5.° Irregularidades por cambio de vocal y consonante:

caber   **quepo**   **quepa**

Pero:

saber   **sé**   **sepa**

Modelo: **caber**

Presente de indicativo: *quepo, cabes, cabe, cabemos, cabéis, caben*

Presente de subjuntivo: *quepa, quepas, quepa, quepamos, quepáis, quepan*

saber (sólo en el presente de subjuntivo: *sepa, sepas...*)

6.° Irregularidades por alteraciones que afectan a la base radical o se derivan de más de una raíz:

haber	*hay*	*haya*	
ser	*soy*	*era*	*fuese*
ir	*voy*	*fui*	

Modelos:	haber	ser	ir
Presente indicativo:	he has ha/hay hemos habéis han	soy eres es somos sois son	voy vas va vamos vais van
Imperfecto:	había habías etc.	era eras etc.	iba ibas etc.
Futuro:	habré habrás etc.	seré serás etc.	iré irás etc.
Pretérito indefinido:	hube hubiste hubo hubimos hubisteis hubieron	fui fuiste fue fuimos fuisteis fueron	fui fuiste fue fuimos fuisteis fueron
Condicional:	habría habrías etc.	sería serías etc.	iría irías etc.
Imperativo:	he habed	sé sed	ve id
Presente subjuntivo:	haya hayas haya hayamos hayáis hayan	sea seas sea seamos seáis sean	vaya vayas vaya vayamos vayáis vayan
Imperfecto subjuntivo:	hubiera/hubiese hubieras/hubieses etc.	fuera/fuese fueras/fueses etc.	fuera/fuese fueras/fueses etc.
Gerundio:	habiendo	siendo	yendo

c) Irregularidades en la vocal temática

1.º Por desaparición de la vocal temática en el futuro y condicional:

caber	cabré	cabría	querer	querré	querría
haber	habré	habría	saber	sabré	sabría
poder	podré	podría			

Modelos:	**caber**	**poder**	**querer**
	cabré	podré	querré
	cabrás	podrás	querrás
	cabrá	podrá	querrá
	cabremos	podremos	querremos
	cabréis	podréis	querréis
	cabrán	podrán	querrán

2.º Por caída o desaparición de la vocal temática final en la 1.ª persona singular del imperativo *(apócope)*:

poner	**pon**	hacer	**haz**	venir	**ven**
tener	**ten**	salir	**sal**		

más sus compuestos *(anteponer, retener, deshacer, prevenir...)*.

Nota.—Los verbos *haber, ser, ir, dar* forman su imperativo con formas monosilábicas: *he* (no usado), *sé, ve, da.*

3.º Desaparición de la vocal temática e interposición de una **-d-** en el futuro y condicional:

poner	pon**d**ré	pon**d**ría
salir	sal**d**ré	sal**d**ría
tener	ten**d**ré	ten**d**ría
valer	val**d**ré	val**d**ría
venir	ven**d**ré	ven**d**ría

más sus compuestos *(posponer, retener, intervenir...)*.

Modelo: **poner**

Futuro: *pondré, pondrás, pondrá, pondremos, pondréis, pondrán*

Condicional: *pondría, pondrías, pondría, pondríamos, pondríais, pondrían*

4.º Por contracción, debido a la desaparición o caída de sílaba intermedia:

ha**c**er	haré *(harás, hará, haremos, haréis, harán)*
de**c**ir	diré *(dirás, dirá, diremos, diréis, dirán)*

más sus compuestos.

d) Irregularidades por cambios en las desinencias

Este grupo incluye las formas del pretérito indefinido de un conjunto de verbos que presentan diversos tipos de irregularidades, ya sea por alternancia vocálica (**e/i, a/i, o/u**), por variación consonántica (**c/j**), por ambas (**ab/up, ec/ij, en/uv, er/is**) o por adición de **-j-** o **-uv-**:

andar	and**uve**	poder	p**u**de
conducir	cond**uj**e	poner	p**u**se
caber	c**up**e	querer	qu**is**e
decir	d**ij**e	saber	s**up**e
estar	est**uv**e	tener	t**uv**e
haber	h**ub**e	venir	v**in**e
hacer	h**ic**e	ver	v**i**

Modelos:	**andar**	**hacer**	**decir**	**poner**	**tener**	**querer**
Indefinido:	anduve	hice	dije	puse	tuve	quise
	anduviste	hiciste	dijiste	pusiste	tuviste	quisiste
	anduvo	hizo	dijo	puso	tuvo	quiso
	anduvimos	hicimos	dijimos	pusimos	tuvimos	quisimos
	anduvisteis	hicisteis	dijisteis	pusisteis	tuvisteis	quisisteis
	anduvieron	hicieron	dijeron	pusieron	tuvieron	quisieron

La reducción de la 1.ª y 3.ª persona singular (**vio, dio, fue**) es producto de diversos procesos históricos que encubren aparentemente su carácter de «pretéritos fuertes».

e) Verbos defectivos

Los verbos defectivos pueden presentar las irregularidades anotadas anteriormente. Pero, además, su irregularidad principal consiste en que solamente se conjugan en determinados tiempos y personas:

1.º Los que sólo se conjugan en 3.ª persona del singular:

arreciar, placer, gustar... en determinadas acepciones:

Me gusta el té.
Me gustan los vestidos floreados.
Me duele la cabeza.
Me duelen las costillas.

2.º **Soler,** como auxiliar modal, exige siempre el infinitivo detrás:

Suele llegar *pronto.*
Suelen decirlo *con claridad.*

3.º Otros defectivos aparecen en locuciones o expresiones fijas:

En lo que atañe a... (su salud...).
No nos compete... (resolver este asunto).

4.º Otros, como **abolir, balbucir, blandir**..., sólo se usan en las formas que contienen la vocal «i» de la terminación:

abolía, abolirá, abolido...

5.º Algunos verbos, especialmente los referidos a **fenómenos atmosféricos,** se construyen sólo en 3.ª persona singular:

nevar   ***nieva***
llover   ***llueve***

En general, la impersonalidad se usa porque se desconoce, no es necesario mencionar o se quiere ocultar el agente de la acción especificada.

Son típicamente impersonales:

amanecer	*anochecer*	*diluviar*	*acaecer*	*acontecer*	*ocurrir*
helar	*granizar*	*llover*	*pasar*	*suceder*	*convenir*
lloviznar	*nevar*	*relampaguear*	*opinar*	*parecer*	*tronar*
etc.					

V.   La construcción verbal. Su significado

Tomando como punto de referencia la construcción sintáctica que origina el verbo o se origina en torno a él, podemos diferenciar:

1.   Construcciones transitivas

Son aquellas en las que el verbo aparece seguido de un complemento u objeto directo:

*El abuelo **lee el periódico**.*
*El perro **come un hueso**.*

2.   Construcciones intransitivas

Son aquellas en las que el verbo no es seguido de un complemento u objeto directo:

*El pájaro **vuela**.*
*El niño **corre**.*
*El profesor **explica**.*
*Juan **vive**.*

Nota.—Se advertirá que el concepto de verbo «transitivo» o «intransitivo» es útil si se toma en consideración solamente la presencia o ausencia de un objeto directo adyacente al verbo.

Porque en muchos casos, los mismos verbos pueden aparecer o no con tal complemento:

Juan vive una vida feliz / Juan vive.
El profesor explica la lección / El profesor explica.

Estos ejemplos son ilustrativos del caso. Además, desde una perspectiva semántica, el tema se torna más complejo, ya que son muchos los verbos que realmente implican un objeto directo, aunque éste no esté expreso.

En verbos como «explicar» parece evidente que *El profesor explica* siempre implica la «explicación de algo», aunque no esté explícito en la construcción sintáctica. De la misma manera que *El perro come* implica «comer algo», a pesar de que no lo especifiquemos.
La definición de verbos *transitivos/intransitivos* debe hacerse, pues, teniendo en cuenta varios criterios, especialmente los de orden sintáctico y semántico.

3. La construcción pronominal

Es la originada por aquellos verbos que se conjugan con los pronombres personales de la misma persona que el sujeto: **me, te, se, nos, os, se:**

*Yo **me** arrepiento.*
*Tú **te** arrepientes.*
etc.

Téngase también en cuenta que:

a) Hay verbos que aparecen tanto con la forma **-se** como sin ella:

*ir - ir**se***   *dormir - dormir**se***
*marchar - marchar**se***   etc.

En cada uno de los casos, el significado no es exactamente el mismo, por lo que pueden ser considerados como dos verbos diferentes.

b) En los verbos transitivos o intransitivos, con complemento directo o indirecto de pronombre personal de persona idéntica a la del sujeto, podemos hablar de

- construcción **reflexiva**   *Juan **se** lava.*
- construcción **recíproca**   *Juan y Marta **se** quieren mucho.*
- construcción **pasiva**   *Este coche **se** fabrica en Pamplona.*

c) La *construcción impersonal* con «se» existe cuando no hay coincidencia entre el sujeto y el objeto directo:

***Se** alquila piso/habitación.*

La *construcción impersonal* se da en algunos verbos que siempre aparecen en 3.ª persona del singular:

llueve, nieva, relampaguea, graniza, hiela, hace (sol/frío)

4. Sintaxis del verbo copulativo

La construcción copulativa se caracteriza en español porque la relación establecida por el verbo entre sujeto y predicado exige la concordancia entre ambos elementos:

El mar es azul.
La *luna está oscurecida.*
Los *libros son viejos.*

Los dos verbos copulativos más comunes son «ser» y «estar». Pero junto a ellos funcionan también como tales:

parecer	*Juan parece listo.*
llegar a ser	*El día llegó a ser bueno.*
quedar	*Isabel quedó entristecida.*
venir	*Pedro vino cansado.*
llegar	*El paquete llegó roto.*

Dentro de la construcción copulativa podemos distinguir:

a) La de carácter *atributivo,* que implica inevitablemente la concordancia entre sujeto y adjetivo o nombre, como ya se dijo anteriormente:

María es buena.
Juan es enfermero.

b) La de carácter *ecuativo* (establecen relación de igualdad entre sujeto y atributo), en la que la concordancia plena no siempre se da, al menos morfológicamente:

Lo que tú dices son cosas imposibles.   *Lo bueno sería no ir.*
El problema son los viejos.   *Pedro es el ingeniero.*

*Nota.—*Nótese que los verbos **ser** y **estar** también admiten la construcción predicativa:

Dios es (=existe).
La fiesta es en el hotel Ritz.
La tienda está a la altura de la calle San Fermín.

5. El verbo y su significado

La clasificación de los verbos puede hacerse también en función del significado y de las implicaciones semánticas, especialmente en relación con el sujeto o complemento que requiere cada verbo. Así:

a) Respecto al *sujeto*

● Algunos verbos exigen sujeto de *seres animados:*

ver	*El pájaro ve al gato.*
dormir	*Los animales duermen.*
reír	*La niña ríe.*

● Algunos verbos admiten sólo sujeto de *seres humanos:*

leer	*Los alumnos leen.*
discutir	*Isabel discute con su vecino.*

● Algunos verbos sólo admiten sujeto de *seres inanimados:*

brillar El sol brilla.
resonar La voz resuena a lo lejos.

● Algunos verbos admiten sólo sujetos *no humanos:*

rebuznar El burro rebuzna.
aullar Los lobos aúllan en el bosque nevado.

b) Respecto al *complemento directo*

● Verbos que admiten solamente sujetos de *seres animados:*

castigar El domador castigó al león rebelde.
advertir La policía advirtió a los ciudadanos sobre el peligro.

● Verbos que admiten complemento directo de *seres humanos:*

persuadir El padre persuadió a su hijo para que estudiase.
convencer Luisa le convenció de su error.

● Verbos que admiten complemento directo de *objetos no animados:*

construir Construyó la casa en dos meses.
escribir Escribía cartas cada día.

Nota.—Muchos de los verbos anteriormente reseñados pueden ser utilizados en sentido figurado. De ahí que las exigencias de sujeto u objeto directo de una u otra clase puedan variar, precisamente en razón del sentido figurado que se les pueda asignar. Así:

Conjurar el peligro (objeto no animado).
El profesor rugía de rabia (sujeto humano).
El orador no hablaba, graznaba (sujeto humano para «graznar»).
etc.

6. Clases de verbos según su significado léxico

El significado o valor léxico de los verbos es susceptible también de ser clasificado de acuerdo con otros parámetros, entre los cuales nos interesa destacar el de *acción* y *estado:*

a) Verbos factitivos

Son los que implican la ejecución de algo. Esta realización:

● Puede ser llevada a cabo por el sujeto:

El albañil construyó la torre.

● Puede ser ordenada por el sujeto:

El arquitecto construyó la casa.

b) Verbos perfectivos

Expresan el estado presente del sujeto como resultado de una acción pasada que necesariamente implica el significado léxico del verbo:

comprender *Comprendió bien todo lo que le dijo el profesor.*
terminar   *Terminó su trabajo a las doce.*
morir   *Murió tras una larga enfermedad.*

c) Verbos imperfectivos

Son aquellos que señalan el estado presente del sujeto, como resultado de una acción que dura todavía en el momento en el que se sitúa la acción verbal, acción que también está contenida en el valor léxico del verbo:

poseer   *Posee una belleza incomparable.*
esperar *Esperaba en la esquina cuando llegó su novia.*
vivir   *Vive en Madrid desde hace dos años.*

d) Verbos durativos

Indican una acción que está realizándose en el momento en que es situada aquélla por parte del hablante:

perseguir *Perseguían sus objetivos con constancia.*
quedar   *Se quedó con él toda la noche.*

e) Verbos momentáneos

Este grupo lo constituyen aquellos verbos que señalan una acción puntual debido a la naturaleza misma de su valor léxico:

explotar *La bomba le explotó en las manos.*
              *(No es posible *La bomba explotó poco a poco...).*
disparar *Disparó dos tiros a quemarropa.*
abrir   *Abrió la puerta al salir ella.*

Estos verbos tienden a combinarse con adverbios que denotan la puntualidad de la acción: *de repente, bruscamente, de improviso...*

f) Verbos incoativos

Expresan el paso de un estado a otro; pueden ser sustituidos por «llegar a ser + adjetivo»:

palidecer   *Al darle la noticia, su rostro palideció.*
reverdecer   *Tras los calores, las plantas reverdecieron de nuevo.*
engrandecer *Sus hazañas le engrandecieron.*

VI. Los verbos auxiliares: peculiaridades

Existen en español tres verbos auxiliares muy frecuentemente utilizados: **ser, estar, haber.**

Los dos primeros pueden aparecer también con sentido propio, es decir, sin depender de otro verbo al que sirven de «auxiliar», como predicativos, o bien servir de cópula entre un sujeto y un predicado.

En cambio «haber» aparece casi siempre como auxiliar, con valor aspectual perfectivo. Raras veces conserva un valor propio, predicativo, como se da en la forma y uso de *hay*.

1. El verbo haber

El auxiliar **haber**, irregular en muchas de sus formas, puede realizar las funciones siguientes:

a) Ser auxiliar en los tiempos compuestos, que señalan o conllevan el significado de «haber acabado» (aspecto perfectivo):

Ha cantado.
Hemos llegado bien.
Habían comido a las dos.

En esta función mantiene con el sujeto la concordancia en número, pero no en género. El verbo auxiliado, por el contrario, no conserva ningún tipo de concordancia con el sujeto.

b) Tener valor impersonal en tres de sus formas: **hay, había, hubo**:

Hay/Había/Hubo muchos problemas en ese trabajo.

Nota.—Con la forma *hará*, en frases temporales, equivale a *hace…*:

Hará dos años que le conocí = Hace (unos) dos años que le conocí.

c) Aparecer en construcciones con el relativo:

*Los **hay que** no me gustan.*
*Siempre **hay quienes** llegan tarde.*

d) Aparecer en construcciones con la conjunción **que**:

Hay que decidirse a hacerlo.

2. El auxiliar *ser*

Tanto el verbo **ser,** como el verbo **estar** presentan notables dificultades para el estudiante de español por la complejidad de usos que los distinguen.

Ser se caracteriza, entre otros, por los siguientes usos:

a) Con sentido predicativo (=**existir**):

Ser o no ser, éste es el problema.
La fiesta fue en la discoteca.

b) Con sentido ecuativo o copulativo:

Con nombre: *Don Luis es **el director**.*
Con pronombre: *¿Fuiste **tú**?*
Con infinitivo: *Querer es **poder**.*
Con determinante: *Mi libro es **éste**.*
Con adjetivo: *Su alegría es **escasa**.*

c) Para expresar tiempo, hora:

***Son** las doce.*
***Es** de día.*

d) Como cópula con adjetivos que indican cualidad esencial, implicada por la naturaleza de la persona o cosa:

*El niño **es** inocente.*
*La clase **es** aburrida.*

e) Como cópula ante complemento de origen, materia de que está hecha una cosa, propiedad (posesión), destino o finalidad:

***Son** de León.*
*El reloj **es** de oro.*
*El coche **es** de mi padre.*
*Los juguetes **son** para Juanita.*

f) Como auxiliar en la formación de la pasiva:
*La película nunca **fue** proyectada.*

g) En oraciones subordinadas, en la estructura *Es... que:*

***Es** mejor que vengas.*
***Es** que la historia ya no es Historia.*

h) En locuciones o expresiones fijas:

Érase una vez...

3. El auxiliar *estar*

Sus usos son también variados, especialmente en contraste con los de **ser**:

a) Como predicativo y con el sentido de **«hallarse situado».**

● en el tiempo:

***Estamos** en invierno.*
***Estaban** en 1988.*

● en el espacio:

***Están** en Berlín.*
***Estarán** en clase a las cuatro.*

b) Como cópula o nexo de unión ante un adjetivo que implica el significado de «estado pasajero», que durará sólo por algún tiempo, debido a agentes externos o como resultado de un cambio:

*Mi amigo **está** enfermo.*
*El día **está** fresco.*
*El árbol **está** seco.*
*El animal **está** muerto.*

c) En las construcciones incoativas con **estar** + **para/por** + **infinitivo**:

***Está** para ir al cine.*
***Está** por hacerlo él solo.*

d) En las construcciones durativas o con aspecto pasivo (con **estar** + **participio**):

***Está** agotado.*
***Está** acabada la casa.*

e) En las construcciones con aspecto progresivo (**estar** + **gerundio**):

***Está** comiéndose todo el pastel.*
***Están** trabajando mucho últimamente.*

f) En la construcción **estar para** + **nombre**:

*No **está** para bromas.*

g) En las construcciones **estar que** + **verbo**:

*La niña **está** que trina.*
*Tiene mal humor hoy; **está** que muerde.*

h) En diversas locuciones:

*¡Ya **está**!*
*¿**Estamos**? (de acuerdo).*

4. Usos de *ser* y *estar*

En términos generales, la gran diferencia entre el uso de **ser** y **estar** reside en el concepto de temporalidad o intemporalidad, de cualidad permanente o transitoria. Pero esta diferenciación, no difícil de percibir en cuanto tal en aquello que ya por naturaleza es duradero o transitorio, temporal o intemporal, se hace más difícil de captar cuando estas cualidades o estados no se presentan así en la realidad, sino que constituyen una *visión subjetiva*. El hablante, en efecto, puede presentar la realidad como temporal aunque no lo sea, o intemporal aunque por naturaleza tampoco lo sea, de la misma manera que puede presentar como transitoria una cualidad o estado que en otros contextos no lo son. Estos hechos se perciben claramente en frases como

Está loco.   Es loco.
Es bueno.   Está bueno.

En otros casos, el uso de uno u otro verbo ha quedado fosilizado en expresiones, a veces por condicionamiento sintáctico, sin que ello implique los significados anteriormente mencionados:

Es que no es verdad.
Está casado frente a *Es casado* (no implica ningún cambio en el sujeto y apenas si se perciben matices diferenciadores).
Son las doce (es algo transitorio, pero no admite **estar**).
Estoy de luto (es algo transitorio, pero tampoco admite el uso con **ser**, ni siquiera en el caso de que «el luto fuese permanente»).

Se trata de algunas acciones, estados o procesos que han quedado fijados en el idioma con las connotaciones de algo temporal y transitorio o como algo intemporal y permanente.

Nota.—Adjetivos que cambian de significado con **ser** o **estar**:

Estar atento (al profesor en la clase).
Ser atento (con una dama).

Estar blanco (después de lavarlo con jabón).
Ser blanco (por naturaleza).

Estar bueno (algo que experimentamos como tal al comerlo).
Ser bueno (lo es por naturaleza).

Estar ciego (estado actual de alguien).
Ser ciego (de nacimiento o para siempre).

Estar limpio (después de lavar algo).
Ser limpio (algo/alguien que lo es por naturaleza).

Estar triste (actualmente).
Ser triste (por costumbre, siempre suele estarlo).

Estar malo (estar enfermo alguien ocasionalmente).
Ser malo (comportarse alguien de esta manera o ser así por naturaleza).

Estar nuevo (aunque haya sido usado, parece todavía nuevo).
Ser nuevo (no se ha estrenado).

Ser negro (algo/alguien por naturaleza).
Estar negro (estar algo/alguien sucio o estar alguien enfadado).

Es vivo (despierto, inteligente).
Está vivo (no muerto).

Es listo (es inteligente).
Está listo (preparado para algo).

Es un/-a fresco/-a (con poca vergüenza).
Está fresco (estar alguien equivocado respecto a algo).

En general, la mayor parte de adjetivos que califican personas, objetos o cosas pueden admitir ambos verbos, variando su significado en términos semejantes a los apuntados en los ejemplos anteriores.

8 | EL ADVERBIO Y EL GRUPO ADVERBIAL

I. El adverbio

El adverbio está constituido por un conjunto de palabras que se caracterizan por su gran diversidad de formas, con múltiples funciones y con un comportamiento sintáctico variado y rico.

1. Descripción sintáctica

El adverbio presenta una construcción sintáctica compleja:

a) Puede realizar funciones tan diferentes como las de *modificador:*

● de un adjetivo:

*Ha amanecido un día **muy hermoso**.*
*Tu amigo es **bastante simpático**.*

Nota.—Obsérvese que los adverbios que modifican a un adjetivo son siempre de cantidad *(muy, bastante, demasiado...).*

● de un verbo:

*Hoy no ha descansado **bien**.*
***Siempre** piensa en todo.*

● de otro adverbio:

*En invierno **casi siempre** nieva.*
*La casa queda **algo lejos**.*

Nota.—Obsérvese que los adverbios que modifican a otros adverbios también suelen ser de cantidad.

b) El adverbio puede ser el *núcleo de un grupo adverbial (GAdv):*

● con verbos copulativos y semicopulativos:

*La casa **queda muy cerca**.*

```
        └──┬──┘
          adv.
      Grupo adverbial
```

*La excursión no **estuvo nada mal.***

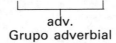

adv.
Grupo Adverbial

• con otros verbos:

*Carlos **llegó excesivamente temprano.***

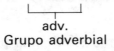

adv.
Grupo adverbial

*El director **habló muy seriamente.***

adv.
Grupo adverbial

Nota.—El GAdv puede ser desplazado de su posición detrás del verbo para enfatizar algo o por razones meramente estilísticas:

Excesivamente temprano *llegó Carlos.*
Muy seriamente *habló el director.*

c) El adverbio presenta la singularidad de que algunas de sus formas adverbiales pueden combinarse entre sí:

• **Cantidad y modo:**

Muy bien.
Bastante despacio.
Menos deprisa.

• **Cantidad y tiempo:**

Muy pronto.
Poco temprano.
Bastante tarde.

• **Cantidad y lugar:**

Está algo lejos.
Queda muy cerca.

• **Negación/afirmación y modo:**

No lo hizo mal.
Nunca lo hace bien.
Sí lo hizo lentamente.

• **Negación/afirmación y tiempo:**

Jamás llegó pronto.
También lo supo tarde.

• **Negación/afirmación y lugar:**

No está aquí.
Sí está allí.

• **Lugar y lugar:**

Ven aquí arriba.
Vete allá abajo.

• **Tiempo y tiempo:**

Llega hoy temprano.
Hablará mañana tarde.

2. Descripción formal

2.1. Morfológicamente, el adverbio es invariable: no señala ni género ni número.

Nota.—Incluso en los casos en que los adverbios derivan de formas adjetivales anteriores, la concordancia no se da:

medio: *Llegó medio muerta.*
salvo: *Lo hicieron todos salvo ella.*
incluso: *Incluso nosotros lo afirmamos.*

2.2. Esta ausencia de concordancia es la que mejor diferencia al adverbio del adjetivo (que concuerda con la palabra a la que modifica) y del nombre (siempre portador de los marcadores de género y número):

Las nubes pasan demasiado lentas.
Son los que mejor cantan.

2.3. Algunos adverbios, al igual que el adjetivo, admiten también grado o gradación:

a) Comparativo:

*El avión llegó **más tarde** de lo previsto.*
*Las horas corren **menos deprisa** que el pensamiento.*

b) Superlativo relativo:

*Vuelve **lo más pronto** que puedas.*

c) Superlativo absoluto:

*Las gestiones van **lentísimamente**.*
*Lo hizo **sumamente mal**.*

Nota.—No admiten grado: **ahora, hoy, ayer, entonces, siempre, ya, aquí, ahí, allí, apenas, nada, quizá(s), acaso.**

2.4. Muchos adverbios admiten *sufijación:*

abajo:	*abajito*	junto:	*juntito*
ahora:	*ahorita*	lejos:	*lejitos*
apenas:	*apenitas*	luego:	*lueguito*
aprisa:	*aprisita*	nada:	*nadita*
arriba:	*arribita*	nunca:	*nunquita*
cerca:	*cerquita*	temprano:	*tempranito*
despacio:	*despacito*	etc.	

Nota.—Este tipo de sufijación es más frecuente en la variante del español hispanoamericano.

2.5. Algunas formas de gerundio, con sufijos de carácter «apreciativo» y sobre todo en el lenguaje coloquial, pueden funcionar también como adverbios:

—*¿Cómo te van las cosas?*   **—Tirandillo**

2.6. Muchos adjetivos, en su forma masculina singular, pueden funcionar con valor adverbial:

*Habla **alto**.*
*Canta **bajo**.*
*Lo dijo muy **claro**.*

2.7. Los adverbios *tanto, cuanto* se apocopan delante de adjetivo u otro adverbio o locución adverbial:

*Lo hace **tan** suavemente...*
*¡**Cuán** aprisa escribe!*
*¡Lo hizo **tan** a lo tonto!*

● **Excepto** delante de *peor, mayor, mejor:*

***Tanto** peor para ti.*
***Cuanto** mejor sea, más te beneficiará.*
***Cuanto** mayor es, peor lo hace.*

● **Pero** se dice: *¡Este niño es **tan** mayor ya!*

2.8. Añadiendo la flexión *-mente* al femenino singular del adjetivo calificativo, se forman en español nuevos adverbios:

buena-mente
correcta-mente

Nota.—Téngase en cuenta que, cuando en la oración se siguen varios adverbios en **-mente,** sólo el último de ellos lleva esta terminación:

*Obró **sabia, noble** y **discretamente**.*

2.9. Algunos adverbios son polivalentes, es decir, pueden desempeñar funciones diversas y de diferente índole. Así:

	determinante	pronombre	adverbio
mucho	*Tardó mucho tiempo*	*Leyó mucho* (=muchos libros)	*Leyó mucho* (=intensidad)
poco	*Tardó poco tiempo*	*Leyó poco*	*Leyó poco*
bastante	*Tardó bastante tiempo*	*Ya digo bastante*	*Está bastante enfermo*
nada	—	*No dijo nada*	*No es nada fácil* *No le interesa nada*
tanto	*Tanto tiempo*	*Bebió tanto*	*Es tanto peor*
cuanto	*Cuánto tiempo*	*Bebió cuanto quiso*	*¡Cuán aprisa escribe!*

3. Descripción semántica

3.1. Los adverbios son las únicas palabras capaces de modificar el significado léxico de los verbos. Además, pueden complementar, precisar o determinar el significado de los adjetivos, adverbios e incluso oraciones enteras.

3.2. Es posible afirmar que el adverbio modifica al verbo como el adjetivo al nombre:

Carlos llegó **bien**.
Carlos parece **bueno**.

Bueno, bien modifican a ambas oraciones expresando una misma cualidad. La primera se refiere al verbo y no altera su forma. La segunda se refiere al nombre y por eso debe adecuar su forma a la de aquél. Esto significa que los adjetivos expresan una cualidad individualizada, aplicada a un nombre en concreto, mientras que el adverbio expresa también una cualidad pero sin individualizar, ya que afecta a la acción verbal; de ahí que no exija concordancia. Esta característica «no individualizadora» hace posible que el adverbio pueda modificar no sólo a un verbo, sino también a un adjetivo e incluso a otro adverbio, como ya se ha dicho.

3.3. El adverbio señala modificaciones referidas:

- a la **cualidad** de la acción *(adverbios calificativos)*
- a la **determinación** de la acción *(adverbios determinativos)*
- al carácter afirmativo, negativo o dubitativo de la oración *(adverbios modalizadores).* Podemos resumirlo en el siguiente esquema:

significado, carácter de la modificación	clases
calificativo	modo
determinativo	lugar tiempo cantidad
modalizadores de la oración	afirmativos negativos dubitativos

II. Clases de adverbios

1. Adverbios de modo

a) Funciones

1.º Los adverbios de modo se caracterizan por su función de «sintagma preposicional de modo». Así:

*Aparcó el coche **fácilmente*** = *Aparcó el coche **con facilidad**.*
*Llegó **deprisa*** = *Llegó **con prisa**.*

2.º Los adverbios de modo presentan una profunda semejanza formal con los adjetivos calificativos y con los nombres derivados de estos adjetivos. Así ocurre, por ejemplo, con:

brillante, brillantemente, brillo
lento, lentamente, lentitud

Esta semejanza es en ocasiones total entre el adverbio y el adjetivo:

*Habla **alto**.*
Pepe es alto.

3.º Los adverbios de modo admiten tanto la interrogación como la exclamación. Por eso son capaces de sustituir a los grupos de complemento circunstancial sobre los que se asentaría dicha interrogación o exclamación:

*¿**De qué manera** ha sucedido?* = *¿**Cómo** ha sucedido?*
*¡**De qué manera tan** prudente se ha portado!* = *¡**Cuán** prudentemente se ha portado!*

4.º Los adverbios de modo se utilizan como intensificadores de grado:

*Está **locamente** enamorado de Isabel.*

b) Formas y usos

1.º Expresan una **circunstancia de modo** las siguientes formas adverbiales:

bien	*mal*	*despacio*	*aprisa*	*apenas*
adrede	*aposta*	*hasta*	*así*	*como*
cuán	*cómo*			

2.º La mayor parte de adverbios de modo provienen de los adjetivos, mediante la adición de la terminación **-mente**. Este sufijo se añade a la forma femenina singular:

bueno/buena: *buenamente*
justo/justa: *justamente*

Este sufijo puede añadirse también a la forma de superlativo:

facilísimo/-a: *facilísimamente*
mayor: *mayormente*

3.º No admiten la forma en **-mente** los adjetivos determinativos o determinantes, excepto *mismo* y los ordinales *primero* y *último:*

mismo: *mismamente*
primero: *primeramente*
último: *últimamente*

Nota.—Adviértase que *últimamente* tiene doble acento tónico: /*últimaménte*/.

Tampoco admiten esta terminación los adjetivos que indican características o cualidades físicas, como *rojo,* o los gentilicios, como *español, inglés...* (aunque en ocasiones se permitan licencias poéticas como *españolamente*).

El término *inclusive* se prefiere a *inclusivamente*; este último es incluso desusado en ciertos contextos:

Lo hicieron todos; ellas **inclusive**.

Exclusivamente es reemplazado también por *exclusive* en contextos semejantes. Pero no en otros casos:

La responsabilidad es **exclusivamente** suya.

Y no:

*La responsabilidad es suya **exclusive** o ... **exclusive** suya.

4.º Con frecuencia, el uso *inmoviliza* las formas de masculino singular de los adjetivos, que funcionan entonces como adverbios, prescindiendo de la terminación en **-mente**:

Pisa **fuerte**.
Respira **alto**.
Habla **claro**.

5.º Las formas *bien, mal, recién* son adverbios que se corresponden con los adjetivos *bueno, malo, reciente.*

6.º *Así* puede adquirir varios significados:

● Valor de *tal* (identificador cualitativo):

Una cosa **así** no se hace todos los días.

● Significado de *tal tamaño:*

Era **así** de alta la torre.

● Valor pronominal de imprecisión o ambigüedad deliberada, en su forma reduplicada:

Las cosas le van **así así**.

c) Locuciones adverbiales de modo.

Muchos adjetivos no forman adverbios de modo mediante la terminación en **-mente** o la inmovilización en su forma de masculino singular. En estos casos, el español recurre a expresiones especiales como el esquema **a** + **artículo** + **adjetivo**:

1.º «A + la + adjetivo femenino singular»:

a la inglesa, a la española, a la italiana

2.° «A + lo + adjetivo masculino singular»:

Vive a lo grande.
Vive a lo loco.

Nota.—Puede observarse que algunos adjetivos admiten tanto la terminación en **-mente** como la locución mediante **a** + **lo**. La primera se utiliza cuando el adverbio modifica el adjetivo; la segunda sólo cuando modifica el verbo:

*Es un niño **grandemente deseado** por sus padres.*
*Es un niño que **vive a lo grande**.*

En uno u otro caso varía también el significado.

3.° «A + adjetivo femenino plural»:

a escondidas
a medias
a ciegas

4.° «A + nombre»:

a carcajadas	*a hurtadillas*
a caballo	*a cuadros*
a pie	*a rayas*
a traición	*a patadas*
a palos	*a tiros*
a besos	*a pisotones*

5.° «De + nombre»:

de pie	*de paso*	*de prisa*
de rodillas	*de veras*	*de verdad*
de hecho	*de memoria*	

6.° «Con + nombre»:

con (mucho) gusto
con razón

7.° «En + nombre»:

en un santiamén
en un tris
en cuclillas

8.° En el lenguaje menos formal o coloquial, surgen adverbializaciones con *negro, morado, puta* en sus formas de plural:

*pasarlo **negras/moradas/putas*** (vulgar) (= mal o muy mal)

De manera semejante, los términos *bomba, fenómeno, chupi,* etc., son frecuentes en el lenguaje coloquial y de los niños:

*pasarlo **fenómeno/bomba/chupi** en una fiesta* (=muy bien)

9.° Las locuciones adverbiales de modo presentan en español otras variantes:

boca abajo
de ninguna manera / de tal manera / de otro modo
a cada cual mejor
etc.

2. Adverbios de lugar

a) En algunos casos desempeñan el papel de un sintagma preposicional:

*María vive **aquí** = María vive **en esta casa/piso/lugar...***

b) Algunos adverbios son similares o formalmente iguales a las preposiciones que introducen los grupos que constituyen:

*Él va **delante**.*   *Él va **delante de mí**.*
*El abrigo está **detrás**.*   *El abrigo está **detrás de la puerta**.*

Esta relación es todavía más patente en el caso de los demostrativos:

*El piso es **éste**.*   *El piso es **ahí**.*
*La casa es **ésa**.*   *La casa es **allí**.*

c) Algunos adverbios de lugar admiten tanto la interrogación como la exclamación, sustituyendo a los correspondientes grupos de complemento circunstancial que, en su defecto, deberían usarse:

*¿De **qué parte** vienes? = ¿De **dónde** vienes?*
*¿A **qué lugar** vas? = ¿A **dónde** vas?*

d) Formas de los adverbios de lugar:

aquí	*ahí*	*allí*	*allá*	*acá*	*allá*
cerca	*lejos*	*enfrente*	*delante*	*adelante*	*detrás*
atrás	*dentro*	*adentro*	*fuera*	*afuera*	*arriba*
encima	*abajo*	*debajo*	*junto*	*alrededor*	*donde*
adonde					

e) Usos:

1.º El uso de *aquí, ahí, allí* depende de la distancia expresada en relación con el hablante y guarda estrecha relación con los demostrativos *éste, ése, aquél*:

*Los libros están **aquí*** (=cerca de quien habla).
*Los libros están **allí*** (=lejos de quien habla y escucha).

Nota.—*Aquí, ahí, allí* son formas simétricas con:

yo	*tú*	*él/ella*
mío	*tuyo*	*suyo/-a*
éste	*ése*	*aquél/aquélla*
aquí	***ahí***	***allí***

2.º *Aquí, allí* pueden combinarse con el verbo para señalar un lugar:

*La casa es **allí**.*
*El piso de los Sánchez es **ahí**.*

Acá, allá tienen un significado más impreciso que *aquí, allí*. Se utilizan con verbos de movimiento y admiten grado de comparación:

> *Vete **más allá**.*
> *Ven **más acá**.*

Nota.-En Hispanoamérica el uso de *acá, allá* predomina sobre el de *aquí, allí*.

3.º *Allá* puede señalar también alejamiento en el tiempo:

> *Vivió **allá** por los años 1200.*

También puede utilizarse en combinación con el pronombre personal para expresar desinterés:

> ***Allá** tú, si no trabajas.*
> ***Allá** vosotros, si no venís.*

4.º *Aquí, ahí* se combinan con el verbo para presentar o señalar algo o a alguien:

> ***Aquí** está el director.*
> ***Ahí** viene Pedro.*

5.º Los adverbios de lugar pueden adquirir valor temporal en expresiones como:

> *De aquí en adelante* (=en el futuro).
> *Ya lo trataremos más adelante* (=después).
> *Te lo dije meses atrás* (=hace varios meses).

6.º *Donde* es una palabra átona que puede ser usada como:

● adverbio relativo de lugar, e introducir una oración subordinada adverbial:

> *Le encontré **donde** nos habíamos citado* (=... allí donde...).

● preposición, en el lenguaje coloquial:

> *Nos vimos **donde** Juanjo* (=en casa de/en la tienda de...).

7.º *Adonde* es el resultado de la unión de *a + donde*. Se escribe junto cuando el antecedente está explícito:

> *Es el cine **adonde** vamos.*

Se escribe separado si el antecedente no está expreso:

> *Se acercaron **a donde** yo estaba y me escondí.*

8.º *Dónde, adónde* son formas interrogativas usadas en contextos diferentes.

Dónde puede usarse con verbos de reposo o de movimiento:

> *¿**Dónde** comemos hoy?*
> *¿**Dónde** vais?*

Adónde sólo se usa con verbos de movimiento:

> *¿**Adónde** vamos hoy a cenar?*

9.° Locuciones adverbiales de lugar.

Son varias en forma y número:

calle arriba	calle abajo	aquí y allí	aquí abajo
río arriba	río abajo	allá arriba	acá y allá
a todas partes	de todas partes		
a ninguna parte	por todas partes		
etc.			

3. Adverbios de tiempo

a) Los adverbios de tiempo pueden equivaler en ocasiones a un Grupo Nominal:

Trinidad vendrá **mañana** = *Trinidad vendrá* **en pocas horas.**

b) También admiten la interrogación y la exclamación, sustituyendo en estos casos a un GN que equivale a complemento circunstancial de tiempo:

¿ **Qué día** *vendrás?* = *¿* **Cuándo** *vendrás?*

c) Formas:

ahora	antes	después	hoy
ayer	anteayer	anoche	mañana
luego	entonces	tarde	temprano
presto	pronto	siempre	nunca
jamás	mientras	todavía	aún
ya	recién	cuándo	cuando

d) Usos:

1.° *Ahora, entonces, hoy* implican, en su significado, un pronombre demostrativo:

ahora	=	*en este momento*
entonces	=	*en aquel momento*
hoy	=	*en este día*

2.° *Nunca* y *jamás* tienen una doble construcción: si van después del verbo, exigen la presencia de una palabra negativa delante; si inician la frase, equivalen por sí solos a una negación de la oración:

No *fui* **nunca** *a esa ciudad.*
No *descubrí* **jamás** *el secreto.*
Nunca/Jamás *fui a esa ciudad.*

Jamás puede ir precedido de *nunca,* en cuyo caso toma su significado afirmativo de origen *(ya más, por siempre jamás).* En cambio, no es posible la secuencia **Jamás nunca...:*

Nunca jamás *lo había visto por esas tierras.*

La concurrencia de ambos adverbios añade también un matiz de intensificación en la negación expresada.

3.º *Ya* puede funcionar como conjunción y como adverbio:

Ya *vengas,* **ya** *vayas...* (=conjunción disyuntiva).
El tren **ya** *ha llegado* (=adverbio).

Como adverbio, confirma con frecuencia la realización de una acción llevada a cabo (por lo tanto en el pasado). Pero puede usarse también con tiempos de presente o de futuro; en estos casos equivale más bien a un reforzamiento de la afirmación o negación expresada:

Ya *te lo comunico ahora.*
Ya *te lo diré a su debido tiempo.*

4.º *Todavía, aún/aun* significan que la realidad expresada sigue presente o persiste, o bien expresan un valor concesivo.
Aún se escribe con tilde, según la Academia de la Lengua, si equivale a *todavía:*

El tren **aún** *(=todavía) no ha llegado.*

Se escribirá sin tilde *(aun)* cuando equivale a *incluso,* con valor concesivo:

Habla en voz alta, **aun** *si no le oye la gente.*

5.º Algunos adverbios en **-mente** tienen valor temporal:

primeramente, últimamente, antiguamente, finalmente, recientemente

Recientemente se apocopa ante participio:

Están **recién** *casados.*
Es un **recién** *nacido.*

6.º *Luego* señala una circunstancia de tiempo más inmediata que *después:*
Ven **luego** (=sin tardar mucho).
Come después (=pasado un cierto tiempo).

El ejemplo siguiente ilustra mejor esta realidad significativa:
Primero *haremos la maleta,* **luego** *comeremos y* **después** *saldremos.*

7.º *Primero* equivale a *antes (de):*
 Primero *morir que dejarse vencer,*

o a *en primer lugar:*

Primero *estudia la lección de hoy.*

e) Locuciones adverbiales de tiempo:

Son muchas y variadas en su estructura:

en breve   *de ahora en adelante*
en el futuro   *dentro de poco*
de vez en cuando   *en ningún momento*
etc.

4. Adverbios de cantidad

a) Los adverbios de cantidad desempeñan la función de *modificadores* del grupo del nombre o del verbo (GN, GV). Señalan la intensidad de la cualidad modificada (adjetivo, adverbio, verbo, nombre):

*Es **muy** listo.*   *Trabaja **bastante**.*
*Es **demasiado** tarde.*   *Es **poco** hombre.*

b) Sintácticamente, dependen del término que modifican:

- del Grupo Verbal: *Lo **veo mucho** este año.*
- de un adverbio: *Camina **demasiado lentamente**.*
- del adjetivo: *Los paquetes son **demasiado pesados**.*
- del nombre: *Javier es **muy hombre**.*

c) Los adverbios de cantidad que modifican un verbo tienden a ir pospuestos, salvo en casos de énfasis o estilo:

Carlos lee mucho / Mucho lee Carlos, pero no **Carlos mucho lee.*
Bastante duerme Luis / Luis duerme bastante, pero no **Luis bastante duerme.*

d) Formas:

mucho	*muy*	*poco*	*algo*
nada	*harto*	*demasiado*	*medio*
mitad	*bastante*	*más*	*menos*
casi	*sólo*	*además*	*excepto*
salvo	*tanto*	*tan*	*cuánto*
cuán	*cuanto*	*cuan*	*qué*
apenas			

e) Usos:

1.º *Muy* y *mucho* están en distribución complementaria: el primero se utiliza ante adjetivos y el segundo, antes o después de verbos:

*Está **muy** verde/agotado*
*Llueve **mucho**.*

2.º *Tan, tanto* también están en distribución complementaria: *tan* se usa ante adjetivos, adverbios y participios y *tanto* ante verbos:

*¡Es **tan** bueno!*
*Es **tan** temido como amado.*
***Tanto** es así, que no ha venido a veros.*

De similar manera se comportan *cuan, cuanto.*

3.º *Más, menos, tan* indican grado comparativo. (Véase capítulo correspondiente a la comparación del adjetivo).

Más, menos pueden usarse antes o después del nombre:

● sin que les acompañe preposición:
*No come **más** pastel.*
*No come ni un caramelo **más**.*

● o con preposición:
*Serían **menos de** las ocho.*
*Tendrá **más de** veinte años.*

4.º La idea de *mitad* es expresada por la forma *medio/-a* de diversas maneras:

● con un nombre: *Queda **media** hora.*
● con un adjetivo: *Está **medio** loca.*
● con un verbo: *Lo hace todo **a medias**.*
● con verbo en infinitivo: *Lo dejó **a medio** terminar.*

Nota.—Medio puede funcionar como·

● nombre: *El mejor **medio** para curarse.*
● adjetivo: ***Medio** mundo lo sabe ya.*
● adverbio: *Están **medio** muertos de miedo.*
             ***Medio** se cayó.*

5.º La idea de «aproximación» se expresa con frecuencia, aunque no siempre, mediante adverbios compuestos:

*Leí diez páginas **poco más o menos**.*
*Eran **cosa de** cinco o seis.*
*Asistieron **alrededor/cerca de/unas** cien personas.*
*Conté **aproximadamente** cuarenta.*

6.º Algunos adjetivos calificativos pueden equivaler a adverbios de cantidad en expresiones como:

*Durmió tres horas **escasas** (=Durmió apenas tres horas).*
*Habló **largo y tendido**.*

7.º El significado de *además* es el de *agregación:*

*No tengo ganas de salir y **además** tengo que trabajar.*
*Vinieron tres, **además** de los que ya había en casa.*

f) Locuciones adverbiales de cantidad:

al menos	poco más o menos	al por menor	al tanto por ciento
poco a poco	a lo sumo	cuanto más	no más (de)
a lo menos	por lo menos	nada más	por poco
al por mayor	al ciento por ciento		
etc.			

5. Adverbios de negación

Están relacionados con los de cantidad en cuanto que señalan una cantidad nula o restringida.

a) Formas:

no	ni	jamás
no... ya	no... casi	
no... más que	tampoco...	

Complementarios de *no:*

| no... nunca | no... nada |
| no... nadie | no... ninguno |

b) Usos:

1.º En español, dos negaciones no equivalen a una afirmación:

No lo han llamado nunca	=	*Nunca lo han llamado.*
No he visto nada	=	*Nada he visto.*
No me habrían informado tampoco	=	*Tampoco me habrían informado.*

2.º *Ya, casi,* al inicio de la oración, señalan énfasis:

Ya no quiero salir.
Casi no lo veo.

3.º Si la oración tiene un mismo sujeto, pero más de un verbo, la negación se refuerza con otro adverbio negativo delante del segundo verbo:

No come ni deja comer.
No trabaja y tampoco deja trabajar.

4.º La negación restrictiva se expresa con:

● **Sólo:**

Sólo bebe agua.

● **No más... que,** señalando una cantidad exacta y máxima:

No me quedan más que cien pesetas.

● **No más... de,** señalando una cantidad tope o máxima que no se sobrepasa, pudiendo ésta ser menor:

No me quedan más de cien pesetas.

- **No... hasta,** para indicar tiempo:

No vendrá *hasta* el lunes.

c) Locuciones adverbiales negativas:

de ninguna manera	de ningún modo	ni hablar	ni con mucho
que no	claro que no	nada de eso	ni por asomo
eso sí que no	y nada más	en mi vida	¡qué va!
en absoluto	casi nada		

6. Adverbios de afirmación

Las oraciones, sin partículas negativas, son afirmativas «por naturaleza» y no necesitan, por tanto, de ningún adverbio de afirmación para ser tales. Por medio de los adverbios de afirmación *se enfatiza* ese carácter afirmativo para que no quede duda alguna sobre tal hecho:

Llegará hoy.
Sí, llegará hoy.
Seguramente llegará hoy.

a) Formas:

sí	también
ciertamente	verdaderamente
seguramente	

Y las locuciones adverbiales:

por cierto	sin duda
¡cómo no!	a buen seguro

b) Usos:

1.º *Sí,* cuando va seguido de *que,* sirve para dar más énfasis a la afirmación expresada:

Sí que habla español.

2.º *También* es correlativo de *tampoco:*

María cantó bien y Carlos también,
frente a:

María no cantó bien y Carlos tampoco.

7. Adverbios de duda

Nota.—Véase capítulo, página 248: declarativas modalizadas..., de la **oración simple**.

Las *formas* de estos adverbios son:

quizá(s)	*tal vez*
probablemente	*a lo mejor*
acaso	*sin duda*

8. Adverbios conjuntivos

Algunos adverbios, por su carácter de secuenciación lógica y temporal, sirven para unir oraciones. Así:

entonces	*así*
también	*tampoco*

Había corrido mucho, **así** *que estaba cansada.*
El detenido no habló. **Tampoco** *comió en todo el día.*

Y locuciones como:

en efecto	*en conclusión*
no obstante	*sin embargo*

Es una persona agradable; **sin embargo** *tiene muchos complejos.*

9. Adverbios de opinión

Las formas *sí / no* pueden desempeñar la función de una oración entera, sobre todo en preguntas y respuestas:

*—¿Ha venido el cartero? —***Sí** *(=El cartero ha venido).*
Me dirijo a ti, **no** *a él   (=... no me dirijo a él).*

10. Adverbios con función modalizadora

Adverbios como **quizá(s), verdaderamente, seguramente, tal vez,** que expresan un juicio del hablante, ya sea en forma de reserva o de insistencia, pueden introducir la expresión de modalidad. Ello se refleja en el uso:

a) del subjuntivo con los adverbios que expresan posibilidad o conjetura:

Quizá *venga.*
Posiblemente *no esté enfermo.*

frente al uso del indicativo en otros casos:

Tal vez *está enfermo.*
Quizá *está enfermo.*

b) del indicativo correspondiente a una afirmación reforzada o enfatizada con éstos u otros adverbios:

Claro que iré.
Desde luego que lo haré.
Por supuesto que te pagaré.

*Se lo diré **con mucho gusto**.*
Sí que lo hago.

También puede darse una negación reforzada:

¡Sí, no estoy enterada de eso!
¡Sí que lo sabe!

III. La comparación del adverbio

El adverbio admite comparación o grados de manera muy similar a como ocurre con los adjetivos:

1. De superioridad:

*Come **más** aprisa.*
*Vive **más** cerca de aquí.*

2. De igualdad:

*Avanza **tan** lentamente que no llegará nunca.*

3. De inferioridad:

*Vive **menos** intensamente su vida.*

IV. El grado superlativo

1. De superioridad absoluta:

*Está **muy** lejos de aquí.*
*Es **muy** de su casa.*

2. De superioridad relativa:

*Vive **lejísimos**.*

I. La preposisición

La preposición es una palabra gramaticalizada, es decir, sin significado o contenido léxico. Su función consiste en relacionar las palabras en la oración e indicar la función que desempeñan:

*Llegó su novio **a** recogerla **en** moto **delante de** su casa.*

Las formas **a, en, delante de** son indicadoras de una función en la oración anterior:

—*¿**Cómo** ha venido a buscarla?*   **En moto**
—*¿**Para/A qué** llegó su novio?*   **A recogerla**
—*¿**Dónde?***   **Delante de** su casa

El significado que puedan adquirir o que se pueda atribuir a estas partículas no surge de ellas mismas, sino de las palabras que relacionan. Así:

N + de + N= *El libro **de** Juan*   (posesión)
               *La corbata **de** seda*   (materia)
               *El libro **de** oro*   (materia)

El significado de «posesión, materia» deriva del tipo de nombre relacionado por «de» (*Juan, seda, oro*).

1. Descripción sintáctica

1.1. El Grupo Preposicional está constituido por una palabra invariable, *la preposición,* seguida del nombre o grupo del nombre con el que la preposición queda estrechamente unida:

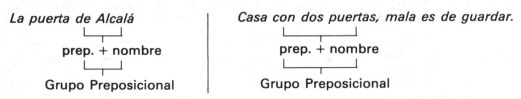

1.2. El Grupo Preposicional recibe su nombre de la *función o régimen* que desempeña. En efecto, el GPrep. está constituido por dos funciones siempre presentes: *régimen y complemento:*

Vengo	de	Madrid
—	régimen	complemento

1.3. El GPrep. puede desempeñar funciones diversas como:

a) Constituyente del GV:

Regaló *una corbata* **a** *su amigo.*
Vive en *la ciudad.*
Visitó a *su madre.*

b) Constituyente del GN:

Leí «La **isla del** *tesoro».*
No es buen **día para** *negocios.*
Ninguno de *vosotros lo vio.*

Los Grupos Preposicionales no pueden ser desplazados de la construcción en que están insertos; su función se realiza dentro del GN.

c) Complemento de adjetivo o de un adverbio, de los cuales depende:

Desgraciada por *discreta y* **perseguida por** *hermosa.*
Un árbol **cargado de** *fruto.*
Vive **lejos de** *la ciudad.*

d) Constituyente de una oración:

Lo he pasado bien *en vacaciones.*

Las preposiciones más frecuentemente utilizadas con esta función son *a, en, de, con, para, por.*

e) Desde el punto de vista sintáctico, las preposiciones se caracterizan por ser las únicas palabras cuya función *específica* es «relacionar los elementos de una oración». Existen también otros procedimientos de relación (como la posición de los elementos en la frase o el significado), pero la preposición está «especializada» en esta función y ése es su «valor léxico». Por ejemplo, en:

El árbol derribó el muro, frente a *El muro derribó el árbol,*

el cambio de sentido deriva solamente de la posición de los elementos oracionales. En:

Mesa **de** *madera,*

de no hace sino relacionar *mesa* con *madera.*

2. Descripción formal

2.1. Ya se ha dicho que las preposiciones son invariables. Además, podemos diferenciar dos tipos de preposición:

a) Las que pertenecen a la forma verbal y que no desempeñan, por tanto, función sintáctica alguna; son las denominadas de *régimen verbal:*

*Dudar **de** (alguien).*   *Pertenecer **a** (un grupo).*
*Obedecer **a** (los superiores).*   *Confiar **en** (una persona).*

b) Las que desempeñan una función concreta, según lo descrito en **1.**

2.2. Formalmente, suele también diferenciarse entre:

a) Preposiciones originarias, procedentes del latín, como:

> *a, ante, bajo, cabe, con, contra, de, desde, en, entre, hacia, hasta, para, por, según, sin, so, sobre, tras*

b) Preposiciones no originarias, de nueva formación, como:

> *mediante, durante, excepto, salvo, acerca de, además de, alrededor de, a pesar de, antes de, cerca de, debajo de, delante de, dentro de, después de, detrás de, encima de, en cuanto a, enfrente de, frente a, fuera de, junto a, lejos de, con respecto a*

3. Descripción semántica

La capacidad o incapacidad combinatoria de las preposiciones depende en última instancia del significado de las palabras relacionadas. Así, podemos decir:

*Viene **de** Sevilla.*
*Es **de** León.*

pero no:

Va **de Madrid.*
Se dirige **de León.*

porque el verbo *ir,* en cuanto que significa dirección, exige la presencia de *a,* no de *de.* De igual manera:

*El reloj es **de** oro,*

pero no:

El reloj es **para oro,*

porque el significado de *oro* no permite la relación de «beneficiario» o «finalidad» con *reloj,* aunque sí la de «materia de que está hecho algo».

Atendiendo al significado derivado de la relación establecida, podríamos clasificar las preposiciones en dos grandes grupos:

- Preposiciones que señalan **una relación de movimiento**
- Preposiciones que no señalan **una relación de movimiento**

3.1. Preposiciones que indican relación de movimiento:

a) Preposiciones que indican **aproximación a un límite:**

a, hasta, contra, hacia, para

1.° Con verbos de movimiento:

*Va **a** La Coruña.*   *La autopista llega **hasta** México.*
*La flota irá **contra** Japón.*   *Vendrán **para** Argentina.*
*Ha salido **hacia** San Francisco*

- **a, hasta:**

Ambas hacen siempre referencia al límite espacial. *Hasta* significa el final o término privativo del movimiento, mientras que *a* es indiferente a la terminación de aquél y puede sobrepasar el límite especificado:

*Irá **hasta** tu casa* (y allí acaba).
*Irá **a** tu casa* (aunque luego puede continuar hacia otro sitio).

- **hacia, para:**

Significan dirección u orientación: *hacia* con sentido indefinido; *para* con definición del término:

*Va **hacia** su casa* (=no necesariamente a/para su casa).
*Va **para** su casa* (=y no a otro lugar).

- **contra:**

Significa dirección frente a algo que se presupone estático y que actuará de freno y de choque ante el impulso direccional. En ocaciones, *contra* es neutralizada por «hacia» debido a la capacidad de ésta en señalar direccionalidad, sin más:

*El enemigo viene **contra** nosotros* (implica choque frente a «nosotros», punto estático).

2.° Con verbos de estado y referencia temporal:

- **a:**

*Estará en casa **a** las diez.*
*Estará aquí **para** las diez.*
*Estará en casa **hacia** las diez.*
*Estará con nostros **hasta** las diez.*

Sólo en el primero de estos ejemplos *a* hace relación a algo puntual: «a las diez». Su uso queda bloqueado cuando la referencia al tiempo es menos definida, como en el resto de los casos. De manera que no serán posibles oraciones del tipo:

Vendrá **a ese día* / **Estará **a** ese día...*

● **para, hacia, hasta:**

Son compatibles con el significado contextual de «extensión»:

*El trabajo no estará acabado **para** ese día.*
*Lo acabaré **hacia** Navidades.*
*No estará acabado **hasta** el verano.*

Para, hacia pierden el valor de «movimiento» y adquieren el de «definición» *(para)* frente a «no definición» *(hacia)* del espacio temporal:

*Estará **para** las diez* (puntual).
*Estará **hacia** las diez* (imprecisión temporal).

b) Preposiciones que indican **origen o alejamiento de un límite:**

de, desde

Caben tres posibilidades de uso:

1.º Uso obligatorio de *de:*

*No sale **de** casa.*
*Natural **de** Salamanca.*

2.º Uso obligatorio de *desde:*

*No lo he visto **desde** enero.*
***Desde** aquí no veremos nada.*

3.º Uso indistinto de *desde* o *de:*

*Viene **de/desde** París.*
***De/Desde** Madrid a Alicante hay 400 kilómetros.*

Nota.—De sólo señala origen o punto de partida (espacial o temporal) y, por tanto, es incompatible con expresiones que señalan extensión (como en **2.**º). De manera semejante, *desde* es incompatible con los contextos que no son susceptibles de admitir la idea de extensión (espacial o temporal), como ocurre en los ejemplos **1.**º (que sólo señalan el origen).

c) Preposiciones que no indican **ni aproximación ni alejamiento:**

por

1.º *Por* sólo significa «movimiento»:

*Vino **por** París.*
*Viajaron **por** la autopista.*

2.º *Por* es incompatible con contextos en los que la referencia temporal sea puntual:

Vendrá **por las dos.*
Estará aquí **por las dos,*

pero:

*Estará aquí **por** la mañana.*
*Vendrá **por** la tarde.*

3.2. Preposiciones que no indican relación de movimiento

Hay preposiciones que solamente señalan una relación espacial, temporal o conceptual. Unas lo hacen de manera precisa:

ante, bajo, sobre, tras

Y otras de manera imprecisa:

con, en, entre, según, sin

a) El primer grupo se caracteriza por la oposición *verticalidad/horizontalidad: sobre/bajo, bajo/tras.* Son preposiciones que no suelen desplazarse de su valor fundamental. Además, todas ellas concurren con grupos equivalentes, como *encima de, delante de, detrás de, delante...:*

El libro está **sobre/encima** *de la mesa.*
El actor está **tras/detrás** *del telón.*

b) El segundo grupo se caracteriza por el rasgo de «situación no orientada»:

● **con, sin:**

Indican acompañamiento, positivo *(con)* o negativo *(sin).* Son muy frecuentes en el uso. *Con* conserva siempre su sentido etimológico de «acompañamiento» o circunstancia concomitante. *Sin* señala precisamente lo contrario:

Viene **con** *su hermano.*
Llegó **sin** *su cartera.*

● **en, entre:**

Indican «inclusión dentro de unos límites».

1.° Con verbos que implican «estado»:

Está **en** *la calle.*
Está **entre** *la gente/***entre** *Madrid y Barcelona.*

En indica sólo la inclusión entre límites; pero *entre* explicita esos límites y la extensión existente entre ellos. De ahí que exija generalmente plural o se refiera a una colectividad:

Entre *los alumnos/la gente/el arbolado...*

Nota.—*Entre* puede usarse en sentido figurado:

Pensé **entre** *mí...*

2.° Con verbos de movimiento, *en* señala que:

● la acción concluye o abarca hasta el límite que define el término relacionado:
Entró **en** *la ciudad* (=ha pasado el límite externo de la ciudad).
Subió **en** *el ascensor* (=dentro de los límites de un ascensor).

● la acción se lleva a cabo en una extensión delimitada:
Pasea **en** *el patio.*

En este último caso, es compatible con *por,* aunque éste especifique otro tipo de relación.

Nótese que, cuando se expresa un movimiento que excede de los límites señalados por el término, el uso de *en* no es posible, aunque el movimiento se realice en dirección hacia tales límites:

> *Subió **en** la terraza.*
> *Va **en** Lima.*

● *en* puede concurrir también con *sobre* en algunos casos, si el matiz de «horizontalidad» puede quedar excluido:

> *El libro está **sobre/en** la mesa.*
> *Vuela **sobre** la ciudad,*

pero no:

> *Vuela **en** la ciudad.*

Ambas preposiciones pueden igualmente ser compatibles en contextos temporales, si no se excluye la extensión:

> *Vendrá **en** la tarde* (precisión temporal).
> *Vendrá **sobre** la tarde* (imprecisión, orientación en el tiempo),

pero:

> *Vendrá **sobre** las dos.*

y no:

> *Vendrá **en** las dos* (puntual e incompatible con la extensión temporal).

● **según**:

Es una preposición imperfecta en el sentido de que se comporta como elemento aislado dentro del sistema de preposiciones: indica conformidad y puede funcionar también como adverbio:

> *Según tu opinión.*
> *Según tú, no tiene razón.*

II. Usos de las preposiciones

● **a**:

Se usa para señalar relación de:

1.º Lugar, que responda a las preguntas:

—**¿Hacia dónde?**:   *Iremos **a** España este verano.*
—**¿Desde dónde?**:   *La luna está **a** muchos miles de kilómetros* (el punto de referencia es la tierra).
—**¿Dónde?**:   *Nos veremos **a** la entrada del cine.*

2.º Tiempo, respondiendo a las preguntas:

—**¿Desde cuándo?**:   *Escribía poesías **a** los quince años* (se da por supuesto un punto de referencia: quince años «desde ahora hacia atrás»).

—¿Cuándo?:	Empezaron **a** trabajar a las siete.
	Al salir el sol.
	A la mañana siguiente.

Nótense los modismos *A los tres días. Tres veces al día*, muy usados.

3.° De cantidad, respondiendo a la pregunta:

—¿**Cuánto?**:	Murieron **a** decenas.
	Venden libros **a** cien pesetas.
	¿**A** cómo está el kilo de tomates?

4.° De modo, respondiendo a la pregunta:

—¿**Cómo?**:	Fueron **a** pie hasta París.
	Hizo una tortilla **a** la francesa.
	Quedaron todos **a** salvo.

Nota.—Es frecuente el uso de *a* en expresiones como *Huele **a** humo/**a** carne asada/**a** manipulaciones...*

5.° De medio o instrumento, en preguntas:

—¿**Con qué?**:	Escribir **a** máquina.
	Lo copia **a** mano.
	Lo mataron **a** golpes/**a** pedradas/**a** tiros...
	La volvieron loca **a** gritos.
	Destruyeron la casa **a** cañonazos.

6.° De finalidad, respondiendo a la pregunta:

| —¿**Para qué?**: | Vengo **a** ver al director. |
| | Los envió **a** espiar. |

7.° De condición:

A decir verdad, me gustó la película (=si digo la verdad...).
A no ser por ti, me engañan (=si no es por ti...).

8.° Delante del complemento directo de persona o ser animado:

Busco **a** mi secretaria.
Encontró **a** su perro.

Pero, para evitar confusiones, puede prescindirse de *a* en casos como:

Prefiero el hermano mayor **al** menor y no *Prefiero **al** hermano mayor **al** menor.
Recomendó su sobrino **al** director y no *Recomendó **a** su sobrino **al** director.

9.° Delante del complemento indirecto:

Dio limosna **a** los pobres.
Entregó el premio **a** los ganadores.

10.° Siempre que el régimen preposicional de ciertos elementos así lo exija:

Se dedica **a** la pintura.
Derecho **a** discrepar.
Convertido **al** cristianismo.

11.° En la estructura *a* + *infinitivo*, con sentido imperativo:

¡A trabajar!
¡A dormir!

con:

- Se usa esta preposición para señalar relación de:

1.° Medio o instrumento, respondiendo a la pregunta:

—*¿Con qué?:*   *Escribe **con** un lápiz negro.*
                  *Hizo señales **con** el dedo.*

2.° Modo, respondiendo a:

—*¿Cómo?:*   *Lo hizo **con** poco ruido.*
               *Le contestó **con** una sonrisa.*

3.° Compañía, respondiendo a:

—*¿Con quién?:*   *El profesor se reunió **con** sus alumnos.*
                     *Trabaja **con** su hermano.*

4.° Condición *(si...):*

***Con** decirle unas palabras dulces, se le pasará el enfado.*
***Con** que no te molestes, ya me basta.*

5.° Concesión *(a pesar de...):*

***Con** lo bueno que es, no lo ha conseguido.*
***Con** tener tantas ganas, no pudo verle.*

6.° Otros usos, requeridos por el régimen preposicional de ciertas palabras:

***Se metió con** el jefe y así le fue.*
***Sueña con** un futuro mejor.*
***Se relaciona con** personas del Gobierno.*
***Amable con** sus amigos, **desdeñoso con** los enemigos.*

de:

- Se usa para indicar relación *de:*

1.° Origen, respondiendo a:

—*¿De dónde?:*   *Viene **de León**.*
                 *Los vinos **de La Rioja***

—*¿Desde dónde?,* en correlación con *...a:*

                 *Vino a pie **del** aeropuerto **a** casa.*
                 *Ha ido **de** Tokio **a** Londres.*

2.° Tiempo, en respuesta a:

—*¿Desde cuándo?,* en correlación frecuente con *...a:*

Trabaja *de* nueve *a* cinco.
La tradición arranca *de* la Edad Media.

—¿Cuándo?, ¿Durante cuánto tiempo?:
Estudia *de* día y duerme *de* noche.

—¿Cuándo?:   Se ausentó *de* noche.
Se marchó *de* día.

3.º Materia o contenido, en respuesta a:

—¿De qué?:   La mesa es *de* madera.
Tortilla *de* patatas.
Leyó un libro *de* poesías.
Va a clases *de* español.

4.º Modo, respondiendo a:

—¿Cómo?:   Pintó la casa *de* blanco.
Se disfrazó *de* payaso.
Fue *de* embajador a Tokio.

5.º Causa, en respuesta a *¿Por qué?*:

Está rojo *de* vergüenza.
Se volvió loco *de* tanto leer novelas de caballerías.
Se murió *de* frío.

6.º Cualidad:

Es *de* naturaleza violenta.
Casa *de* color marrón.
Árboles *de* hoja caduca.
Niña *de* seis años (edad).
Libro *de* 10.000 pesetas (precio).
La cartera *de* Paquita (posesión, pertenencia).
Señora *de* Sánchez.

7.º Finalidad, en respuesta a *¿Para qué?*:

Máquina *de* afeitar.
Guardias *de* asalto.
Policía *de* escolta.

8.º Condición *(si...)*, en la estructura *de* + *infinitivo*:

De no ser por ti, no lo habría hecho.
De saberlo antes, estaríamos atentos.

9.º Viene exigida por determinadas palabras:

Entiende mucho *de* medicina.
Se alegró *de* tu venida.
Imposible *de* predecir su éxito.
Tiene el **deber** *de* explicártelo todo.

10.º Existen muchas locuciones que constan de *nombre + de + nombre:*

*Una maravilla **de** mujer.*
*Es tonto **de** remate.*
*Un asco **de** sopa.*

● **en**:

Se usa para expresar relación de:

1.º Tiempo, en respuesta a la pregunta *¿Cuándo?* o *¿En cuánto tiempo?:*

*Nos veremos **en** primavera.*
*El Congreso se celebrará **en** 1992.*
***En** saliendo el sol, se levantó.*
*Lo hizo **en** cinco minutos.*

2.º Modo, respondiendo a *¿Cómo?:*

*Habla siempre **en** voz baja.*
*Llegó **en** zapatillas.*
*La torre termina **en** punta.*

3.º Lugar, en respuesta a *¿Dónde?:*

*Vive todo el año **en** Murcia.*
*La falda está expuesta **en** el escaparate.*

En ocasiones tiene valor de «dirección hacia el interior de algo», con verbos que implican «penetración».

*Entró **en** la habitación sin avisar.*

4.º Medio o instrumento (*¿Con qué?*):

*Siempre viaja **en** avión.*
*Lo dice **en** palabras ininteligibles.*

5.º Cantidad o precio, en respuesta a *¿Cuánto?:*

*Vendió la casa **en** veinte millones.*
*Las acciones subieron **en** dos enteros.*
*Las manzanas están **en** 120 pesetas/kilo.*

6.º Límite o término en relación con lo que se ha requerido para llegar a determinada especialización o situación:

*Es técnico **en** información.*
*Es perito **en** industrias químicas.*

7.º Viene exigido a veces por determinadas palabras:

***Se afirmó en** la verdad de sus palabras.*
*Nunca **piensa en** ti.*
*País **pobre en** recursos.*
*Zona **abundante en** recursos minerales.*

● **para**:

Se utiliza para señalar relación de:

1.º Movimiento, dirección hacia un punto:

*Salió **para** la oficina.*
*Ven **para** acá.*

2.º Tiempo, aproximado o determinado:

*Te esperamos **para** Navidad.*
*Quedamos **para** el miércoles día 6.*

3.º Límite o término:

*Es muy espabilado **para** su edad.*
***Para** sus posibilidades, es más que suficiente.*

4.º Utilidad o daño:

*Bueno **para** la salud.*
*Es nocivo **para** la vista.*

5.º Finalidad (en oraciones «finales»):

*Vino **para** arreglar la lavadora.*
*Fue enviado por el Presidente **para** negociar la paz.*

6.º Inicio de una acción («valor incoativo»):

*Está **para** salir.*
*Estaba **para** llover, pero luego salió el sol.*

7.º Segundo término de la comparación en algunos casos:

*Es demasiado caro **para** lo que gana.*
*Dispone de poco tiempo **para** estar contigo dos horas.*

8.º Complemento indirecto:

*Envió flores **para** Amalia.*
*Me dio esto **para** ti.*

9.º Viene exigida por algunas palabras:

***Apto para** las ciencias.*
***Embarcarse para** América.*

10.º Forma parte de muchas expresiones, como:

***Para** colmo de males.*
***Para** mí que no es verdad.*
***Para** más inri, no sabe hablar en público.*

por:

● Se usa para indicar una relación de:

1.º Causa, en respuesta a ¿*Por qué?*:

*Lo castigaron **por** culpa tuya.*
*Fue criticado **por** su actuación en la asamblea.*

2.º Tiempo, en respuesta a:

—¿***Cuándo?***:   *Nunca salimos **por** la noche.*
             *Estaremos allí **por** primavera.*

—¿***Durante cuánto tiempo?***:   *Se ausentó **por** dos días.*

3.º Lugar, dentro de unos límites determinados, en respuesta a:

—¿***Por dónde?***:   *Pasea **por** el jardín.*
             *No lo hemos visto **por** esta región.*

4.º Cantidad (precio):

*Vendió el coche **por** dos millones.*
*Trabaja **por** poco dinero.*

5.º Medio o instrumento:

*Envió su coche a León **por** tren.*
*Ya podemos hacer las compras **por** teléfono.*

6.º Distribución:

*Pagaron medio millón de pesetas **por** vecino.*

7.º Proporción:

*Paga un interés del cinco **por** ciento.*
*Casa **por** casa, prefiero la mía.*

8.º Equivalencia:

*Trabaja **por** dos.*
*Esta empleada vale **por** cinco de sus compañeras.*

9.º En vez de o sustituyendo a (alguien o algo):

*Si él no está, Juan puede firmar **por** su padre.*
*Que juegue Juanito **por** el delantero que está enfermo.*
*Le dieron gato **por** liebre.*

10.º Finalidad:

***Por** mis amigos hago todo lo que puedo.*

11.º Agente, en oraciones pasivas:

*El puente fue construido **por** la empresa Pistas Ibéricas.*
*Fue detenido **por** la policía.*

12.º Aspecto incoativo:

*Estuvo **por** irse* (=a punto de, pensando en...).
*Esto está **por** ver.*

13.º Viene exigida esta preposición por determinadas palabras:

***Se interesa por** todo lo que ocurre en su pueblo.*
***Luchó por** la patria.*
*Lo **tiene por** especialista en electrónica.*
***Derramado por** el suelo.*

III. Régimen preposicional de verbos, adjetivos y sustantivos más frecuentes

Como ya se ha señalado en los *Usos especiales,* en español existen palabras que exigen ser seguidas de determinadas preposiciones, bien sea de manera exclusiva y única («régimen preposicional único»), bien sea dependiendo de la acepción o significado en que la utilicemos («régimen preposicional múltiple»). Ofrecemos a continuación una selección de estos usos, atendiendo a criterios de frecuencia y utilidad comunicativa.

Téngase en cuenta que entendemos por régimen preposicional, no cualquier construcción en la que interviene o participa una preposición, sino sólo aquella en que la presencia de una preposición es obligada o viene exigida por la palabra precedente, no por la estructura sintáctica que le sigue o porque se pretenda establecer una relación específica entre elementos diversos, para lo cual se precisa el uso de determinadas preposiciones. Ejemplos de régimen preposicional serían:

***Obedecer a** un superior.*
***Corto de** piernas.*
***Derecho a** discrepar.*

Pero no:

***Buscó a** su amigo **en** la espesura.*
***Vino por** el camino más cercano.*
*Lo **aguantó por** ser su amigo.*

Nota.—Se ofrece esta lista por orden alfabético para facilitar su consulta.

A

Abalanzarse contra una persona
Abandonarse al dolor
      »   en manos de la suerte
Abastecer(se) con/de carne en el supermercado
Abatirse (un águila) sobre su presa

Abdicar   alguien de sus principios
      »   la corona en su hijo
Abierto   a la crítica
      »   de mentalidad
Abismarse en la lectura
Abochornarse de/por su conducta
Abogar por/a favor del detenido
Abonarse a un periódico

Aborrecer de muerte
Abrasarse   de calor
  »   en deseos de conseguir algo
Abrazarse   a su mujer
  »   con su mujer
Abrigarse   del frío
  »   contra el frío
Abrirse a un amigo
Absorto en sus pensamientos
Abstenerse de beber
Abstraerse   de lo que le rodea
  »   en sus pensamientos
Abultado de carnes
Abundante en carnes
Aburrirse de tanto esperar
Abusar de la autoridad paterna
Abuso de confianza
Acabar   con la vida de los prisioneros
  »   por decírselo todo a alguien
  »   de llegar a la ciudad
Acalorarse   por nada
  »   con la política
Acceder a los deseos de alguien
Accesible a los inferiores
Acceso a la autopista
Accidente de trabajo
Acendrarse en el dolor
Aceptar (a Isabel) por esposa
Acercar(se) a un lugar
Acertar   en la elección
  »   con la carrera elegida
Aclimatarse a los nuevos tiempos
Acobardarse   de algo
  »   ante/frente a las dificultades
Acogerse   a la letra del contrato
  »   bajo techo
  »   en la casa
Acometer   por la espalda
  »   contra el enemigo
Acomodarse   a las circunstancias
  »   en un sillón
Acompañado   de un gran séquito
  »   por sus amigos íntimos
Acompañarse de especialistas en la materia
Aconsejarse de/con personas sensatas
Acoplarse una cosa a otra
Acordar algo con el director
Acordarse de un hecho
Acorde con las circunstancias
Acostarse con otra persona
Acreditado en su profesión
Acreedor al aprecio de todos
Acribillar a balazos
Actuar de intermediario
Acudir al trabajo
Acusar(se)   de ladrón
  »   ante un tribunal
Adaptar(se) a la realidad
Adecuado para el trabajo
Adelantar en los estudios
Adelantarse a sus compañeros
Adentrarse en la selva
Adepto a una secta
Adherirse a una ideología
Adiestrar(se) en el manejo de la espada
Admirarse de estar aún vivo

Admitir en la universidad
Adoptar por hijo a alguien
Adornar con plantas la casa
Adscribir a una zona
Advertido del peligro
Advertir de un posible daño
Afable con/para con todos
Afán de riqueza
Afanarse   por ocupar cargos públicos
  »   en la limpieza de la casa
Afecto   a una persona
  »   de una enfermedad
Aferrarse a sus creencias
Afianzarse   en sus creencias
  »   sobre una mesa
Afición al deporte
Aficionado al esquí
Aficionarse a un deporte
Afiliarse a un partido
Afincarse en la ciudad
Afirmarse en su postura
Afligirse por una mala noticia
Aflojar en el esfuerzo
Aflorar a la superficie
Afluir a la calle
Afortunado en amores
Agarrarse   a un árbol
  »   de un hierro
Ágil de movimientos
Agobiarse con/por el trabajo
Agradable de/en el trato
Agradecido   a alguien
  »   por un favor recibido
Agregarse a una fiesta
Agrio   al paladar
  »   de carácter
Agudo de ingenio
Ahogarse de calor
Ahondar en un tema
Ahorcarse de un árbol
Aislar(se) de la gente
Ajeno a su manera de ser
Ajustarse   a las circunstancias
  »   en 5.000 pesetas
  »   con el dueño
Alegar en su defensa
Alegrarse de algo
Alegre de carácter
Alejarse de sus amigos
Aliarse con otros partidos
Aliciente para (hacer) algo
Alimentarse   de pan
  »   con agua y pan
Alinearse   con la selección
  »   de delantero centro
Aliviar de la carga
Alternar con la aristrocracia
Aludir a lo dicho antes
Alzarse   del suelo
  »   con la victoria
  »   en armas
Allanarse a sus exigencias
Amable   de trato
  »   en el trato
  »   para con todos
Amante de la buena vida

Amargo   de sabor
   »   al paladar
Amarrar a un árbol
Amigo de placeres
Amilanarse   por algo
   »   ante el peligro
Amoroso con/para con sus hijos
Ancho de espaldas
Anegar de agua
Anegar(se) en llanto
Animado de buenos deseos
Ansioso por saberlo
Anticiparse a los acontecimientos
Anunciar en/por televisión
Añadir (una cosa) a (otra)
Apañarse con poca cosa
Apartar de un lugar (algo/a alguien)
Apasionado por la música
Apasionarse por el arte
Apearse del tren
Apechugar con los problemas
Apegarse a un cargo
Apego al dinero
Apelar a/ante la justicia
Apencar con las consecuencias
Apercibirse de su llegada
Apesadumbrarse de/por lo hecho
Apestar a vino
Apiadarse de los indefensos
Apiparse de pasteles
Aplicable a la industria
Aplicar(se) al estudio
Apoderarse de un lugar
Apostar por el caballo ganador
Apostarse en un lugar escondido
Apoyarse en/sobre la barandilla
Aprestarse a salir
Aprovechar en el estudio
Aprovecharse de las rebajas
Aprovisionarse de víveres
Aproximarse a la ciudad
Aptitud para el estudio
Apto para la gimnasia
Arder   en deseos
   »   por saber algo
Armar(se)   de paciencia
   »   con fusiles
Arraigar en el suelo
Arramblar con todo
Arrancar del suelo
Arrecirse de frío
Arremeter   contra el enemigo
   »   con quien se opone
Arrepentirse de algo
Arribar a puerto
Arrimarse a la pared
Asar a fuego lento
Ascender   de categoría
   »   al generalato
Asegurar contra robos
Asegurarse de la verdad
Asemejarse a una persona
Asentir a una sentencia
Asequible a todos
Asesorarse   con/de su abogado
   »   en cuestiones difíciles

Asimilarse a otra cosa
Asir de los brazos
Asirse a un árbol
Asistir a una fiesta/un enfermo
Asociarse a/con hombres de negocios
Asomarse a/por el balcón
Asombrarse de/por algo
Áspero   al tacto
   »   de carácter
   »   en el trato
Aspirar a la victoria
Asquearse de algo
Asustarse de/por nada
Atar   a un árbol
   »   del brazo
Atarse a la persona querida
Atarearse con/en el estudio
Atascarse en un problema
Ataviarse de/con un traje típico
Atemorizarse de/por algo
Atender a razones
Atenerse a las consecuencias
Atentar contra la convivencia
Atento   a los ruidos
   »   con la gente
Aterido de frío
Aterrorizarse de/por algo
Atinar a/en el blanco
Atormentarse por/con recuerdos pasados
Atraer a sus ideas
Atreverse   con su jefe
   »   a subir la montaña
Atribuir a la suerte
Atrincherarse en un puesto
Aumentar   de precio
   »   en peso
Ausentarse de Madrid
Avenirse a razones
Aventajar en edad
Aventurarse a salir
Avergonzarse de/por su conducta
Avezado en política
Avisar de algo
Aviso de incendio
Ayudar a trabajar
Ayudarse de alguien

B

Bajo de estatura
Baldar de una paliza
Bañarse en/con agua
Baño de espuma
Bastar con decirlo
Beber   a su salud
   »   por la victoria
Beneficiarse de/con la venta
Benigno con/para con ellos
Blanco de cara
Blando   al tacto
   »   con los necesitados
   »   de corazón

Blasfemar contra la religión
Borracho de vino/poder
Borrar de una lista
Bostezar de aburrimiento
Botar de alegría
Bramar de dolor
Brear a golpes
Breve de contar
Brincar de alegría
Brindar a su salud
Brindarse a hacer algo
Bucear en el agua
Burlarse de alguien

C

Cabalgar   a lomos de mulo
  »   en/sobre un mulo
Caer   por la escalera
  »   en una trampa
  »   sobre una presa
  »   a los pies de alguien
  »   de un árbol
Cagarse de miedo
Calar(se) de agua
Caliente de cabeza
Calificar de apto
Callar de/por miedo
Cambiar de traje
  »   (placer) en dolor
  »   (algo) por otra cosa
Cambio de chaqueta
Candidato a la presidencia
Cansarse de andar
Capaz   de no decir nada
  »   para un empleo
Cargarse de razones
Carecer de dinero
Casar(se) con alguien
Castigar a no comer
  »   por una falta
Catalogar (a alguien) de blando
Cavar en la tierra
Cebarse en/con una persona
Ceder   a sus deseos
  »   ante alguien
  »   en sus derechos
Cegarse de/por el odio
Celoso de su mujer
Censurar de aprovechado (a alguien)
Centrarse en un asunto
Ceñir con/de laureles
Ceñirse a un tema
Cercado de peligros
Cercano a la ciudad
Cerciorarse de la verdad de algo
Cernerse sobre una región (males)
Cerrado de carácter
Cerrarse a una negociación
  »   en sus ideas
Cesar de sufrir
  »   en un trabajo
Ciego de cólera

Cifrarse en un tema
Cimentarse en una ciencia sólida
Circunscribirse a una región
Clamar al cielo
Clavar a/en la pared
Cobijarse   de la lluvia
  »   bajo un paraguas
  »   en casa
Coetáneo de Pompeyo
Coincidir en la enfermedad
  »   (algo) con otra cosa
Cojear de un pie
Colado por su amiga
Colarse por una persona
Colegir de/por los comentarios
Colgar de/en un árbol
Coligarse con una persona
Colmar de atenciones
Colocarse de soldador
Combatir   con/contra el enemigo
  »   por la libertad
Combinar (el blanco) con el negro
Comenzar   a llover
  »   por despertarse pronto
Comido de/por la envidia
Compadecerse de los enfermos
Compañero   de fatigas
  »   en la desgracia
Comparar (una cosa) con otra
Compararse con/a algo o alguien
Comparecer ante el juez
Compartir (algo) con los amigos
Compatible con su trabajo
Compeler a la lucha
Compendiar en pocas palabras
Compensar   con dinero
  »   de los esfuerzos realizados
Competencia en el trabajo
Competer a la policía
Competir con alguien
  »   por el trofeo
Complacerse   con los resultados
  »   de sí mismo
  »   en la lectura
Cómplice   de alguien
  »   en el robo
Componerse de varios elementos
Comprensible al entendimiento
Comprometer(se) a pagar
Comprometerse con alguien en algo
Comunicarse   por carta
  »   con los familiares
Concentrarse en el trabajo
Concernir al director
Concertar(se) con el vendedor
Concluir con un discurso
Concordar   (una cosa) con otra
  »   en todo
Concretar(se) en algo
Concurrir a un premio
Condenar a muerte
Condescender a saludarle
Condolerse de una desgracia
Conducir   a la fama
  »   por/en carretera
Conectar con un terminal

Confesarse con una amiga
  » de los pecados
Confiar(se) a alguien
  » en sus manos
Confinar (España) con Portugal
  » a una isla
Confirmarse en su declaración
Concluir en un mismo punto
Conformarse con poco
  » al original
Conforme a derecho
  » con lo dicho
Confrontarse con una crisis
Confundir (a alguien) con otra persona
Cofundirse de entrada
Congeniar con su marido
  » en todo
Congraciarse con alguien
Congratularse de/por algo
  » con alguien
Conjugar (una cosa) con otra
Conjurarse con/contra el enemigo
Conminar a pagar la deuda
Conmutar (una cosa) con/por otra
Conocer por/en la voz
  » de mujeres/de vista
Conocido de todos
Consagrar(se) a la religión
Consciente de algo
Consecuente con sus actos
Consentir en sus caprichos
Consistir en unas pocas palabras
Consolar(se) con la bebida
Conspirar contra el Gobierno
Constante en el trabajo
Constar de 200 páginas
Consternado por la noticia
Constituirse en defensor de alguien
Constreñir(se) a la pobreza
Consultar a/con un especialista
Consumirse de paciencia
Contagiarse de/con/por algo
Contaminarse de/con algo
Contar con su ayuda
Contentarse con la suerte
Contento de/con su trabajo
Contiguo a tu habitación
Contraponer (una cosa) a otra
Contrario a su venida
Contrastar con las ideas de otro
Contraste con su carácter
  » entre los hermanos
Contratar en/por un millón
Contribuir al éxito
Convalecer de la enfermedad
Convencer de un error
Convenir a alguien
  » con alguien
  » en que algo es verdad
Convertir(se) en héroe
Convidar a una fiesta
Convivir con otro
Convocar a una reunión
Cooperar al buen fin de algo
Corresponder a las autoridades
Corto de piernas

Cotejar con el original
Crecer de tamaño
  » en sabiduría
Creer en una religión
Cristalizar en formas geométricas
Cruel con/para con los animales
Cruzar(se) de brazos
  » con alguien en el camino
Cuadrar (una cosa) con otra
Cubierto de hielo
Cubrir de lodo
  » con mantas
Cuidado con los libros
Cuidarse de los animales
Culminar en/con una desgracia
Culpable de/por homicidio
Culpar de homicidio
Culto a la amistad
Cumplir con la religión
Curar de una enfermedad
  » al humo

CH

Chiflarse por una mujer
Chivar(se) a la policía
Chocar con/contra la pared
Chochear de viejo
Chotearse de alguien

D

Dar en la manía de comer
  » de/con los pies en el suelo
  » con su hermana
  » por perdido
  » a/sobre el río (un balcón)
Darse a la bebida
Deberse a la patria
Decaer en su derecho
Decantarse por el voto negativo
Decidirse a estudiar
  » por el coche azul
Decir con el cargo de alguien
  » de su manera de ser
Decrecer en intensidad
Dedicarse a la pintura
Deducir de una cantidad
Defender de/contra el peligro
Deforme de hombros
Defraudar en el peso
Degenerar en hombre corrupto
Dejar de hablar
  » en buenas manos a alguien
Dejarse de tonterías
Delante de la casa
Delatar(se) al juez

Delegar en un amigo
Deleitarse con/en la música
Deliberar sobre un contrato
Delicado de salud
Delicioso al paladar
Delirar por el cine
Depender de su superior
Deponer de un cargo
Depositar en el banco
Derivar(se) de lo dicho
Derramar por/sobre la mesa
Derribar de un pedestal
» por/al suelo
Desafiar a muerte
Desaguar en la cloaca
Desahogarse con alguien
Desalojar de un piso
Desaparecer de un lugar
Desarraigarse de una región
Desatarse en improperios
» de un árbol
Desbancar de un puesto (a alguien)
Desbordar de papeles (el cesto)
Descansar del esfuerzo
Descargar(se) de culpa
» en/sobre/contra alguien
Descartarse de una carta
Descender de buena familia
» en categoría
Descolgar(se) del edificio
» por la ventana
Descollar en matemáticas
» por su ingenio
» sobre los demás
Descomponer(se) en partes
Desconfiar de Isabel
Desconocido de todos
Descontar de la nómina
Descontento de la suerte
» con/por los resultados
Descuidarse de algo
Desembarazarse de ella
Desembarcar del buque
» en el puerto
Desembocar en el Mediterráneo
Desengañarse de su novio
Desentenderse de todo
Desentonar con el ambiente
Desertar del ejército
Desesperar de verle
Desfallecer de hambre
Desfogarse en/con el hijo
Desgajar(se) de un árbol
Deshacerse de alguien
» a trabajar
» de dolor
» en alabanzas
Desistir de hacerlo
Desleír en agua
Desligarse de alguien
Deslizarse por/sobre el hielo
Desmerecer del cargo
Desmontar del caballo
Desnudo de árboles en el bosque
Despedir del trabajo
Despedirse de la abuela

Despeñarse de/por un barranco
Despertar de un sueño
Despoblar(se) de gente
Despojar(se) de la ropa
Desposeer de un privilegio
Despotricar contra el Gobierno
Desprenderse de sus joyas
Despreocuparse de sus hijos
Despuntar por su inteligencia
Desquitarse de la derrota
Destacar en los deportes
» por su valor
Desterrar del país
» a una isla
Destinar a Sevilla
Destituir de un cargo
Desviar del camino recto
Determinarse a viajar
» por el más grande
Detraer de la cuenta
Devolver a su dueño
Devoto de un santo
Dictaminar sobre un asunto
Diestro en la espada
Diferencia de trato
Diferente de su hermana
Diferenciar (a uno) de otro
Diferenciarse en/por sus ojos
Diferir de otros
» entre sí
» por su modo de hablar
Difícil de trato
Difundir entre la gente
» por la ciudad
Digno de ser mencionado
Diligente en el trabajo
Diluir en agua
Dimanar de varias causas
Dimitir de directora
Dirigirse a/hacia nosotros
Discernir (lo bueno) de lo malo
Discrepar de lo que dice
» con/en su educación
Disculpar de/por los errores
Discurrir (un río) por el valle
Discutir de/sobre algo
Disentir de alguien en algo
Disfrazarse de payaso
Disfrutar de la vida
Disgregarse en partículas
Disgustarse con alguien por algo
Disminuir en duración
Disolver en un ácido
Disparar contra el enemigo
Dispensar del pago
Dispersar por/en el bosque
» entre los árboles
Disponerse a comer
Dispuesto para la marcha
Disputar de/sobre literatura
» por algo
Distanciarse de un amigo
Distante de la Plaza Mayor
Distar de un lugar
Distinguir(se) de los demás
» por la voz

Distinto a/de los demás
Distraer de un trabajo
Distraerse en algo
Distribuir   en porciones
    »   entre todos
Divertirse   con los amigos
    »   en/con tonterías
Dividir   en partes
    »   con su hermano
    »   entre todos
    »   por cuatro
Divorciarse de su marido
Divulgar entre la gente
Docto en medicina
Dolerse de una mano
Dominio de/sobre algo
Dormir en/sobre la cama
Dotar de/con fondos económicos
Ducho en mentir
Dudar   de alguien
    »   sobre algo
Dulce   al gusto
    »   en/de trato
Durar por mucho tiempo
Duro de corazón

E

Ebrio de poder
Echar   de un lugar
    »   a la calle
    »   por/sobre el suelo
    »   para/hacia delante
Echarse   en la cama
    »   sobre alguien
Ejercer de médico
Ejercitarse en natación
Elegir (de) entre los mejores
Elevar a un cargo
Eliminar de la lista
Emanar de su autoridad
Emanciparse de sus padres
Embadurnarse con/de barro
Embarazada de tres meses
Embarcar   en un yate
    »   de pasajero
Embarcarse en asuntos poco claros
Embelesarse con/en la música
Embobarse   con el espectáculo
    »   en cualquier cosa
Emborracharse con/de cerveza
Emboscarse en la espesura
Embriagarse   de poder
    »   con licores
Embutir en madera
Embutirse de pasteles
Emerger del fondo
Eminencia en física cuántica
Emocionarse con/por algo
Empacharse con/de turrón
Empalmar con el tren de Cádiz

Empapado en/de agua
Empaparse de/en algo
Emparejar(se) con alguien
Emparentarse con otra familia
Empatar   a goles
    »   con otro equipo
Empecinarse en el error
Empedrar de/con adoquines
Empeñarse en hacer algo
Empezar   a jugar
    »   con el postre
    »   por el principio
Empleado de banco
Emplear(se) de oficinista
Empotrar en la pared
Enamorarse de su compañera
Encadenar(se) a un poste
Encajar con/en el marco
Encallar en la arena
Encaminarse   a/hacia la salida
    »   por el buen camino
Encapricharse de/con alguien
Encaramarse a/en un árbol
Encargado de negocios
Encargarse de abrir la puerta
Encarnarse en un personaje
Encasillarse en un papel fijo
Encastillarse en sus ideas
Encauzar por vía amistosa
Encenagarse en el vicio
Encerrarse   en sí mismo
    »   entre rejas
Encima de una mesa
Enclavado en la base del torso
Encomendarse a Dios
Enconarse   con el enemigo
    »   en la lucha
Encontrarse con un amigo
Encuadrar(se) en un partido
Encharcarse de/en agua
Enchufar a la corriente
Enemistarse con alguien
Enfadarse con alguien por algo
Enflaquecer de/por no comer
Enfrascarse en la lectura
Enfrentarse a/con el enemigo
Enfurecerse con/contra alguien
Engalanarse de/con flores
Engancharse en la pared
Englobar en el total
Engolfarse en la lectura
Enloquecer de amor
Enmendarse de su conducta
Enmudecer de miedo
Enojarse con/contra alguien
Enorgullecerse de la hija
Enredar(se) con/en palabras huecas
Enriquecerse   con/de virtudes
    »   en algo
Enrolarse en la marina
Ensañarse con/contra/en alguien
Enseñar a cantar
Enseñorearse de España
Ensimismarse en la lectura
Ensoberbecerse con/de algo
Ensuciarse con/de barro

Entender de/en coches
Entenderse con la secretaria
Enterarse de todo
Entrar en casa
  » a trabajar
Entregar(se) a la justicia
Entremeterse en sus asuntos
Entresacar (citas) de un libro
Entristecerse de/por/con algo
Entrometerse en lo ajeno
Entroncar con algo
Entusiasmarse con/por un cuadro
Envolver en una sábana
Enzarzarse en una pelea
Equidistar de Moscú
Equipar(se) con/de mantas
Equivaler a cien pesetas
Equivocarse de casa
  » con ella
  » en la respuesta
Erigir(se) en líder
Erizado de espinas
Erudito en la Edad Media
Escabullirse (de) entre/de la multitud
Escamarse de algo/alguien
Escandalizarse de/por algo
Escapar de las manos
Escarbar en la tierra
Escarmentado de algo
Escoger de (entre) todos
Esconder a la vista
Esconderse de alguien
Escudarse en su profesión
Esculpir en piedra
Escurrir(se) (de) entre las manos
Esforzarse en/por algo
Esfumarse de la vista
  » en la lejanía
Esmerarse en el trabajo
  » por hacerlo bien
Espantarse de/por algo
Esparcir por el campo
Especialista en electrónica
  » del oído
Especializarse en lenguas
Especular con/en/sobre algo
Esperar a que llueva
  » (algo) de alguien
  » en Dios
Establecerse en León
  » de abogado
Estancarse en los estudios
Estar a lo que pase
  » a 2 de marzo
  » con alguien para algo
  » para salir
  » por hacerlo
  » sobre un asunto
Estéril en frutos
Estimar en poco dinero
Estimular al estudio
Estrecho de caderas
Estremecerse de miedo
Estrenarse con/en un negocio
Estudioso de la medicina
Evadirse de la cárcel

Evaluar en dos millones
Examinar(se) de física
Exceder a la imaginación
Excederse en los gastos
  » de lo acordado
Exceptuar en la regla
Exceso de trabajo
Excitar a la rebelión
Excluir del equipo
Excursar(se) de una falta
  » con alguien
Exento de un pago
Exhortar a la penitencia
Exigir (algo) de alguien
Exiliar(se) al extranjero
  » de un país
Eximir de un servicio
Exonerar de una cuota
Expansionarse con los amigos
Expeler del cuerpo
Experto en ordenadores
Explayarse con los amigos
  » en un discurso
Exponer(se) a la vista
Expresar(se) de palabra
  » en español
Expulsar de una empresa
Expurgar de lo malo
Extenderse en consideraciones
  » a otra región
Extraer del subsuelo
Extrañarse de algo
Extraño a nuestros oídos
Extremarse en los cuidados

F

Fácil de hacer
Faltar a un compromiso
  » en algo
Falto de cariño
Fallar en/a favor de alguien
  » en contra de alguien
Familiarizarse con un tema
Famoso por su belleza
Fardar de coche
Favorable a sus intereses
Favorecerse de una situación
Favorito de todos
Fecundo en/de palabras
Felicitar(se) de/por algo
Fértil en ideas
Fiar a un amigo
  » en alguien
Fiarse de sus padres
Fichar por un club
Fiel para con los amigos
Fijar a/en la pared
Fijarse en ella
Fijo a/en la pared
Firme de carácter
  » en su posición

Flanqueado de/por todos
Flojo de carácter
Florecer en sabiduría
Fluctuar en/entre dudas
Forrar de/con/en piel
Forrarse de dinero
Fortificarse   contra el enemigo
       »   en un castillo
Forzar a trabajar
Freír en aceite
Frisar en los cuarenta
Fronterizo con/de su finca
Fugarse de la cárcel

G

Ganar   en altura
   »   al fútbol
Garantía de calidad
Generoso con/para con los demás
Girar a/hacia la derecha
Gloriarse de/en algo
Gozar de/con la música
Grabar en cinta
Graduarse en ciencias
Grato al oído
Gravar   con impuestos
       »   en un dos por ciento
Gravitar (algo) sobre alguien
Gravoso para su bolsillo
Grueso de piernas
Guardarse de la lluvia
Guarecerse del frío
Guarnecer con/de tapices
Guasearse de la gente
Guiarse de/por alguien
Gustar de darse un baño
Gusto por la música
Gustoso al paladar

H

Hábil   en la discusión
   »   con la raqueta
   »   para los negocios
Habituarse al frío
Hablar   de/sobre algo
   »   en una lengua
Hacer   de maestro
   »   por verte
Hacerse   a un clima
   »   con un libro
Hallarse con un disgusto
Hartar(se) de pasteles
Helarse de frío
Henchir de aire
Herir   de muerte
   »   en el brazo
Hervir   en deseos
   »   de gente la plaza

Hilar (una cosa) con otra
Hincarse   de rodillas
       »   a sus pies
Hinchar de aire
Hincharse de pan
Holgarse con una noticia
Homologarse con el exterior
Honrarse   con su amistad
       »   de/en ser su amigo
Horrorizarse de algo
Hostil hacia/con el enemigo
Huir de un lugar
Humillarse ante alguien
Hundirse en el barro
Hurtar(se) a la vista

I

Identificarse con su manera de ser
Idóneo para las lenguas
Ignorante de lo que pasa
Igual a otro
Igualado con su amigo
Igualar   a generoso
       »   en el deporte
       »   con los compañeros
Imbuir(se) de ideas nuevas
Impacientarse   por algo
       »   con su hija
Impaciente con/por su tardanza
Impedido de una pierna
Impeler a hacer algo
Impelido de/por la necesidad
Impenetrable al acero
Impermeable al agua
Impetrar (algo) de alguien
Implicar en un asunto
Implícito en su actitud
Imponer (algo) sobre alguien/algo
Imponerse a los demás
Importar   (algo) a alguien
       »   (algo) del exterior
Imposibilidad de hablar
Imposibilitado   de ambas piernas
       »   para escribir
Imposible de hacer
Impregnarse de/con/en alcohol
Imprescindible para un trabajo
Impropio   de ella
       »   para su edad
Impuesto *(Estar...)* en la nueva moda
Impulsar a obrar
Imputar (algo) a otro
Inaccesible a los demás
Inaceptable para ellos
Inadaptable a la situación
Inalterable a la luz
Inasequible al desaliento
Incansable en el trabajo
Incapacitar para un trabajo
Incapaz de hacer eso

Incautarse de su dinero
Incesante en los ruegos
Incidir en el tema del debate
Incitar a la violencia
» contra el enemigo
Inclinarse a/hacia un lado
» sobre alguien
» por una opción
Incluir en los gastos
» entre los amigos
Incoherente con su actuación
Incompatible con su trabajo
Incompetente en la materia
Incomunicar con el exterior
Incongruente con este ideal
Inconsciente de ello
Inconsecuente con sus actos
Inconstante en su conducta
Incorporar(se) al trabajo
Incrementar(se) en mil pesetas
Incrustar(se) en la madera
Inculcar a sus hijos
» (algo) en la mente
Inculpar de un crimen (a alguien)
Incumbir a una persona
Incurrir en delito
Indemnizar por/de las pérdidas
Independencia de su familia
Independiente de sus padres
Independizar(se) de alguien
Indiferente a/ante un castigo
Indigestarse con/por algo
Indignarse con alguien por algo
» contra su jefe
Indigno de ese honor
Indisponer con/contra ella
Inducir a un error
Indulgente con/para con los niños
Indultar de la pena
Infatigable en su defensa
Infatuarse con los elogios
Infecto de una ideología
Inferior a ellos
Inferir de/por su actuación
Infestar de propaganda
Infiel a/para (con) los amigos
Infiltrar(se) en las filas enemigas
» entre el enemigo
Inflamar(se) de/en ira
Inflar(se) de dulces
Inflexible a sus ruegos
» en su criterio
Influir en sus decisiones
Influirse de otro
Informar de/sobre un tema
Ingrato con/para con sus padres
Ingresar en prisión
Inhábil para los negocios
Inhabilitar para un cargo
Inhibirse de opinar
Iniciar en una ciencia
Injerirse en sus asuntos
Injusto con ella
Inmediato a la corte
Inmigrar a una región
Inmiscuirse en los asuntos de otro

Inmune a esta enfermedad
Inmunizado contra el cólera
Inocente de un crimen
Inocular en la sangre
Inquietarse con/por algo
Insaciable de poder
Insatisfecho de/con sus notas
Inscribir en el registro
Insensible a sus ruegos
Insertar en una página
Insistir en su petición
Insolentarse con alguien
Insoluble en el agua
Inspirarse en un cuadro
Instalar(se) en una ciudad
Instar a comportarse bien
Instigar a la rebelión
Instruir en una ciencia
» sobre un tema
Insubordinarse contra el jefe
Integrar(se) en la familia
Interceder por/en favor de alguien
» ante el juez
Interesado en/por algo
Interesar a alguien
Interesarse en/por un asunto
Interferir(se) en un asunto
Internar(se) en el bosque
Interponer(se) entre los jugadores
Interponerse en la disputa
Intervenir en la guerra
Intimar a no hacer nada
Íntimo de Isabel
Intolerante con/para con sus oponentes
Introducir(se) en un lugar
» entre la gente
Inundar de productos el mercado
Inútil de una pierna
» para el trabajo
Inválido de las piernas
Invertir en una empresa
Investir de/con un título
Invitar a una fiesta
Involucrar en un negocio
Invulnerable a las críticas
Inyectar en la sangre
Ir por una lección del libro
» por buen camino
» a Madrid
» a llamar a su amigo
» en un trabajo *(Ir bien/mal en...)*
» de viaje
» contra sus competidores
» en aumento las ventas
Irradiar a su alrededor
Irritarse con alguien
Irrumpir en una reunión

J

Jactarse de sus éxitos
Jaspear de negro
Jubilar(se) de un empleo

Jugar   a las cartas
  »   con la suerte
Juntar (una cosa) con otra
Juntarse con los amigos
Junto a la familia
Jurar   por el honor
  »   sobre la Biblia
Justificarse de algo hecho
Juzgar   de maleducado
  »   por un delito

L

Labrar al cincel
Lamentarse de/por algo
Lanzar(se) contra/sobre el enemigo
Largarse de casa
Largo de manos
Legar a sus hijos
Lejos de su casa
Lento   de reflejos
  »   en el hablar
Levantar   del suelo
  »   en alto
  »   (algo) contra alguien
Levantarse con lo ajeno
  »   en armas
  »   de la cama
Liarse   con una jovencita
  »   a golpes
Librar de la esclavitud
Librar de un mal
Libre de impuestos
Lidiar con/contra la gente
Ligado a una persona
Ligar con hombres casados
Ligarse a una persona
Ligero de ropas
Limitar (un estado) con otro
Limitarse a estar presente
Limpio de mente
Lindar con otras tierras
Litigar con/contra alguien
Localizar en una zona
Loco   de amor
  »   por ella
Lucrarse de/con los beneficios
Luchar con/contra el enemigo

LL

Llamar   a un sitio
  »   de tú
  »   por el nombre
Llamarse a engaño
Llegar a un lugar
Lleno de agua
Llevar a casa
Llevarse (bien/mal) con alguien
Llorar   de pena
  »   por una desgracia

M

Maestro en trabajar la madera
Maldecir de alguien/algo
Maldito de Dios
Malgastar en tonterías
Malo de cocer
Manco de una mano
Mancha de grasa
Manchar(se) de/con/en aceite
Mandar   a hacer algo
  »   de jefe a un lugar
Mantener(se) de/con leche
Maquinar contra el Gobierno
Marcar a golpes
Matar(se)   de un tiro
  »   por lograr algo
Matizar con/de negro
Mediano   de cuerpo
  »   en capacidad
Mediar   con los raptores
  »   entre contrarios
  »   en una disputa
  »   por ellos
Medir por metros
Medirse   con otro equipo
  »   en la lucha
Meditar en/sobre un asunto
Menor de/en edad
Merecer (algo) de alguien
Mermar en peso
Merodear por la zona
Meter en casa
Meterse   a cocinero
  »   con alguien
  »   en sus asuntos
  »   entre la gente
  »   de botones en el Banco
Mezclar(se)   con/entre la gente
  »   en un asunto
Militar en un partido
Mirar   a/hacia el cielo
  »   por la ventana
  »   por una persona enferma
Mirarse a/en el espejo
Misericordioso con/para con los necesitados
Moderado en las palabras
Mofarse de la gente
Mojar en salsa
Mojarse en/con agua
Molestar(se) con/por sus palabras
Molesto con su hermana
Molido   a palos
  »   de/por el trabajo
Mondarse de risa
Montar   a caballo
  »   en coche
  »   en cólera
Moreno de piel
Morir   a fuego lento
  »   de viejo
  »   por una causa
Morirse de risa/amor

Motivar (algo) en/con buenas razones
Motivarse a obrar
Motivo de divorcio
Mover(se) a lástima
Mudar (una cosa) en otra
Mudar(se) de color
      »   a otro lugar
Multiplicar por cien
Murmurar de alguien

N

Nacer a la vida
Nadar en el agua
Natural de León
Navegar en barco
Necesaria/o para la salud
Necesitado de amor
Necesitar de él
Negarse a colaborar
Negligente en el estudio
Negociar   en granos
      »   con el Gobierno
Noble de cuna
Nombrar para ministro
Notificar de un cese
Nutrirse con/de cereales

O

Obcecarse   por el dinero
      »   con sus ideas
      »   en el vicio
Obedecer a un superior
Obligar a comer
Obsequioso con/para con su novia
Obsesionarse con/por su mirada
Obstar (algo) para venir a clase
Obstinarse en el error
Obtener(se) de alguien
Ocultar   a todos
      »   de alguien
Ocuparse   en tonterías
      »   de hacer algo
      »   con un trabajo
Ofenderse con/por algo
Oficiar de sacerdote
Ofrecer a su amiga
Ofrecerse   de rehén
      »   en sacrificio
      »   a venir
      »   para algo
Ofrendar (algo) a alguien
Oler a perfume
Olvidarse de una cosa
Oneroso a/para su familia
Opaco a la luz
Operarse de apéndice
Opinar de/sobre un asunto
Oponer(se) a la verdad

Opositar a catedrático
Optar   a un puesto
      »   por un camino
Orar por alguien
Ordenar de diácono
Organizar en batallones
Orgullo de/por algo
Orientar(se) a/hacia el Norte
Original de Castilla
Oscilar entre dos extremos

P

Pactar con el adversario
Padecer   de los nervios
      »   por un familiar
Parar en la cárcel
Pararse a pensar
Parecerse   a una persona
      »   de cara
Participar   en el juego
      »   de las ganancias
      »   a los interesados
Partir   de España
      »   hacia/para Roma
Pasado de moda/época
Pasar   de algo
      »   por un lugar
      »   a otro tema
Pasarse de listo
Pasear(se) en/por el parque
Pasmarse de una cosa
Pecar   de sincero
      »   por envidioso
Pedir por los fallecidos
Pegar (una cosa)   a otra
      »   en la pared
      »   contra la mesa
Pegarse   con el vecino
      »   a los ricos
Pelearse   con alguien
      »   por una tontería
Pender   de un hilo
      »   en la cruz
Pendiente de un hilo
Penetrar en/por la espesura
Pensar en/sobre un asunto
Percatarse de algo
Perder de vista
Perecer de hambre
Peregrinar por un lugar
Perjudicial   al oído
      »   para la salud
Permanecer en un lugar
Permiso de caza
Permutar (algo) con/por un libro
Pernicioso para el cuerpo
Perpetuarse en el puesto
Perserverar en el trabajo
Persistir en sus ideas
Personarse ante el juez
Persuadir de algo

Pertenecer a la familia
Pertinaz de carácter
Pertrechar con/de lo necesario
Pesado de cuerpo
Pesar (algo) sobre uno
Pesar (a alguien) de/por sus faltas
Picarse   con alguien
   »   por algo
Plagarse de mosquitos
Planear sobre la llanura
Plantar en la tierra
Plañirse de algo
Plasmar(se) en una figura
Pleitear   con/contra alguien
   »   a favor de alguien
Poblar de/con árboles
Poner(se) a trabajar
   »   en contra de alguien
Poner   de dependiente
   »   por escrito
Ponerse de espaldas
   »   en guardia
   »   por medio
Porfiar con alguien por algo
Posar   ante el fotógrafo
   »   para el pintor
Posarse en/sobre una rama
Posponer una cosa a otra
Posterior a ella
Postrarse de/por el dolor
Práctico en el arte de pintar
Precaverse contra/de algo
Preceder a una dama
Preciarse de valiente
Precipitarse de/desde/por el barranco
   »   en el pozo
Predilecto de su madre
Predispuesto a/para el estudio
Preferir una cosa a otra
Preguntar por alguien
Prendarse de una joven
Prender a/en la blusa
Preñado de peligros
Preocupado de/por los hijos
Preparar(se) a salir
   »   para la defensa
Prescindir de una comida
Presentarse a filas
Preservar(se) de/contra un mal
Prestarse a un juego
Presto   al trabajo
   »   para correr
Presumir de guapo
Prevalecer sobre/entre los demás
Prevenir de/contra algo
Primero de todos
Pringarse de/con aceite
Privar(se) de algo
Probar a trabajar
Proceder   a la elección
   »   contra el acusado
   »   de un país rico
Procesar por estafa
Prodigarse en favores
Profano en una ciencia
Progresar en dibujo

Prometer   por esposa
   »   en casamiento
Promover a un cargo
Pronto para el ataque
Propagar por todas partes
Propasarse   con alguien
   »   en las palabras
Propender a un vicio
Propenso a enfermar
Propio de su persona
Proponer para gerente
Proporcionado a su trabajo
Prorrumpir en llanto
Proseguir en/con la tarea
Proteger de/contra algo
Protestar de/contra/por algo
Proveer de/con víveres
Provenir de un lugar
Próximo a la Navidad
Pudrirse de asco
Pugnar por salir
Pujar por un cuadro
Purificarse de algo

Q

Quedar   en pagar algo
   »   a deber una cantidad
Quejarse de/por algo
Querellarse   de/por algo
   »   al alcalde
Quitar (algo) a alguien
Quitarse de un lugar

R

Rabiar   de dolor
   »   por obtener algo
Radicar (algo) en su carácter
Ramificarse en muchas partes
Rapidez   de reflejos
   »   en los movimientos
Rayar   en lo utópico
   »   con la finca del vecino
Rebajar de precio
Rebajarse a algo
Rebosar de/en alegría
Rebozar de huevo
Recaer en una enfermedad
Recargar de color
Recatarse de la gente
Recelar de una cosa
Reclamar (algo) de/a alguien
Recogerse en la casa
Recomendar a sus superiores
Reconciliar(se) con sus padres

Reconocer por hijo
Reconvertir en algo
Recordarse de una cosa
Recostarse en el sillón
Recrearse en/con la lectura
Recurrir a la policía
» contra una sentencia
Redimir del pecado
Redondear en cien pesetas
Reducir a cien pesetas
» en un cinco por ciento
Redundar en beneficio
Reemplazar por otro
» en el trabajo
Referirse a otra persona
Reflejar en/sobre un espejo
Refundir (algo) en otra cosa
Regalarse con manjares
Regar con/de lágrimas
Reglarse a la ley
» por las costumbres
Rehacerse de una desgracia
Reintegrarse a su país/trabajo
Reírse de alguien
Relevar de su cargo
Rellenar de paja
Remitir(se) a lo dicho
Remontar(se) a lo alto
» sobre las cumbres
» hasta el cielo
Renacer a la vida
Rendirse al enemigo
» de fatiga
Renegar de la religión
Renunciar a una fortuna
Reo de muerte
Reparar en algo
» de un daño
Repartir en mitades
» entre la gente
» por partes
Repercutir en los gastos
Reponerse de la enfermedad
Reposar del trabajo
Reprender de una falta
Reprimirse de hablar
Requerir de amores
» para algo
Resbalar(se) de un lugar
» de entre las manos
Rescatar del barranco
Resentirse de/por una enfermedad
Resguardar(se) de un peligro
Residir en la ciudad
Resignarse a su condición
» con la miseria
Resistirse a abandonar
Resolverse a actuar
Respaldarse en/contra la pared
Responder a una pregunta
» de su persona
Responsabilizarse de la economía
Responsable de finanzas
Restablecerse de una enfermedad
Restar (una cantidad) de otra
» (algo) a una cosa

Restituir a su dueño
Restringirse a trabajar
Resucitar de entre los muertos
Resultar de sus cuentas
» en un fracaso
Resumir en cuatro palabras
Retirar(se) a la soledad
» de un oficio
Retorcerse de dolor
Retractarse del error
Retraerse a su interior
» de algo
Retroceder en el camino
» a/hacia un lugar
Reventar de risa
» por decir algo
Revestir con/de madera
Revocar con/de cemento
Revolcarse en/por el suelo
Rezar por alguien
» con su modo de ser
Rico en vitaminas
Rivalizar con un amigo
» en generosidad
Rociar de/con gasolina
Rodear(se) de amigos
Rojo de vergüenza
Romper a gritos
» en lágrimas
» con una persona
Rotundo en sus gestos
Rozar con el delito

S

Saber a limón
Sabio en una ciencia
Sabor a dulce
Sacar de la pobreza
Saciar(se) de/con pan
Salir de casa
» a la calle
» a 500 pesetas el kilo
» a sus padres
» por su amigo *(en favor de...)*
» por el acusado *(en lugar de...)*
» con mentiras
» de payaso al escenario
Salirse con sus ideas
Salpicar de aceite
Saltar de alegría
» a tierra
» de un tejado
» por el balcón
Salvar de un peligro
Satisfacer a alguien
Satisfacerse con algo
Satisfecho de sí mismo
Saturar de sal
Secar(se) al sol
» de sed
Sedimentarse en el fondo
Segregar (una cosa) de otra

Seguir(se) una cosa a/de otra
Sembrar de flores
Semejarse a alguien
» en los ojos
Sensible a los halagos
Sentarse en una silla
» a la mesa
» sobre algo
Sentenciar a muerte
Separar una cosa de otra
Ser de Madrid/plástico/todos
Servir a la patria
» para mecánico
Servirse de alguien
Severo de carácter
» con/para con los amigos
Significar algo a alguien
Significarse por su constancia
Similar a otra cosa
Simpático con ella
Simpatizar con alguien
Sincersarse con Marta
Sinónimo de tonto
Sitiado de/por el enemigo
Situar(se) en un lugar
Sobreponerse a la dificultad
Sobresalir en la virtud
» entre los demás
» del suelo
» por su inteligencia
Sobrevivir a todos
Sobrio de/en palabras
Solicitar algo de alguien
Solícito con todos
» en los negocios
Solidarizarse con los oprimidos
Soltar(se) a andar
» en alemán
» con palabras soeces
Soluble en agua
Someter(se) a la ley
Soñar con los angelitos
Sordo a/ante las súplicas
Sospechar de alguien
Sostener con argumentos
» en los brazos
Subir a la torre
» de categoría
Subordinar(se) a un bien superior
Subscribirse a una revista
Substraer de una tienda
Substraerse a la inspección
Subvenir a una necesidad
Suceder una cosa a otra
» en el cargo
Sufrir de insomnio
Sujetarse a la ley
Sumarse a los vencedores
Sumergir en aceite
Sumirse en la duda
Supeditar(se) a su voluntad
Superior a mis fuerzas
Superponerse a las dificultades
Suplicar a otra persona
Suplir una cosa con/por otra
Suprimir de la lista

Susceptible de ser influido
» a la crítica
Suspender de/en sus funciones
Suspenderse de/en el techo
Suspirar de/por amor
Sustentarse de/con frutas

T

Tachar de mezquino
Tachonar de flores
Tardar en llegar
Tasar en un millón de pesetas
Tejer de/con seda
Temblar de miedo
Temer al lobo
» de/por algo
Temor a/de la muerte
Templado en la bebida
Tender a la bondad
Tener en poca cosa
» por valiente
» de criado
Tenerse de/en pie
Tentar al vicio
» con el dinero
Teñir con/en/de sangre
Terciar en un asunto
» con los amigos
Terminar en punta
Testificar contra alguien
Tildar de sinvergüenza
Tirar a matar
» de una cosa
Tiritar de frío
Tocar en algo
» con el techo
» a cien pesetas cada uno
Tomar a pecho
» por tonto
Topar con alguien
Tornar a lo mismo
Torpe de piernas
Tostar(se) al sol
Trabajar a horas
» de tornero
Traducir al español
Traducirse en sufrimiento
Traficar con/en especias
Trajinar con caballos
Transferir de un lugar a otro
Transformar en oro
Transigir con la injusticia
» en algunas faltas
Transitar por la calle
Transpirar por la piel
Trascender de este mundo
Trasegar de un lugar a otro
Trasladar a otra lengua
Traspasado de dolor

Tratar   de   usted
  »   de/sobre un tema
  »   con alguien
  »   en telas
Trepar a/por la pared
Triunfar   sobre el enemigo
  »   en el deporte
Trocar una cosa por otra
Trocar(se) en risa
Tropezar   con/contra una piedra
  »   en un hierro

Ufanarse de algo
Ultrajar   de palabra
  »   con escritos
Único en su género
Unir una cosa con otra
Unir(se) en matrimonio
Untar con/de grasa
Usar de sus influencias
Útil a/para los suyos

Vaciar de agua
Vacilar   en la elección
  »   entre una cosa y otra
Vagar por el mundo
Valer por dos
Valerse   de algo
  »   por sí mismo
Valorar en mil pesetas
Vanagloriarse de/por sus éxitos
Variar   de color
  »   en la opinión

Vecino de su amigo
Velar por/sobre alguien
Vencer en la batalla
Vender por mil pesetas
Vengarse de una ofensa
Venir   de un lugar
  »   en decretar una ley
Verse con alguien
Versado en un arte
Versar sobre algo
Verter   al suelo
  »   al alemán
  »   en un recipiente
Vestirse   a la moda
  »   de gala
Vigilar   por la salud
  »   sobre sus hijos
Vincular(se) a una familia
Virar a/hacia un lugar
Volver   a casa
  »   de una ciudad
  »   por un tema
  »   en sí
Votar por la mayoría

Yacer   con ella
  »   en la cama
Yuxtaponer una cosa a otra

Zafarse de sus manos
Zambullirse en el agua

10 | LAS CONJUNCIONES

1. Descripción sintáctica

Si consideramos estas oraciones:

Hizo calor / Salimos de paseo.

advertimos que se trata de oraciones simples, separadas por una pausa en la expresión oral. No existe entre ellas relación sintáctica alguna, los significados pueden ser independientes el uno del otro; por eso decimos que dichas oraciones están *yuxtapuestas, una al lado de la otra.*

Pero estas mismas frases pueden ser unidas y relacionadas sintácticamente:

*Hizo calor **y** salimos de paseo.*
*Hizo calor, **pero** salimos de paseo **y** fuimos al parque.*

En el primer caso, relacionamos contenidos que antes eran expresados como mera suma o adición. En el segundo caso, relacionamos dos ideas divergentes y las relacionamos con una tercera más.

Las conjunciones son palabras que permiten unir y relacionar elementos sintácticamente «equivalentes». Por «equivalentes», queremos decir que las oraciones cumplen funciones semejantes o son de un mismo rango sintáctico, como es el caso de los siguientes ejemplos:

*Padre **e** hijo trabajaron **y** comieron en abundancia* (= El padre trabajó y comió en abundancia. El hijo trabajó y comió en abundancia).

*Ambos jugadores corrieron mucho **y** bien* (= Un jugador corrió mucho y bien. El otro jugador corrió mucho y bien).

*La clase grande **y** espaciosa está vacía* (= La clase grande está vacía. La clase espaciosa está vacía).

También es posible relacionar un sintagma nominal y una oración:

*Este hombre **y el que vino ayer** son de la misma región.*
*Es un hombre bueno **y sin tacha**.*

Del mismo «rango sintáctico» son las oraciones simples o las subordinadas. Las oraciones simples pueden tener el mismo sujeto:

*Antonia canta **y** baila.*
*Isabel lo escucha, **pero** no lo ve.*

Las oraciones subordinadas pueden tener también idéntico sujeto o no, pero han de depender del mismo y único elemento:

*Dijo **que vendría y se explicaría**.*
***Si quieres la paz y si puedes cumplirla**, no dudes en firmar este documento.*

Nótese que es frecuente omitir la conjunción en la segunda de las oraciones después de «y», como ocurre en la oración:

Dijo que vendría y (que) se explicaría.

2. Descripción formal

Hay conjunciones que constan de una sola palabra *(y, o, ni, pero...)* y otras que constan de dos o más *(sin embargo, no obstante, a pesar de que...)* Las primeras se llaman «simples» y las segundas «compuestas» o «nexos adverbiales».

Las conjunciones no solamente enlazan oraciones, sino también determinan la naturaleza del enlace establecido. Por ello, se dividen en:

2.1. Copulativas:

- **y**, con la variante **e** ante palabras que empiezan por **i**:

*Va **y** viene.*
*Estado **e** Iglesia no se entienden.*

- **ni**:

*Ni hace **ni** deja hacer a nadie.*

- **que**:

*Dale **que** dale.*

2.2. Disyuntivas:

- **o**, con la variante **u** ante palabras que empiezan por **o**:

*O estudias **o** trabajas.*
*O mandas **u** obedeces.*

2.3. Adversativas:

- **pero**:

*Es inteligente, **pero** estudia poco.*

- **sino**:

- *No es inteligente, **sino** estudioso.*

Nota.—Obsérvese la clara diferencia entre «sino» y «si... no». Esta última no es más que la partícula condicional «si» seguida de la partícula negativa «no»:

*Si **no** llegas a tiempo te castigarán.*
*No es verde, **sino** azul.*

2.4. Adverbios conjuntivos o coordinantes

Los adverbios conjuntivos o de coordinación son invariables, al igual que la conjunción, y desempeñan funciones sintácticas semejantes. Este tipo de adverbios se clasifica también en:

- copulativos o ilativos:

igualmente, también, asimismo, luego, en consecuencia, por lo tanto...

- adversativos:

más, empero, al contrario, sin embargo, salvo, excepto, menos, no obstante, antes bien, aunque...

- *disyuntivos:*

ya, ora, bien, sea, ahora...

3. Descripción semántica

3.1. La coordinación expresada por las conjunciones no establece jerarquías, como hacen las preposiciones, entre los miembros enlazados. Por eso, las conjunciones sólo pueden establecer relaciones entre las cosas:

- de igualdad entre dos o más cosas que forman parte de un todo.
- de diferencia entre partes diversas y constituyentes heterogéneos de un todo.

Podríamos ilustrar este entramado de relaciones con el cuadro siguiente:

Formas	Unión	Homogeneidad	Heterogeneidad	Contraposición	Elección	Correlación obligatoria	
						1.ª negativa	Todas negativas
y	+	+	−	−	−	−	−
pero	+	−	+	+	−	−	−
o	+	−	+	−	+	−	−
ni	+	+	−	−	−	+	+
sino	+	−	+	+	−	+	−

3.2. Como puede advertirse en el cuadro anterior, la «unión» es un rasgo que distingue a los coordinantes, pero no sirve para diferenciarlos entre sí. Lo que distingue a unos de otros es la polaridad de rasgos, como «homogeneidad, heterogeneidad, contraposición, elección, correlación».

Así el nexo **y** significa unión de dos o más miembros homogéneos.

Pero también une dos miembros que son heterogéneos mediante contraposición entre ellos.

O implica no sólo homogeneidad (como **y**), sino también posibilidad de elección entre los elementos.

Ni significa unión establecida entre elementos correlacionados negativamente.

Sino indica una unión que, al mismo tiempo, establece contraposición correlativa entre dos elementos, de los cuales el primero es obligatoriamente negativo.

CREACIÓN LÉXICA - FORMACIÓN DE PALABRAS

I. Las palabras españolas

1. Formación culta y formación popular

La mayor parte de las palabras que componen la lengua española deriva del latín vulgar, siguiendo leyes evolutivas que suelen aplicarse con cierta regularidad. Entre otros, es interesante destacar la existencia de dos ejes que coexisten en este proceso de evolución a partir de la lengua latina:

● el eje «culto», que tiende a conservar las palabras latinas en sus formas originales.
● el eje «vulgar», que refleja la evolución y transformación normal del castellano en su proceso de formación a partir del latín.

Este hecho explica la existencia en nuestra lengua de términos originariamente idénticos que posteriormente se han incorporado al idioma con dos formas diferenciadas, en ocasiones conservando un significado similar *(acre - agrio; ínsula - isla; mácula - mancha...)*, en ocasiones con significado total o parcialmente diferentes *(afiliado - ahijado; arenisco - arisco; cópula - copla; directo - derecho...)*.

2. Los préstamos lingüísticos

Además del latín, intervinieron en la formación del español elementos de otras lenguas, como:

● el *ibérico*, lengua desaparecida antes de la romanización.
● el *vasco (izquierdo, ascua, pizarra, órdago...)*.
● el *griego*, de maneras muy diferentes y en épocas diversas *(baño, idea, fantasma, bodega, filosofía...)*.
● el *germánico (guerra, guardar, robar, espuela, albergue...)*.
● *el árabe*, que convivió durante siglos con el español en la Península Ibérica *(alférez, atalaya, algodón, aldea, alcalde, cifra...)*.
● el *francés*, especialmente durante la Edad Media, los siglos XVII y XVIII *(ligero, linaje, peaje, hostal, salvaje...)*.
● el *italiano*, en especial durante el Renacimiento *(escolta, fragata, banca, balcón, pedante, novela, soneto...)*.
● el *inglés*, especialmente en las últimas décadas, de la mano del comercio y la técnica *(parking, misil, computadora, pub, club...)*.

3. La creación léxica

Junto con el legado léxico que cada época hereda del pasado, todas las lenguas amplían sus necesidades en la medida en que se generan nuevas ideas y se descubren nuevas realidades, nuevas experiencias. Para atender a dichas necesidades expresivas o comunicativas son necesarias nuevas palabras, no siempre «a mano» ni siempre fácilmente accesibles en otras lenguas. Por ello, las lenguas disponen de ciertos recursos capaces de generar nuevos términos, de acuerdo con determinados procedimientos y reglas idiomáticas activas. Además, lo normal es que, incluso si los nuevos términos son tomados de otras lenguas, se adapten al sistema morfológico, fonético y sintáctico de la lengua receptora antes de ser plenamente asimilados por ésta.

En términos generales, podemos, pues, afirmar que la creación léxica se realiza mediante dos procesos:

- mediante transformaciones de las formas.
- mediante préstamos o adopción de palabras extranjeras.

II. Las transformaciones nominales

1. Descripción sintáctica

1.1. La generación de una nueva palabra equivale a una transformación sintáctica que implica la unión de un elemento derivativo a una base adjetiva o participial. Así:

María es bella	se reformula en	*La bell**eza** de María.*
El avión ha aterrizado	en	*El aterriz**aje** del avión.*

En los ejemplos dados, los elementos derivativos se denominan **sufijos**, y las palabras formadas con su intervención, **derivados**.

1.2. Los sufijos utilizados para la transformación de una oración en un grupo nominal pertenecen a dos grupos:

a) *Sufijos adjetivales.* Actúan sobre la base de un adjetivo, y mediante un sufijo generan un nombre o sustantivo. La estructura sintáctica subyacente consta de un verbo copulativo que asigna una cualidad al sujeto. Mediante la sufijación se crea un nombre abstracto (cualidad también atribuida a un nombre):

Carlos es bueno.	*La **bondad** de Carlos.*
Pepa es feliz.	*La **felicidad** de Pepa.*
Miguel es valiente.	*La **valentía** de Miguel.*
Marta está loca.	*La **locura** de Marta.*

b) *Sufijos deverbales.* Éstos actúan sobre una forma verbal de participio. La estructura sintáctica de base consta de sujeto y predicado, y generan, mediante la adición de un sufijo, nombres que señalan acción o estado. La construcción sintáctica originaria («sujeto + predicado») se transforma en un grupo nominal en el que la forma derivada funciona como complemento de otro nombre mediante la preposición «de». Así:

Pablo ha llegado se transforma en *La llegada de Pablo.*
(sujeto - predicado)   (acción predicada del nombre [Pablo])

La semejanza entre ambas construcciones pone de manifiesto cómo la nueva palabra surgida mediante sufijación no rompe la relación sintáctica profunda respecto a la estructura verbal originaria, al mismo tiempo que ilustra la permanencia de funciones y significados similares en estructuras diferentes. Por esa misma razón, hablamos de **sufijos deverbales** siempre que se trata de sufijos que señalan «acción o estado».

Los mismos esquemas pueden percibirse en ejemplos como:

Pablo se ha abatido.   El **abatimiento** de Pablo.
Ramón ha sido galante.   La **galantería** de Ramón.
Isabel ha sido apedreada.   La **pedrada** de Isabel.
(golpeada con una piedra)
Laura ha tropezado.   El **tropezón** de Laura.

1.3.   La sufijación permite también transformar un grupo del nombre en adjetivo. Así ocurre con:

*Luis es **de Madrid,*** que se transforma en *Luis es **madrileño**.*

En este caso, el complemento preposicional se transforma en adjetivo mediante la adición de sufijos como:

-al, -ar, -ario, -ense, -estre, -iaco, -ico, -il, -aco, -án, -ano, -ino, -eno, -ense, -és, -ío, -ita, -ol, -ota, -eño, -í, -ú, -oso, -lento, -liento, -udo y sus correspondientes femeninos:

*La campaña **del Presidente**.*   *La campaña presiden**cial**.*
*Problema **del corazón**.*   *Problema card**íaco**.*
*Persona **de Israel**.*   *Persona israel**ita**.*
*Mujer **con sudor**.*   *Mujer sud**orosa**.*
*Niño **con sueño**.*   *Niño somno**liento**.*

1.4.   Algunos sufijos permiten la transformación de una oración de relativo en un nombre, conservando, como ya se ha notado anteriormente, funciones semejantes. En el presente caso, el proceso transformador es, al mismo tiempo, «reductor» en cuanto que una oración es sustituida por una palabra:

El que canta.   *El cant**or**.*
El que escribe.   *El escrib**iente**.*
La que escribe.   *La escrit**ora**.*
La que baila.   *La bail**arina**.*

Sufijos de esta índole son, entre otros, **-or, -ero, -in, -sta, -nte** y sus correspondientes femeninos.

1.5. Otros sufijos transforman un grupo verbal en otro verbo, mediante la derivación a partir del adjetivo presente en dicho grupo. Se trata también de un proceso «reductor». Así:

Ponerse verde	*verd**ear.***
Poner dulce	*dulc(ifi)**car.***
Poner de lado	*lad(e)**ar.***

En este proceso intervienen también prefijos, especialmente **en-** *(endulzar, ennegrecer...).*

1.6. Para la transformación de oraciones subordinadas o de complementos nominales en un grupo nominal o en un solo nombre, pueden aplicarse diversos procedimientos. Entre ellos, sobresalen por su importancia:

- la prefijación
- la combinación o composición de dos o más palabras en una:

*Casa **pre**fabricada.*	*Casa fabricada antes.*
Casa-cuna.	*Una casa que es cuna.*

a) Los prefijos se utilizan preferentemente en aquellas oraciones en las que intervienen preposiciones:

El que está a favor de los americanos	***pro**americano.*
El que está en contra de la guerra	***anti**belicista.*
Quitar la estabilidad de/a algo	***des**estabilizar.*
Más desarrollado de lo normal/medio	***super**desarrollado.*

b) Los prefijos pueden clasificarse de acuerdo con la palabra en cuya formación intervienen. Así tenemos:

1.º Prefijos verbo-nominales:

prefijo	nombre	adjetivo	verbo
des-, dis-	*distensión*	*deshonesto*	*desatar*
in/m-, ir-, i-	*insinceridad*	*irreal, ilegal*	*incumplir, imponer*
pre-	*preguerra*	*prehistórico*	*presentir*
pos(t)-	*posdata*	*postclásico*	*posponer*
re-	*revuelta*	*revoltoso*	*revivir*
so-	*sometimiento*	*sojuzgado*	*someter*
co(m/n/r)-	*competición, correlación*	*correlativo*	*cooperar*
em/n-	*empeoramiento*	*endiablado*	*envejecer*
entre-	*entresuelo*	*entrecano*	*entrever*
ex-	*exalumno*	*extenso*	*expulsar*
infra-	*infravaloración*	*infrahumano*	*infradotar*
inter-	*intercomunicación*	*interpersonal*	*intervenir*

2.° Prefijos nominales

prefijo	nombre	adjetivo
archi-, ar-	*arcángel*	*archifamoso*
arz-	*arzobispo*	
hiper-	*hipermercado*	*hipersensible*
omni-, pan-	*omnipresencia*	*panamericano*
para-	*parapsicología*	*paramilitar*
a-	*anormalidad*	*aséptico*
anti-	*antídoto*	*antieconómico*

3.° Prefijos lexemáticos (de origen griego):

auto- **gastro-** **neo-** **etc.**	**helio-** **hidro-** **tele-**	**paleo-** **geo-**

Nota.—Un determinado número de palabras se compone de dos o más voces radicales cultas:

- de origen griego: *termodinámica*
- de origen griego y latino/español: *televisión*
- de reducción de dos términos: *psicopatología* (psicología y patología)
- de combinaciones especiales: *carnívoro, audiovisual...*

2. Descripción morfológica

La estructura formal de las palabras españolas responde al orden que se indica en el cuadro siguiente:

prefijo	lexema	morfemas derivativos		morfemas gramaticales flexivos
		interfijo	sufijo	
ante- **en-** **sub-**	*ley* *perr* *ojo* *escultó-* *salt-* *negr-* *mar-*	— — e- ec- in-	— ic- ista-	*a* *o* *ar* *er* *s*

Pero también puede estar constituida por la unión de dos o más lexemas o elementos:

medio-día, vana-gloria, teje-maneje...

Todos estos ejemplos ilustran cómo se originan en la lengua nuevas palabras, a partir de estos dos modelos: la composición y la derivación.

2.1. La composición

La unión de dos palabras para formar otra nueva se denomina *composición* y en español se ajusta a las siguientes posibilidades combinatorias:

clases	nombre	det.	adjetivo	pronom.	verbo	adverbio
nombre	*bocacalle*	—	*nochevieja*	*padrenuestro*	*maniatar*	*bocarriba*
det.	*milhojas*	*veinticinco*	*todopoderoso*	—	—	—
adj.	*vanagloria*	—	*sobretodo*	—	—	—
pron.	—	—	—	*cualquiera* *quienquiera*	*quehacer*	
verbo	*guardarropa*	—	*matasanos*	*pésame*	*duermevela*	—
adv.	*bienvenida*	—	*bienaventurado*	*aunque*	*maltratar*	—
prep.	*contraluz*	—	*sobrenatural*	*porqué*	*trasponer*	*anteayer*
conj.	—	—	—	—	*siquiera*	—

Por su capacidad generadora destacan los derivados de «nombre + adjetivo», «adjetivo + nombre» y «adjetivo + adjetivo».

1.º Nombre + adjetivo = nombre o adjetivo:

Esta construcción es atributiva:

Aguardiente = El agua es ardiente.

ojinegro   *nochebuena*
barbilampiño *nochevieja*
cabizbajo   *patizambo*
cejijunto   *pelirrojo*
manilargo   *pelicorto*
manirroto

Nota.—Obsérvese que si el sustantivo de la combinación acaba en vocal, ésta cambia en «i»: *ojinegro* (ojo-negro), *pelirrojo*...

2.º Adjetivo + nombre = nombre:

buenaventura *mediodía*
medianoche   *salvoconducto*

3.º Adjetivo + adjetivo = nombre o adjetivo:

claroscuro   *altibajo*
verdinegro   *agridulce*

4.º Otra construcción muy productiva es la que podemos denominar «transitiva», por constar de una «forma verbal + un complemento directo» (casi siempre en plural). El resultado es un nombre.

Este modelo de composición es muy activo en español y permite evitar la construcción más compleja de «nombre de agente + de + nombre»; frente a «instrumento de cortar las plumas» se preferirá «un cortaplumas»; frente a «barco de portar aviones» se preferirá «un portaaviones», etc. Algunos ejemplos son:

abrelatas	guardabarreras	perdonavidas	quitasol
buscavidas	guardarropa	picapleitos	rompehielos
cortaplumas	limpiabotas	pasatiempos	sacacorchos
cortaúñas	marcapasos	portaaviones	tapacubos
chupatintas	mondadientes	quitamanchas	tornasol
			tragaperras

2.2. La prefijación

La formación de nuevas palabras mediante la prefijación permite que el nuevo término conserve la misma clase o categoría. Este modelo de creación léxica puede considerarse como paso intermedio entre la composición y la derivación. Las posibilidades combinatorias se reflejan en el siguiente cuadro:

preposición	nombre	adjetivo	verbo
ante- contra- entre-/inter- sobre-/super- tra(n)s-	antepasado contraluz entreacto sobrecarga trasfondo	antediluviano contrahecho internacional superficie transatlántico	anteceder contradecir entremeter(se) sobrevolar traspasar

2.3. La formación de palabras por derivación

Es el proceso más productivo y con mayores posibilidades combinatorias que ofrece el español. Consiste en la combinación de una palabra/lexema con distintos sufijos o morfemas derivativos. Se ofrecen a continuación los sufijos derivativos que intervienen en la formación de nombres, adjetivos y verbos. Se presentan en orden alfabético para facilitar su consulta:

1.º Nombre + sufijo = nombre:

pájaro	-aco	pajarraco		mosca	-arda	moscarda
hilo	-acho	hilacho		biblioteca	-ario	bibliotecario
palma	-ada	palmada		coto	-arro	cotarro
Papa	-ado	papado		peña	-asco	peñasco
azote	-aina	azotaina		cama	-astro	camastro
cortina	-aje	cortinaje		piñón	-ate	piñonate
escoba	-ajo	escobajo		cardenal	-ato	cardenalato
peñasco	-al	peñascal		almirante	-azgo	almirantazgo
muro	-alla	muralla		agua	-ador	aguador
pelo	-ambre	pelambre		rosal	-eda	rosaleda
vela	-amen	velamen		roble	-edo	robledo
potro	-anco	potranco		calle	-eja	calleja
cirugía	-ano	cirujano		pasta	-el	pastel
oliva	-ar	olivar		ciudad	-ela	ciudadela

225

abuelo	-engo	abolengo		mar	-isco	marisco
limón	-ero	limonero		platón	-ismo	platonismo
pico	-ete	piquete		oficina	-ista	oficinista
lobo	-ezno	lobezno		apéndice	-itis	apendicitis
alcalde	-ía	alcaldía		pie	-ito/-cito	piecito/piececito
lagarto	-ija	lagartija		rastro	-ojo	rastrojo
pierna	-il	pernil		faro	-ol/-ola	farola
arena	-illa	arenilla		camisa	-ola	camisola
bandera	-ín	banderín		cabeza	-ón	cabezón
lechuga	-ino	lechuguino		abeja	-orro	abejorro
campo	-iña	campiña		isla	-ote	islote
cuerpo	-iño	corpiño		jefe	-ura	jefatura
gente	-ío	gentío		águila	-ucho	aguilucho

2.° Adjetivo + sufijo = nombre:

rico	-acho	ricacho		valiente	-ía	valentía
frío	-ambre	fiambre		calvo	-icie	calvicie
basto	-ardo	bastardo		barato	-ija	baratija
bueno	-dad	bondad		serrano	-il	serranil
corto	-edad	cortedad		goloso	-ina	golosina
frecuente	-encia	frecuencia		alpino	-ismo	alpinismo
sordo	-era	sordera		humano	-ista	humanista
fácil	-idad	facilidad		negro	-itud	negritud
redondo	-el	redondel		verde	-or	verdor
chico	-uelo	chicuelo		loco	-ura	locura
cien	-ena	centena		mucho	-umbre	muchedumbre
pequeño	-ez	pequeñez		recio	»	reciedumbre
duro	-eza	dureza				

3.° Verbo + sufijo = nombre:

cazar	-a	caza		ladrar	-ido	ladrido
afeitar	-e	afeite		fundir	-idor	fundidor
abonar	-o	abono		acertar	-ijo	acertijo
aterrizar	-aje	aterrizaje		urdir	-imbre	urdimbre
legar	-ajo	legajo		danzar	-ín	danzarín
ganar	-ancia	ganancia		chamuscar	-ina	chamusquina
doctorar	-ando	doctorando		planta	-ío	plantío
curar	-andero	curandero		morder	-isco	mordisco
ayudar	-ante	ayudante		tallar	-ista	tallista
alabar	-anza	alabanza		aprender	-iz	aprendiz
hacer	-aña	hazaña		llover	-izna	llovizna
arrendar	-ario	arrendatario		abatir	-miento	abatimiento
hallar	-azgo	hallazgo		tropezar	-ón	tropezón
arañar	-azo	arañazo		escocer	-or	escozor
abdicar	-ción	abdicación		defender	-sor	defensor
lavar	-dero	lavadero		reflectar	-tor	reflector
tejer	-dor	tejedor		dormir	-torio	dormitorio
morder	-dura	mordedura		tapar	-ujo	tapujo
asistir	-encia	asistencia		vagar	-undo	vagabundo
merendar	-ero	merendero		montar	-ura	montura
chupar	-ete	chupete		cerrar	-zón	cerrazón
valer	-ía	valía				

4.° Nombre + sufijo = adjetivo:

hierba	-áceo	herbáceo		Valencia	-ano	valenciano
elegía	-aco	elegíaco		auxilio	-ar	auxiliar
barba	-ado	barbado		dimisión	-ario	dimisionario
semana	-al	semanal		selva	-ático	selvático
pato	-án	patán		monte	-az	monta(r)az

palacio	-ego	palaciego		varón	-il	varonil
Ibiza	-enco	ibicenco		Apolo	-íneo	apolíneo
Chile	-eno	chileno		ámbar	-ino	ambarino
Almería	-ense	almeriense		sombra	-ío	sombrío
grasa	-iento	grasiento		moro	-isco	morisco
trigo	-eño	trigueño		Israel	-ita	israelita
Caldea	-eo	caldeo		objeto	-ivo	objetivo
domingo	-ero	dominguero		frontera	-izo	fronterizo
Córdoba	-és	cordobés		sudor	-oso	sudoroso
novela	-esco	novelesco		cabeza	-udo	cabezudo
pendón	-ga	pendonga		cuerpo	-ulento	corpulento
Ceuta	-í	ceutí		perro	-uno	perruno
alimento	-icio	alimenticio		Andalucía	-uz	andaluz

5.° Adjetivo + sufijo = adjetivo:

azul	-ado	azulado				
bribón	-azo	bribonazo		alto	-ivo	altivo
amarillo	-ento	amarillento		sabio	-ndo	sabi(h)ondo
calvo	-ete	calvete		bravo	-on	bravu(c)ón
vital	-icio	vitalicio		verde	-oso	verdoso
menudo	-ico	menudico		moreno	-ote	morenote
joven	-illo	jovencillo		rubio	-undo	rubi(c)undo
albo	-ino	albino		pardo	-usco	pardusco
bravo	-ío	bravío		negro	-uzco	negruzco

6.° Verbo + sufijo = adjetivo:

adulterar	-ada/-o	adulterado		conocer	-edor	conocedor
andar	-ante	andante		vivir	-idor	vividor
vivir	-iente	viviente		andar	-iego	andariego
amar	-able	amable		pensar	-ivo	pensa(t)ivo
temer	-ible	temible		alborotar	-izo	alborota(d)izo
morir	-bundo	moribundo		decidir	-sorio	decisorio
durar	-dero	duradero		declarar	-torio	declaratorio
gastar	-ador	gastador				

7.° Nombre + sufijo = verbo:

archivo	-ar	archivar		carbón	-izar	carbonizar
chicharra	»	(a)chicharrar		voz	-ear	vocear
corte	-ejar	cortejar		favor	-ecer	favorecer
diente	-ellar	dentellar		calle	-ejear	callejear
rama	-ificar	ramificar		acento	-uar	acentuar

8.° Adjetivo + sufijo = verbo:

alegre	-ar	alegrar		verde	-eguear	verdeguear
bueno	-ificar	bonificar		blanco	-ecer	blanquecer
suave	-izar	suavizar		húmedo	-ecer	humedecer
flojo	-ear	flojear		débil	-itar	debilitar

9.° Verbo + sufijo = verbo:

aguar	-achar	aguachar		pintar	-ojear	pintarrojear
estirar	-ajar	estirajar		escamar	-otear	escamotear
despatar	-arrar	despatarrar		besar	-ucar	besucar
llorar	-iquear	lloriquear		mascar	-ullar	mascullar
comer	-iscar	comiscar				
gravar	-itar	gravitar				
llover	-iznar	lloviznar				
batir	-ojar	batojar				

Nota: Adjetivo + sufijo = adverbio:
   sabio -**mente** *sabiamente*

2.4. Junto a los anteriores modelos, existe un elenco de prefijos latinos y griegos que son muy productivos en la formación de nuevas palabras, sobre la base de un determinado significado inherente a los mismos.

1.º Prefijos latinos:

a-	*analfabeto*	**intra-/intro-**	*intramuros, introducción*
ab-	*abjurar, abstracción*	**o-/ob(s)-**	*ofender, obstruir*
ad-	*adoptar*	**per-**	*perdurable*
ante-	*antesala*	**pos(t)-**	*postergar, postdata*
anti-	*antisocial*	**pre-**	*prefijo*
bi-	*bilingüe*	**pro-**	*pronombre*
circun-	*cirunferencia*	**re-**	*rellenar*
co(n)-	*cofradía, confabulación*	**retro-**	*retroceder*
contra-	*contraorden*	**semi-**	*semidesnudo*
de-/des-	*decrecer, destruir*	**sin-**	*sinsabor*
di-/dis-	*difundir, dislocar*	**sobre-/super-**	*sobresalir, supermercado,*
entre-/inter-	*entrever, interponer*	**/supra-**	*supranacional*
ex-/extra-	*exclamar, extraordinario*	**su(b)-/so-**	*submarino, someter*
in-/im-/i-	*incoloro, imperfecto, ilegal*	**trans-**	*transmediterráneo*
infra-	*infrarrojo*	**ultra-**	*ultraderecha*

2.º Prefijos de origen griego

ana-	*anacronismo*	**hiper-**	*hipertensión*
anfi-	*anfiteatro*	**hipo-**	*hipotenso*
archi-	*archiduque*	**meta-**	*metáfora*
cata-	*catarata*	**para-**	*paramilitar*
dia-	*diáfano*	**peri-**	*perímetro*
epi-	*epidermis*	**(p)seudo-**	*(p)seudónimo*
hemi-	*hemisferio*	**tele-**	*televisión*

3.º Palabras raíces, de origen latino y griego, que intervienen en la formación de palabras:

-algia	*cefalalgia*	**cosmo-**	*cosmonauta*
-ambulo	*sonámbulo*	**crono-**	*cronómetro*
-cida	*suicida*	**demo-**	*demografía*
-cola	*cavernícola*	**ego-**	*egolatría*
-cracia	*democracia*	**filo-**	*filosofía*
-fagia/-fago	*antropofagia, antropófago*	**fono-**	*fonógrafo*
-filia	*anglofilia*	**gino-**	*ginecología*
-fobia	*hidrofobia*	**graf-**	*grafología*
-fugo	*ignífugo*	**hidro-**	*hidrología*
-gero/-fero	*flamígero, plumífero*	**homo-**	*homosexual*
-grafía	*hidrografía*	**lito-**	*litografía*
-logía/-logo	*filología, filólogo*	**logo-**	*logopedia*
-metro	*barómetro*	**mega-**	*megafonía*
-teca	*biblioteca*	**micro-**	*microscopio*
-tecnia	*mnemotecnia*	**morfo-**	*morfología*
-voro	*carnívoro*	**multi-**	*multiforme*
		necro-	*necrológico*
aero-	*aeroplano*	**neo-**	*neologismo*
arqueo-	*arqueología*	**omni-**	*omnipresente*
auto-	*automóvil*	**onom-**	*onomástica*
bio-	*biología*	**pato-**	*patológico*
biblio-	*bibliófilo*	**poli-**	*polifacético*
cardio-	*cardiograma*	**(p)sico-**	*psicología*
ciclo-	*ciclomotor*	**semi-**	*semiseco*

3. Descripción semántica de los derivados

Los afijos derivativos no constituyen por sí mismos palabras autónomas, pero sí generan, junto con la raíz a la que se unen, un determinado matiz semántico o significado. Esto hace posible que un mismo afijo, añadido a diferentes palabras, haga que éstas compartan características semánticas comunes, de mayor o menor amplitud o generalidad. Así existen algunos sufijos que aportan la idea de «cualidad abstracta», o de «acción o estado», o de «profesión», etc.

El hecho de que una lengua como el español disponga de morfemas derivativos no solamente posibilita determinados procesos sintácticos o morfológicos, sino también semánticos. Y por esa razón, el análisis de los derivados desde la perspectiva del significado permite clasificar los morfemas implicados en la creación léxica partiendo de ciertas características semánticas.

1.º **Sufijos que implican el significado de _cualidad_ (en nombres abstractos):**

-ía	cortesía, lozanía, tiranía	**-anza**	templanza
-bilidad	amabilidad, permeabilidad	**-encia**	carencia
-edad	suciedad, seriedad	**-icia**	malicia
-idad	debilidad	**-era**	sordera
-ez	vejez	**-umbre**	pesadumbre
-eza	pureza	**-tad**	lealtad
-or	dulzor	**-ismo**	ateísmo
-ura	blancura	**-ción**	discreción
-ancia	abundancia	**-sión**	concisión

2.º **Sufijos que implican el significado de _profesión o dignidad, lugar_ donde ésta se ejerce (nombres abstractos):**

-ado	rectorado, obispado (cargo y dignidad, junto con lugar)	**-ía**	alcaldía
-ato	decanato	**-ería**	albañilería, zapatería
-azgo	mayorazgo, almirantazgo	**-ura**	prefectura, arquitectura

3.º **Sufijos que implican el significado de _acción y efecto_:**

-a	compra	**-e**	embarque
-ada	llegada	**-ida**	salida
-ado	planchado	**-ido**	sonido
-aje	pillaje	**-mento**	salvamento
-anza	enseñanza	**-miento**	recibimiento
-azo	cañonazo	**-o**	respeto
-ción/-sión	atención, expansión	**-zón**	tropezón
-dura/-tura	investidura, candidatura		

4.º **Sufijos que forman nombres con el significado de _agente:_**

-a	espía	**-ista**	chapista
-andero/-endero	curandero, barrendero	**-izo**	vaquerizo
-ante/-ente/-iente	farsante, ponente, combatiente	**-ón**	llorón
-ario	notario	**-oso**	estudioso
-dor, -tor, -sor	hablador, corrector, confesor	**-tivo/-sivo**	comprensivo, llamativo
-ero	zapatero	**-sorio**	ilusorio

5.º Sufijos que forman nombres de *vegetales y plantas*:

-al	peral
-ero/a	limonero
-o	manzano, naranjo

6.º Sufijos que forman nombres que implican el significado de *aumento en la cantidad o cualidad*:

-acho	ricacho		-achón	bonachón, corpachón
-azo	hombrazo		-ón	aldabón
-a, -o	huerta/huerto, saco/saca, caldera/caldero		-ullón	grandullón

7.º Sufijos que forman palabras con el significado de *disminución*:

-ito	cachito		-cito	mujercita, hombrecito
-illo	hornillo		-cillo	jardincillo
-ico	letrica		-ecito	piececito
-ín	peluquín		-ecillo	panecillo
-uelo	chicuelo, aldehuela			

8.º Sufijos que añaden el significado de *menosprecio o matiz despectivo*:

-aco	pajarraco		-astro	camastro
-aja	migaja		-orrio	villorrio
-uco	mujeruca		-orro	abejorro
-acho	populacho		-ote	angelote, grandote
-alla	antigualla		-uza	gentuza
-arrón, -orrón,			-ucho/a	casucha
-urrón	dulzarrón, santurrón, coscorrón			

9.º Sufijos que forman *nombres de bebida o comida*:

-ada	limonada, naranjada
-ata	piñata, bocata

10.º Sufijos que forman nombres que señalan *conjuntos o colectivos*:

-a	hueva/huevo, leña/leño		-izal/r	cañizal/cañizar
-ado/a	arbolado, teclado		-ame	leñame
-(ad)ura	dentadura, armadura		-amen	velamen
-aje	plumaje, pelaje		-ario	diccionario, devocionario
-al, -ar	arenal, pinar		-edo/a	viñedo, arboleda
-edal	robledal, roquedal		-(ar)eda	polvareda
-azal/r	ladazal/lodazar		-ia	cofradía

11.º Sufijos que forman nombres de *color*:

-ado/a	azulado, rosado		-izo	rojizo
-ento	amarillento		-(ec)ino	blanquecino
-eño	trigueño		-uzco	parduzco, negruzco
-ino	purpurino			

12.º Sufijos que añaden el significado de *abundancia de o propensión a*:

-oso	rencoroso, canoso		-ero	pendenciero
-ota	patriota		-ón	burlón
-dor	hablador		-ento	fraudulento

-izo	olvidadizo	-iento	somnoliento
-iano	victoriano	-tivo	vengativo
-iego	mujeriego	-udo	barbudo
-ista	derechista		

13.° Sufijos que conllevan el significado de *relación con* (partidario de, apto para, semejante a...):

-aco	elegíaco	-ico	homérico
-al/-ar	primaveral, familiar	-ático	lunático, dogmático
-ano/-iano	cercano, parroquiano	-il	varonil
-ario	parlamentario	-ino	marino
-(i)ego	veraniego	-ista	calvinista
-engo	abolengo	-ita	carmelita
-eño	salobreño	-ivo	instintivo
-ero	dominguero	-oso	cavernoso
-esco	caballeresco	-uno	ovejuno
-icio	cardenalicio		

14.° Sufijos que indican, en los derivativos que forman, *origen* (gentilicios):

-aco	austríaco	-esano	palmesano
-ano	valenciano	-í	marroquí
-arra	donostiarra	-ín	mallorquín
-ego	manchego	-ino	santanderino
-iego	pasiego	-io/a	corintio
-enco	ibicenco	-isco	morisco
-eno	chileno	-ita	israelita, moscovita
-eño	malagueño	-ón	borgoñón
-eo	europeo	-ota	chipriota
-ero	habanero	-ú	hindú, bantú
-és	leonés, francés		

15.° Sufijos que aportan la idea de *posesión, tenencia:*

-ado	barbado	-oso	anguloso
-iento	sediento	-udo	barbudo
-ón	barrigón		

16.° Sufijos que aportan la idea de *instrumento:*

-dero, -dera	comedero, regadera	-dor, -tor, -sor	despertador, colector, ascensor
-ante, -iente, -ente	calmante, viviente, potente	-ón	tapón, aguijón

17.° Sufijos que aportan la idea de *lugar:*

-ado	condado	-ería	zapatería
-al, -ar	arenal, palmar	-eriza	porqueriza
-ario	campanario	-torio	dormitorio
-dero	matadero	-edo	viñedo
-dor	mostrador		

18.° Sufijos que aportan la idea de *posibilidad* (que puede o debe ser...)

-ble	deseable	-ible	divisible
-ando	sumando, venerando	-izo	espantadizo
-endo	sustraendo	-torio	giratorio
-dero	casadero		

Nota.—El sufijo **-ble** es el más productivo del grupo. Con los verbos de la primera conjugación siempre se da la forma **-able**. En cambio con los derivados de verbos de la segunda o tercera conjugación, las formas son menos predecibles debido al número de irregularidades morfológicas. No obstante la forma más común es **-ible**:

leer	**legible**	*comer*	**comestible**
disolver	**soluble**	*beber*	**bebible**
poder	**posible**	*sufrir*	**sufrible**

19.° Valores semánticos aportados por los prefijos

A manera de resumen, es posible reducir las diversas posibilidades semánticas de los prefijos al siguiente esquema:

SIGNIFICADO	PREFIJOS
cantidad	**mono-, bi-, di-, tri-, multi-, pluri-, poli-, omni-, pan-**
dimensión	**mini-, micro-, macro-, maxi-**
propensión a, partidario de, contrario a	**pro-, anti-, contra-, ultra-**
graduación	**sub-, hipo-, infra-, super-, hiper-, sobre-, vice, arc(h)-**
relación lógica con algo	**equi-** (igualdad), **para-** (relación), **des-, in-** (negación), **a-** (privación), **con/m-** (compañía)
relación temporal	**ante-, pre-, post-, ex-, inter-, entre-, tra(n)s-**
separación	**a-, de-, retro-, re-**

Tipología oracional

I. ¿Qué es una oración?

En términos generales, una oración en español puede definirse como «una estructura que consta de dos partes en relación predicativa y que poseen una finalidad comunicativa». Ambos aspectos son solidarios y deben darse conjuntamente. Así tenemos:

GN	+	GV	= estructura bimembre (de dos partes)
Grupo Nominal	+	Grupo Verbal	

El sol	+	*luce*	= finalidad comunicativa
Los pájaros	+	*cantan dulcemente*	= » »

1. Descripción formal

Una oración se caracteriza:

1.1. Por presentar una *organización lineal:* las formas se siguen unas a otras en el espacio y en el tiempo:

oración   = *tiempo de expresión.*
El sol luce = *espacio de sucesión física.*

Naturalmente, en este rasgo coincide con otras unidades sintácticas, como el Grupo (nominal o verbal).

1.2. Por estar sometida a una *organización jerárquica:* las unidades menores se integran en otras mayores. De igual manera que la unión de dos morfemas «hoja-s» puede formar una palabra, la unión de dos palabras puede dar origen a un Grupo Nominal, «Las + hojas». El GN tiene «sentido comunicativo» y está sujeto a reglas jerárquicas de expresión; por ejemplo, a través de la concordancia formal en género y número. Esta concordancia gira en torno a un elemento *superior o dominante* que impone a los demás sus propios marcadores formales. Así, «hojas» impone al artículo la concordancia de femenino y plural. Pero todavía no tenemos una oración con sólo el GN: las relaciones establecidas entre los elementos que lo integran son «de constitución entre término primario o dominante y término(s) adyacente(s)».

1.3. Por la *relación predicativa,* cuando se combinan dos unidades sintácticas de igual rango, como son el GN y el GV, se origina una relación de otro orden, que se manifiesta externamente a través de la concordancia de número y persona:

```
Las hojas      caen         (concor. de número
    (GN     +   GV)                y de persona)
```

1.4. Por implicar dicha relación una *finalidad comunicativa* en cuyo establecimiento el rasgo de «persona» parece esencial:

Las hojas caen.

1.5. Por la ley de *recursividad* en que se funda la jerarquización de elementos, el lenguaje tiene la posibilidad de formar un ilimitado número de oraciones partiendo de la combinación de un número limitado de elementos.

● La oración no es la máxima unidad de jerarquización ni de descripción sintáctica. Más allá de ella están el *parágrafo* y el *texto,* de constitución más compleja. La gramática oracional analiza la oración desde el punto de vista de organización interna, tanto «constitutiva» como «funcionalmente»:

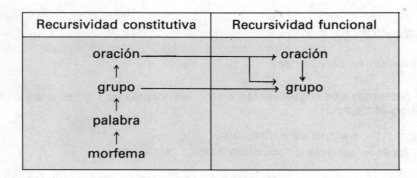

Recursividad constitutiva	Recursividad funcional
oración ———————→	→ oración
↑	┐ ↓
grupo ————————→	→ grupo
↑	
palabra	
↑	
morfema	

Según este esquema, el morfema se toma como la unidad mínima de descripción gramatical y, por tanto, no puede ser segmentado en unidades menores significativas. En el extremo opuesto de la escala de categorías, está la oración, como unidad máxima de descripción gramatical, pero puede funcionar recursivamente, como «grupo», en el nivel jerárquico inmediatamente inferior. Así, por ejemplo:

Su venida   causó alegría en la familia,
   GN   +   GV

consta de los dos miembros o partes esenciales de una oración, siendo el GN un sustantivo + posesivo.

En cambio:

*El hecho **de que Pedro viniera*** *causó alegría en la familia,*

                GN   +   GV

consta de un GN más complejo porque es, a su vez, una oración; en este caso podemos decir que tal oración funciona «recursivamente como sintagma nominal» dentro de una estructura mayor.

- Las oraciones también pueden estar unidas mediante relaciones **externas**: es el caso de la «coordinación» y de la «subordinación». Así tenemos:

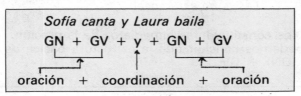

o bien:

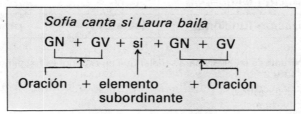

2. Descripción categorial

2.1. Desde el punto de vista categorial una oración ofrece una organización diferente de la lineal, como puede aprecirse en el siguiente diagrama arbóreo:

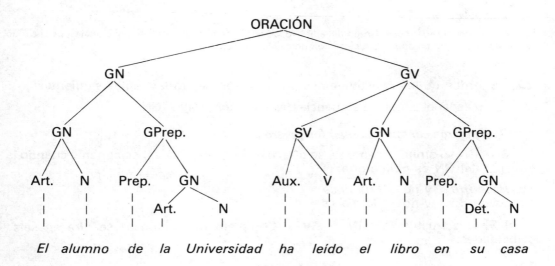

En este caso, el Grupo Nominal (GN) y el Grupo Verbal (GV) son los constituyentes inmediatos de la oración, en cuanto que son las dos estructuras mayores que preceden jerárquicamente a la unidad oracional. En casos de oraciones menos complejas, como:

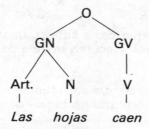

son el GN y el GV los constituyentes inmediatos de la oración.

Por lo tanto, podemos concluir que la estructura básica de una oración está constituida por un (GN) + GV:

ORACIÓN			
organización categorial	**(GN)**	**+**	**GV**
organización funcional	**(sujeto)**	**+**	**predicado**

Nótese que ponemos paréntesis en el GN para señalar que en español es frecuente su omisión del sujeto léxico en las personas 1.ª y 2.ª:

Canto (yo). *Cantamos* (nosotros).
Cantas (tú). *Cantáis* (vosotros).

Dicha omisión es practicada en español porque la terminación de la forma verbal ya lleva implícita la información sobre la persona gramatical.
En algunos casos es incluso obligatoria la omisión:

Es de día.
Llueve mucho.
Hay árboles.

Los demás tipos de «Grupos» (Grupo del adjetivo, adverbial o preposicional) son opcionales, es decir, no esenciales para que se dé la estructura comunicativa básica.

2.2. El orden de los constituyentes puede variar según las reglas siguientes:

a) El español admite la secuencia GN + GV como GV + GN:

Los pájaros cantan o *Cantan los pájaros.*

Si el GN se omite, solamente se ofrece una posibilidad, especialmente cuando la omisión del GN es obligatoria:

Hace frío   y no   **Frío hace.*
Es de día   y no   **De día es.*

b) Si la estructura es GN + GV + Complemento, entonces se ofrecen seis posibilidades:

Julia vive en Madrid.	*Vive Julia en Madrid.*
En Madrid vive Julia.	*Julia en Madrid vive.*
Vive en Madrid Julia.	*En Madrid Julia vive.*

Ahora bien, no todas ellas son igualmente usadas en cualquier contexto e incluso pueden no estar permitidas por el sistema lingüístico por muy diversas razones.

c) *El GN (Grupo Nominal),* en su forma más simple, consta de determinante + nombre.

Mi lápiz *escribe bien.*

Pero también puede constar de más elementos, en realizaciones complejas; por ejemplo, puede constar de:

Det. + N + Adj. + Prep. + N = *El libro sagrado de Buda.*

Det. + N + Adv. + Adj. = *Un libro muy antiguo.*

Det. + N + Prep. + N = *Un café con leche.*

Det. + N + N = *La capital, Madrid.*

Det. + N + Oración = *El año que viene.*

Det. + N + Conj. + Det. + N = *La pluma y el lápiz.*

Det. + N + Prep. + N + Conj. + Prep. + N = *El libro de Juan y de Luis.*

Det. + N + Prep. + Oración = *La duda de si el libro era suyo.*

d) El GV es muy variado debido a las distintas subclases de verbos:

V = *Hiela.*

V + Gprep. = *Es de día. Se acuerda de mí.*

V + GAdv. = *Está bien. Vive tranquilamente.*

V + GN + Gprep. + GAdv. = *Dio un beso a Laura amorosamente.*

V + GN + Gprep. = *Dejó el lápiz sobre la mesa.*

Todos estos ejemplos se refieren a **oraciones simples** en las que solamente se da una predicación.

También puede darse el caso de que una predicación esté incluida dentro de otra predicación jerárquicamente superior. En tal caso tenemos lo que denominamos **oración compleja:**

V + Oración = *Dijo que no lo hacía.*

V + GAdv. + Conj. + V + GAdv. = *Vendrá pronto si trabajas bien.*

Nota.—A semejanza de lo que ocurre con el GV, el GN puede estar constituido, además de por elementos nominales, por oraciones simples, complejas o coordinadas:

GN + Adj. = *El libro blanco (es muy caro).*

Det. + O = *El «tú lo haces» (es su frase favorita).*

O + que + O = *Querer que tú vengas (no es nuevo para mí).*

Det. + O + Conj. + O = *El que Juan ría o llore (no me asusta ya).*

3. Descripción funcional

Las diversas categorías sintácticas, por el mero hecho de serlo, cumplen una función oracional. Si se establece una relación sintáctica, se debe dar también una función. El siguiente esquema refleja el entramado de funciones de las diferentes categorías sintácticas:

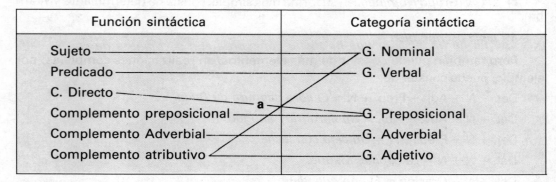

Función sintáctica	Categoría sintáctica
Sujeto	G. Nominal
Predicado	G. Verbal
C. Directo	
Complemento preposicional	G. Preposicional
Complemento Adverbial	G. Adverbial
Complemento atributivo	G. Adjetivo

Las funciones oracionales superiores son las de *sujeto* y *predicado*; las demás son secundarias.

3.1. El sujeto

a) Es una de las funciones reservadas al GN. Puede ser realizada:

1.º *Léxicamente,* mediante un GN:

Las hojas caen.

o mediante un pronombre:

Ella ríe.

2.º *Gramaticalmente,* por la terminación del verbo:

Canto (=yo).
Escriben mucho (ellos/as).

3.º *Funcionalmente,* mediante una oración que funciona recursivamente como GN dentro de una estructura superior:

*Me encanta **que baile**.*
***Que lo diga Teresa** es muy significativo.*

b) El sujeto concuerda en número y persona con el núcleo del GV:

Los niños se divierten.
El niño se divierte.

A veces, surgen problemas en la concordancia cuando la forma y el significado que la caracteriza hacen posible más de una interpretación. Esto ocurre cuando el sujeto está constituido por:

1.º Nombres concretos:

*Chocaron **un tren** y **un autobús.***

2.º Nombres colectivos *(multitud, gente, millar, montón, muchedumbre, número...)*, en ocasiones concuerdan por el significado:

*Se amotinó **la gente,** pero a la primera descarga huyeron despavoridos.*

c) Con frecuencia, el verbo concuerda en singular con el sujeto más cercano, a pesar de que sean varios los sujetos coordinados:

*Me gusta **madrugar** y **hacer ejercicio.***
***Lo que ha hecho** y **lo que ha dicho** concuerda con su manera de ser.*
*Me gusta **que madrugues** y **que hagas ejercicio.***

d) Oraciones como:

*Yo soy el que lo **hizo.***
*Tú eres la que lo **dijo.***

son correctas en la concordancia de persona, preferidas a la concordancia basada en el significado *(ad sensum):*

*Yo soy el que lo **hice.***
*Tú eres la que lo **dijiste.***

De manera semejante, se usan ambas concordancias de persona en oraciones del tipo:

*¿Quiénes de **vosotros estáis** a favor?*
*¿Quiénes de **vosotros están** a favor?*

3.2. El predicado

La función del predicado puede ser realizada:

1.º por un sintagma verbal (GV):

*El sol **brilla.***

El verbo concuerda con el sujeto en número y persona.

2.º por un GV + GAdj.:

*El sol **es grande.***
*Los niños **están listos.***

En estos casos, los verbos *es, están* son portadores de las marcas gramaticales de tiempo, número y persona, y los adjetivos *grande* y *listos* del valor semántico o significado, además de la concordancia en género y número con el sujeto al que se atribuyen.

Adviértase que esta segunda restricción de concordancia no se da en la estructura GV + GN, es decir, cuando, en vez de un GAdj., tenemos un GN. Así:

*Las prácticas de química **fueron un lío**.*   (GN + GV + GN)

frente a:

*Las prácticas de química **fueron liosas**.*   (GN + GV + GAdj.)

3.º La función de predicado puede estar secundada por otras funciones, **como** son las de complemento directo, indirecto, complemento preposicional o circunstancial, complemento adverbial, según se observa en el siguiente cuadro-resumen:

Función de predicado			
	C. directo	C. indirecto	C. preposicional	C. adverbial
Hiela	—	—	—	—
Hace	*frío*	—	—	—
Es	—	—	*de día*	—
Está	—	—	—	*bien*
Bebe	*(un café)*	—	—	—
Gusta	—	*a María*	—	—
Se acuerda	—	—	*de mí*	—
Vive	—	—	—	*tranquilamente*
Dio	*un regalo*	*a Julia*	—	—
Habla	—	*a Blanca*	*de amor*	—
Aparcó	*el coche*	—	—	*mal*
Olvidó	*el libro*	—	*sobre la mesa*	—

II. Clases de oraciones (tipología oracional)

Las oraciones no solamente constan de dos partes que están en relación predicativa: son también estructuras lingüísticas que propician la comunicación o expresión de significados concretos. Para ello la estructura lingüística adopta formas diversas, al mismo tiempo que se complementa con rasgos entonativos (suprasegmentales):

1. Cuando se enuncia o declara una idea o pensamiento se usa una oración **declarativa**:

El avión ha aterrizado.

2. Cuando se desea que algo ocurra de una forma determinada, cuando se quiere dar una orden, rogar algo... se utiliza una oración **imperativa**:

Ven a mi casa.

3. Cuando se expresa un sentimiento de indignación, sorpresa, duda, admiración... nos valemos de una oración **exclamativa**:

> *¡Qué espectáculo!*
> *Quizá lo haga.*

4. Cuando se desea que el interlocutor confirme algo (afirmando o negando), se recurre a la oración **interrogativa**:

> *¿Quieres acompañarme al cine?*

Nota.—Cada una de las oraciones anteriores está caracterizada por una determinada forma y estructura gramatical. Pero debe tenerse en cuenta que la forma gramatical no siempre se corresponde exactamente con una misma y única función comunicativa.

Efectivamente, la oración «imperativa», con su forma gramatical característica, sirve para dar una orden o hacer un ruego. Pero esa misma función comunicativa de «dar una orden, hacer un ruego» puede, a veces, cumplimentarse con otro tipo de estructuras correspondientes a otros tipos de oración, por ejemplo, **interrogativas**. Así:

> *Deja el coche en el garaje.*
> *¿Harías el favor de dejar el coche en el garaje?*
> *¡Tú dejas el coche en el garaje!*
> *¡Te ordeno que dejes el coche en el garaje!*

Todas estas oraciones indican ruego o mandato, a pesar de que las formas gramaticales no siempre se corresponden con las propias de este tipo de frases. A esta variedad en la función comunicativa contribuyen muy especialmente los elementos suprasegmentales (entonación) y contextuales (situación, entorno).

El siguiente cuadro-resumen da una idea de las variedades comunicativas de cada tipo de oraciones:

Tipo de oración	Función comunicativa	Ejemplos
Declarativa	enunciación mandato pregunta sorpresa	*Mañana iré a Toledo* *Irás con ella a casa* *Desearía saber si viene* *El plato está que quema*
Interrogativa	pregunta ruego exclamación mandato	*¿Quién soy yo?* *¿Puedo sentarme contigo?* *¿No es maravilloso?* *¿De qué te ríes tú?*
Imperativa	mandato deseo sorpresa	*¡Párate!* *Tengamos la fiesta en paz* *¡Piensa en lo que has dicho!*
Exclamativa	exclamación requerimiento	*¡Qué cara!* *¡Qué pastel tan rico!* (=¿Puedo tomar otro?)

III. La oración simple

Se entiende por oración simple aquella en la que ninguna de las funciones oracionales está realizada por otra oración. En otras palabras, una oración simple carece de complejidad en su constitución y, por lo tanto, no consta de oraciones subordinadas que realicen alguna de las funciones primarias de sujeto, predicado o complemento (directo, indirecto, circunstancial).

1. Características funcionales de la oración simple

1.º Una oración simple ha de ser por necesidad *independiente,* tanto desde el punto de vista estructural como funcional. Así, de las oraciones siguientes:

a) *Juan juega al tenis.*
b) *Que Juan juega al tenis.*
c) *Cuando Juan juega al tenis.*

sólo a) es independiente y tiene autonomía por sí misma. Por el contrario, b) y c) son *suboraciones* que funcionan en un nivel inmediatamente inferior, en cuanto que son jerárquicamente dependientes. Por ejemplo, la estructura jerárquicamente superior de b) podría ser:

Compruebo *que Juan juega al tenis.*

2.º Pero una oración simple puede contener una *suboración* siempre que ésta no realice una función oracional. Así puede ocurrir, por ejemplo:

• en la estructura del GN:

*Ésta es la novela **que María te regaló,***

en la que la suboración *que María te regaló* funciona como adyacente de *novela.*

*Esto no es motivo suficiente **para enfadarte,***

en la que la suboración *para enfadarte* es complemento de *motivo suficiente*

• en la estructura del GAdj:

*Isabel está muy contenta **de que haya llegado,***

en la que la suboración *de que haya llegado* determina a *contenta:*

• en la estructura del GAdv:

*Luis no está lejos **de que la suerte le acompañe,***

en que *de que la suerte le acompañe* determina al adverbio *lejos.*

2. Combinación y condensación de oraciones

Podríamos comunicarnos utilizando solamente oraciones simples. Pero este procedimiento sería poco económico y supondría mucha redundancia. Por eso, nos valemos a menudo de oraciones *combinadas* o *condensadas.*

1.º La *combinación* de oraciones es un recurso sintáctico consistente en la *coordinación*.

● Mediante la *coordinación* unimos dos o más oraciones de igual rango sintáctico:

Pablo estudia y su padre trabaja.
Ramón es médico, pero no trabaja.

Obsérvese que la coordinación no rompe la independencia de la oración simple, a pesar de que dos oraciones sean integradas en una unidad superior o se economice en el uso de algunas funciones (por ejemplo, en el segundo ejemplo anterior, el sujeto, *Ramón,* se omite en la oración de *trabaja*).

2.º La *condensación* es un recurso sintáctico consistente en la *subordinación*.

● Mediante la subordinación relacionamos dos oraciones incrustando una dentro de otra:

Recuerdo. He visto a Luis = *Recuerdo haber visto a Luis.*

Además, en este caso una de las oraciones realiza una función oracional dentro de la jerarquía oracional superior:

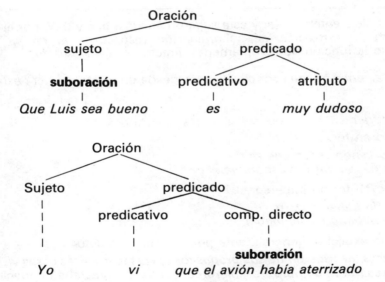

IV. La oración compleja

1. ¿Qué es una oración compleja?

Una oración es compleja siempre que una o más de las funciones oracionales sean realizadas por otra oración, que hemos llamado *suboración*. Son, pues, oraciones complejas:

Que estaba enfermo era obvio.
Recuerdo que el niño no dijo eso.

Como dice el cartel, la tienda está cerrada.
Si hace sol, iremos de paseo.

2. Clases de oraciones complejas

La oración compleja puede constar de más de una *suboración,* como se refleja en los siguientes ejemplos:

Me pregunto | si te atreves a decirme | por qué piensas | que no es verdad

d

c

b

a

La oración compleja entera es (a) y está superordenada a **b, c** y **d**. Y, por el contrario, **b, c** y **d** están en relación de subordinación respecto a **a**, en su conjunto, desempeñando la función de complemento directo de *me pregunto.*

Las *suboraciones* pueden ser clasificadas desde un punto de vista *estructural y funcional:*

1.º *Estructuralmente* se pueden distinguir *suboraciones:*

● de verbo en forma personal:

Temo que venga antes que tú.
Que haya hecho sol era esperable.

● de verbo en forma impersonal:

No recuerdo haberlo visto.
Hablar en público es saludable.

● sin verbo explícito, generalmente por carecer de sujeto:

Así las cosas, desistieron de sus propósitos (=«Estaban así las cosas y...»).
Impacientes por la demora, rompieron el contrato (=«Estaban impacientes por la demora y...»).

2.º *Funcionalmente,* las *suboraciones* pueden ser clasificadas según la función que desempeñan en la estructura de la oración en que se insertan:

● suboraciones - sujeto:

Que hagas ejercicio físico es saludable.

● suboraciones - complemento directo:

Dijo que lo había perdido todo.

● suboraciones - complemento indirecto:

Regalo mi lápiz a quien lo necesite.

- suboraciones - complemento circunstancial:

*Hablo de política **con quien me pregunta**.*

- suboraciones - atributo:

*Eso es **luchar por un ideal noble**.*

V. Las oraciones coordinadas u oración compuesta

Formalmente, una **oración compuesta** consiste en la unión de dos o más oraciones por medio de *coordinación*. Cada una de ellas conserva su rango jerárquico, es decir, permanecen independientes, sin que ninguna se inserte o incruste en otra. Ello no obstante, también pueden formar o pertenecer a una unidad superior, denominada *período* o *párrafo,* y ser objeto de estudio de la «gramática del texto».

La coordinación de oraciones

Por lo tanto, la *coordinación oracional* puede definirse como un procedimiento formal consistente en relacionar, mediante unión externa, dos o más oraciones simples o complejas:

Simples:

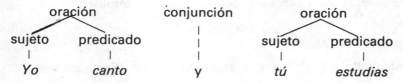

Complejas:

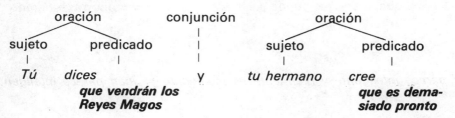

La *coordinación* viene señalada por medio de formas coordinantes como **y, o, pero**, etc. Téngase en cuenta que dichas formas pueden coordinar tanto dos o más oraciones simples, como una o más oraciones simples con otra u otras complejas, o bien dos oraciones complejas (como se vio en el último ejemplo).

VI. Sustitución y elipsis

La lengua tiende a una mínima economía en el uso de las formas; de ahí que para evitar la repetición innecesaria de estructuras se utilicen dos procedimientos eficaces: *la sustitución* y *la elipsis*.

1. La sustitución

Este proceso sintáctico consiste en la conmutación total o parcial de la estructura de la oración anterior por los pronombres **sustitutos** o por una **proforma** oracional. Así:

María dijo que **María estaba acatarrada.*

se simplifica en:

*María dijo que **(ella)** estaba acatarrada.*

donde **María** es sustituida por **ella** o, simplemente, omitida si el contexto no da lugar a una posible ambigüedad en la interpretación de quién es el sujeto de la suboración. De la misma manera:

*Paula **viajó a Madrid** y Marta **viajó a Madrid**.*

La primera estructura del GV es sustituida por una proforma:

*Paula viajó a Madrid y Marta **también**,*

donde parte de la estructura oracional se sustituye por **también**.

En el contexto oracional:

*—¿Vino Paula?   —**No**.*

la proforma oracional **no** sustituye a la segunda oración *(Paula no vino)*.

En español se puede recurrir a las siguientes proformas oracionales:

1.º Un GN, que, a su vez, puede ser sustituido por un pronombre personal **(él, ella, ellos...).**

2.º Un GAdj, a su vez, sustituible por **lo**:

*Juan parece inteligente y realmente es inteligente = Juan parece inteligente y realmente **lo** es.*

3.º Una oración completa puede ser reproducida por un adverbio **(sí, así...)** o por el pronombre **ello**:

*—¿Ha venido el cartero?   —**Sí**.*
*Hizo una operación óptima en la bolsa y **ello** (=Hizo una operación...) me alegra.*

2. La elipsis

Es un proceso mediante el cual se puede prescindir de algunas estructuras sintácticas fácilmente reconstruibles con la ayuda del contexto:

Juan compró un ordenador y Luis compró un vídeo = Juan compró un ordenador y Luis un vídeo.

La diferencia entre el proceso de **sustitución** y el de **elipsis** es que este último no deja huella formal *(proformas),* sino un espacio **vacío**. Por lo tanto, la condición para que se dé elipsis es que el vacío sea fácilmente reconstruible a través del contexto. Este hecho hace el tema extremadamente complejo de analizar y escapa a los objetivos de estas páginas. La elipsis puede afectar:

1.º Al sujeto:

La juventud ama la libertad, pero (...) no la respeta tanto.

2.º Al sujeto y parte del predicado:

Nosotras deseábamos ir a Madrid y (...) visitar el Museo del Prado.

3.º Al predicado:

Mis amigos fueron a León y sus padres (...) a Valencia.

4.º Al predicado y al complemento:

Picasso fue famoso en este siglo y Goya (...) en el anterior.

I. La oración y el proceso de comunicación

En cualquier acto de comunicación lingüística están implicados el *código,* el *emisor* y el *receptor.* De ahí que la estructura oracional vaya siempre acompañada, en la comunicación real, de lo que denominamos *modalidad oracional*, que no es sino la finalidad comunicativa que una estructura lingüística adopta en el acto concreto de la comunicación.

Podemos distinguir dos tipos de modalidades oracionales:

● modalidades *obligatorias.*
● modalidades *facultativas* u *opcionales.*

1.° **Modalidades oracionales obligatorias:**

Son recursos fónicos que el hablante debe combinar con las estructuras sintácticas a fin de que éstas cumplan los objetivos comunicativos. Pueden clasificarse en cuatro tipos:

● *Modalidad declarativa,* cuya finalidad es informar sobre un hecho, persona o cosa.

● *Modalidad interrogativa*, cuya finalidad es pedir o requerir información sobre personas o cosas.

● *Modalidad imperativa,* cuya finalidad es mandar u ordenar la ejecución de algo.

● *Modalidad exclamativa,* cuya finalidad es expresar la afectividad del hablante respecto a personas, cosas o hechos.

2.° **Modalidades oracionales facultativas u opcionales:**

Son procedimientos sintácticos que afectan a la cualidad del mensaje emitido y pueden aparecer en combinación con las modalidades obligatorias. Son de dos tipos:

● La negación.
● El énfasis, que tiene como objetivo el resaltar algún elemento de la oración por razones comunicativas o estilísticas.

1. Oraciones declarativas o enunciativas

1.1. Son aquellas en las que afirmamos o negamos la realidad o posibilidad de un hecho. En el primer caso, utilizamos el modo indicativo; en el segundo, el potencial:

Luis tiene cuarenta años.
Pedro tendría cuarenta y dos años.

El hecho que se expresa como real o posible puede no serlo, pero esto no influye en el modo de la declaración o enunciación; basta con que el hablante lo enuncie como tal.

1.2. La pronunciación de este tipo de oraciones se caracteriza por una curva melódica con cadencia final:

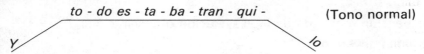

to - do es - ta - ba - tran - qui -   (Tono normal)

y   lo

Si la enunciación del mensaje tiene dos grupos fónicos, el primero de ellos acaba en curva ascendente y el segundo en curva descendente:

pu - so el - sol ╱ nos - mar - cha -   (Tono normal)

Se   y   mos

1.3. Estos grupos suprasegmentales pueden ir también acompañados o complementados por elementos morfológicos que actúan como refuerzo de la aseveración afirmativa, negativa o hipotética:

a) Refuerzo de la declaración afirmativa:

● mediante adverbios:

ciertamente	*efectivamente*
evidentemente	*exactamente*
francamente	*indudablemente*
lógicamente	*naturalmente*
realmente	*verdaderamente*
precisamente	

● mediante locuciones adverbiales:

a decir verdad	*claro (que)*
con toda seguridad	*de veras*
de verdad	*en efecto*
en realidad	*en verdad*
la verdad que	*lógico*
por cierto	*por supuesto*
sin duda	*sin lugar a duda*

b) Refuerzo de la declaración negativa:

● mediante adverbios:
nunca
jamás

- mediante locuciones adverbiales:

   en mi vida
   en parte alguna
   en absoluto
   etc.

- mediante pronombres negativos:

   nada
   nadie
   ninguno

c) Suspensión motivada de la aseveración o declaración:

- mediante adverbios:

   difícilmente
   posiblemente
   probablemente
   seguramente

- mediante locuciones adverbiales:

   a lo mejor
   casi seguro
   quizás
   tal vez

1.4. Estructuralmente, las oraciones declarativas se caracterizan:

a) Por la presencia de todos los elementos básicos de la oración en su enunciación *(sujeto y predicado)*:

Juan escribe.

b) Por seguir un orden lógico determinado, de acuerdo con el esquema **sujeto - predicado - complemento.**

c) Por valerse de los tiempos del modo indicativo:

- para aseverar la realidad de algo:

*El día no **está** lluvioso.*
*Ricardo no **escribió** una carta.*

- para indicar posibilidad y probabilidad en el presente y pasado inmediato:

   ***Serán** las doce* (=probablemente...).
   ***Estarán** en casa* (=probablemente...).
   *Tus amigos **habrán** llegado **ya*** (=probablemente...).

- para expresar probabilidad y posibilidad de un hecho pasado o futuro:

   ***Serían** las doce* (probablemente...).
   ***Viviríais** muy contentos en ese país* (posiblemente...).
   *Nunca me lo **habría imaginado*** (probablemente...).

- para indicar duda atenuada:

   *Tal vez **se han enterado ya.***
   *Quizá no **volverá.***

- para expresar cortesía:

Quería ver al director (=querría...).

d) Por usar los tiempos del modo subjuntivo:

- para referirse hipotéticamente a algo, dadas unas determinadas circunstancias:

> **Hubiera estado** más tiempo de vacaciones, si el tiempo hubiera sido bueno.
> (Con presiones bajas), **hubiera llovido** más.

- para subrayar una duda o suspender la aseveración sobre la realidad:

> Tal vez **conozcas** a este hombre.

Nota.-Con adverbios **de duda**, las formas en **-ría** (potencial) y en **-ra, -ese** (subjuntivo imperfecto) muestran cierta equivalencia:

> Tal vez **sería/fuera/fuese** cierta la noticia.

1.5. Oraciones declarativas negativas

Más que constituir un grupo aparte dentro de las oraciones declarativas, contienen un conjunto de peculiaridades derivadas del uso de partículas negativas. El español se vale de dos tipos de elementos negativos:

a) Los originariamente negativos:

No:	**No** salí de casa.
Ninguno:	**Ninguno** lo vio.
Nunca:	**Nunca** lo dijo.
Sin:	Tropezó **sin** querer.
Sin que:	Pasó la noche **sin** que mejorara.

b) Los que no son etimológicamente negativos:

nada   nadie
jamás   en mi vida
en parte alguna
etc.

Estas palabras o locuciones adquirieron significación negativa a fuerza de uso en frases que ya contenían la partícula **no:**

> **No** tengo **nada**.   **Nada** tengo.

Nota.—Las palabras no etimológicamente negativas conservan su valor positivo cuando están reforzando al **no,** excepto **nunca:**

jamás = ya más
nada = todas las cosas existentes
nadie = todas las personas nacidas
ninguno = ni uno

c) La partícula **no:**

1.º Por regla general, precede al verbo:

*Eso **no** es verdad.*

No obstante, suelen interponerse entre la negación y el verbo elementos como:

● los pronombres átonos:

*No **se** sabe lo que pasó.*
No lo quiere decir.

● el grupo o suboración afectado por la negación:

*No **a todos** es dado expresarse bien.*
*No **porque aprobase** merecía tal nota.*

2.º La colocación de **no** puede influir en el significado de la oración:

*La gramática **no** puede aprenderse bien en la niñez*
    (se niega la *posibilidad* de aprenderse bien la gramática).

*La gramática puede **no** aprenderse bien en la niñez*
    (se afirma como *posible* el no aprenderla bien).

3.º Precedido de la conjunción **que** con valor comparativo, **no** pierde su valor negativo:

*Más quiero exponerme a sus críticas **que no** resignarme a estar callado.*

4.º Seguido del adverbio **sólo,** la negación afecta a este adverbio, pero no al verbo; en consecuencia, la oración es afirmativa:

***No sólo** le gusta, sino que la quiere por esposa.*

5.º Después de **no** pueden utilizarse:

● los reforzadores adverbiales **nunca** y **jamás:**

No** lo he visto **nunca.
***No** lo he visto **jamás**.*

● los pronombres indefinidos **ninguno, nadie, nada:**

No** he visto a **ninguno.
No** ha engañado a **nadie.
No** ha hecho **nada.

● las locuciones con significado absoluto: **en mi vida, en toda la noche,** etc.:

No** lo he visto **en mi vida.
No** he dormido **en toda la noche.

6.º **Nada, nadie** se utilizan a veces con su sentido originario positivo:

*¿Crees que **nadie** lo sabe?*
*No espero que se logre **nada** por ese camino.*

Por analogía, se ha extendido el mismo uso a las palabras originariamente negativas:

Ésta es la obra más notable que hombre ninguno (=alguno) haya realizado en su vida.

7.º En una oración pueden concurrir varias negaciones sin que se pierda el carácter negativo de aquélla:

No pide **nunca nada** a **nadie.**

Pero si una de las palabras es **no,** ésta y sólo ésta debe preceder al verbo. En caso contrario, los matices negativos varían según el elemento que precede al verbo, como se aprecia en estos ejemplos:

Nunca pide **nada** a **nadie.**
A **nadie** pide **nunca nada.**
Nada pide **nunca** a **nadie.**
Jamás a **nadie** regaló **nada.**

8.º Los elementos negativos que intervienen en la oración han de tener valores diferentes. Así ocurre si participan **nada** (negación de cosa), **nadie** (negación de persona), **nunca** (negación de tiempo) y **no** (negación). Se exceptúa la combinación *nunca jamás* porque **jamás** no hace sino reforzar a **nunca,** al igual que ocurre con *por siempre jamás,* donde **jamás** refuerza a **siempre.**

9.º Pero, en ocasiones, dos negaciones equivalen a una afirmación, como ocurre:

• si una negación pertenece al verbo subordinante y otra al subordinado:

No puedo **no** admitirlo *(=Tengo que admitirlo).*

• si **no** precede a **sin** o a términos con los prefijos **des-, in-, a-:**

Lo hizo **no sin** *dolor por su parte.*
Lo hizo **no des***interesadamente.*

10.º En el lenguaje coloquial y familiar suelen usarse con frecuencia palabras asociadas a un valor cero o mínimo: **bledo, comino...:**

Le importa **un bledo** *=(Esto) no importa nada/en absoluto.*

11.º En las oraciones interrogativas, **qué** equivale a **nada; quién** a **nadie; dónde** a **ninguna parte; cuándo** a **jamás; cómo** a **de ningún modo:**

*De la pasada edad, ¿***qué** *me ha quedado?* (=Nada me ha quedado de...).
*¿***Cómo** *iba a pensar yo que vendrías hoy?* (= De ningún modo pensaría...).

1.6. Realizaciones de las oraciones declarativas

En contextos concretos, las oraciones declarativas pueden realizarse:

a) Como imperativas:

Estarás a las 12 en casa (=Estáte a las 12...).

b) Como interrogativas de duda o posibilidad:

Ignoro lo que habrá ocurrido (=¿Qué habrá ocurrido?).
Es probable que sean las dos (=¿Qué hora será?).

c) Como exclamativas:

La sopa está muy caliente (=¡Qué caliente está la sopa!).

2. Oraciones interrogativas

2.1. En términos generales, las oraciones interrogativas se usan para «preguntar algo que se ignora». No obstante, en ocasiones puede utilizarse la estructura interrogativa sabiendo ya previamente la respuesta, afirmativa o negativa, por lo que dicha afirmación o negación cobra un valor enfático:

¿No es verdad que la conciencia nos dicta esta conducta?

2.2. Desde el punto de vista fonológico, las interrogativas se caracterizan por una curva melódica con final ascendente, especialmente si se inicia la pregunta con el verbo:

(Tono normal)

La curva final puede ser también descendente, especialmente si se inicia la pregunta con un pronombre interrogativo:

(Tono normal)

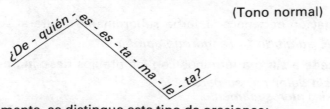

2.3. Sintácticamente, se distingue este tipo de oraciones:

a) Porque el sujeto se pospone al verbo:

*¿Has sido **tú**?*

incluso si la oración se inicia con un pronombre interrogativo:

*¿Quién es **tu profesor**?*
*¿Qué esperas **(tú)** del examen?*

b) Por admitir tanto las formas de indicativo como de subjuntivo:

¿Qué hora es/será/sería...?
*¿Quién **se hubiera atrevido** a hacerlo?*

c) Si se formulan preguntas sobre la conformidad o disconformidad respecto a lo preguntado, es frecuente que el orden propio de las interrogativas se cambie por razones de énfasis, equivaliendo la oración a una declarativa:

¿Ustedes están conformes? = ¿Están ustedes conformes?

con la diferencia de que el primer ejemplo pone el énfasis en **ustedes,** mientras que el segundo es neutro respecto a la enfatización de cualquiera de los elementos oracionales.

d) La formulación de ciertas interrogativas implica respuesta negativa:

De la pasada edad, ¿qué ha quedado? (=Nada).
¿Cómo pudimos imaginarlo? (=De ninguna manera).

2.4. Realización de las oraciones interrogativas

Al igual que ocurre con las declarativas, las interrogativas pueden adquirir determinados valores dependiendo del contexto en que se formulan:

● Valor exclamativo:

¿No es maravilloso? = ¡Qué maravilloso!

● Valor imperativo:

¿De qué te ríes? = No te rías de nada.

● Valor declarativo:

¿No sería mejor irnos? = Es mejor que nos vayamos.

● Valor interrogativo retórico:

¿Qué hacer?

Esta oración no exige una respuesta por parte del oyente, porque se da por supuesto que no se conoce o no se sabe. Además, ha de tenerse en cuenta que este tipo de interrogativas **retóricas** no actúa sobre un oyente, sino realmente sobre el mismo sujeto que las formula (*¿Qué hago/he de hacer yo?).*

2.5. Elemento interrogativos

a) Quién

Su utilización tiene como objetivo la identificación de nombres contables de persona. Presupone una respuesta afirmativa de carácter declarativo:

—*¿Quién llama? -* **Juan.**

o una oración ecuativa:

—*¿Quién llama? -* **Juan es el que llama.**

Las formas correlativas de **quién** son **alguien, nadie, cualquiera, uno, alguno, ninguno.**

b) Qué

Su uso implica respuestas con la participación de nombres incontables en estructuras de carácter atributivo. Es catafórico, es decir, hace referencia a algo que seguirá después:

—*¿**Qué** es Luis? - Es* **médico.**

Compárese este ejemplo con:

—*¿**Quién** es Luis? - Es* **el médico** *del pueblo.*

Las formas correlativas de **qué** son **algo, nada, todo, mucho, poco.**

● Como pronombre anafórico sustituye a un Grupo (Nominal, Verbal...):

Ocurrió **una desgracia** *- ¿**Qué** ocurrió?*

● Como adjetivo determinativo identifica al nombre:

*Ésta es **una piedra** - ¿**Qué** piedra es ésta?*

● A veces, equivale a un pronombre neutro indefinido:

*No sé **nada** - ¿**Qué** sé yo?*

Desde el punto de vista semántico, **qué** es siempre definidor, como puede apreciarse en cada uno de los ejemplos anteriores:

● Se define lo que es Luis (médico).
● Se define lo que ha ocurrido (una desgracia).
● Se define lo que es la piedra (una...).
● Se define lo indefinido (nada).

c) Cuál

Cuál es un signo eminentemente discriminador respecto a lo que se aplica:

—*¿**Cuál** es la casa en que vive?*
—***La casa** en que vive es este palacio.*

Contrástese con este otro ejemplo:

—*¿**Qué** es la casa en que vive?*
—*Es un **palacio**.*

Nota.—Usos de **cuál** y **qué**:

● Se usa **cuál**:

1.º Si el pronombre interrogativo va seguido de **preposición** + **nombre en plural**:

*¿**Cuál de las dos ciudades** te gusta más?*

frente a:

*¿**Qué ciudad** te gusta más?*

2.º Si va seguido de una disyuntiva con nombres contables:

*¿**Cuál** es mejor, mi **coche** o el tuyo?*

mientras que con nombres abstractos se usará **qué**:

*¿**Qué** es mejor, el **sufrimiento** o la **alegría**?*

● Se usa **qué**:

1.º Ante nombres tanto contables como incontables en singular y sin preposición:

*¿**Qué ciudad** prefieres?*
*¿**Qué café** te gusta más?*

2.º Ante verbos:

*¿**Qué harás** hoy?*
*¿**Qué estudias** a estas horas?*

Cuál, en la actualidad, sólo se usa pronominalmente. Es raro el uso adjetivo como en:

*¿**Cuál libro** prefieres?*

d) Cuánto

● Se usa como pronombre, referido tanto a cosas como a personas, para preguntar por la cantidad, número o grado, con valor **catafórico**:

¿Cuánto cuesta este libro?
¿Cuántos llegaron a la meta?

● Como adjetivo determinante aparece tanto con **nombres contables** como con **incontables**:

¿Cuántos coches tienes?
¿Cuánta alegría eres capaz de reflejar?

Puesto que es un pronombre de cantidad, puede responderse a la pregunta formulada con él utilizando adverbios también de cantidad (**mucho, poco...**).

Nota.—Utilizado como adverbio, **cuánto** es exclamativo.

e) Dónde

Este pronombre relativo, de carácter **catafórico**, se usa:

● ante **verbos que indican quietud, reposo o circunscripción a un espacio/lugar**:

¿Dónde duerme el niño?
¿Dónde trabajamos esta tarde?

Con este valor, admite sólo la preposición **en** (*¿En dónde...?*, pero no **ante, sobre, con**.

● ante verbos de **movimiento**:

Si se pregunta por el término hacia donde se dirige el movimiento, es más frecuente utilizar **adónde**:

¿Adónde vas? (=a qué lugar...)

Si se pregunta por otras circunstancias, se prefiere **dónde,** precedido de las preposiciones **de, por, hacia, hasta**:

¿Hasta dónde llega la carretera?

f) Cómo

Este pronombre relativo asume valores diversos:

● de complemento circunstancial de **instrumento**:

¿Cómo lo hicieron? (con una máquina...).

● **de modo**:

¿Cómo escribe? (a máquina).

Cómo sólo se usa con preposición para preguntar por el precio:

¿A cómo están las naranjas?

Puesto que es un elemento modal, a la pregunta con **cómo** puede contestarse con adverbios de modo, como **bien, mal,** etc.

g) Cuándo

Reproduce grupos nominales de **tiempo** y puede ir precedido de preposición:

¿Desde cuándo trabajas?
¿Cuándo llega el avión? (=¿A qué hora...).

La respuesta a este tipo de interrogativas con **cuándo** puede venir dada con adverbios de tiempo como **hoy, ayer, nunca,** etc.

3. Oraciones imperativas

3.1. Son estructuras oracionales utilizadas para indicar **mandato, prohibición, exhortación, deseo, permiso** o **ruego**. La acción se enfoca o concentra, pues, sobre el interlocutor o un tercero:

Ven pronto.
No lo dejes para mañana.
Que tengáis buen viaje.

En su realización se dan matices de importancia. Una orden, por ejemplo, no suele ser tan perentoria respecto al cumplimiento como lo es un mandato.

3.2. Las oraciones imperativas se caracterizan por una curva de entonación ligeramente ascendente primero, para acabar descendente después:

Ven - a - las - cin - co   (Tono normal)

3.3. Estructuralmente, se caracterizan:

a) Por la no aparición del sujeto léxico en la mayoría de los casos:

Ven (tú) a las cinco.

b) Por la secuencia «V + (GN)», nunca a la inversa:

Ven.

Pero no:

*Tú ven,

que sería declarativa y además incorrecta.

Nota.-Tanto **tú** como **vosotros** sólo se combinan con la terminación propia de 2.ª persona singular o plural (**-s** e **-is,** respectivamente).

c) Por no poder combinarse con la negación, y por utilizar en su lugar las formas de subjuntivo:

*No ven.
No vengas.

d) Por no admitir pronombres átonos antepuestos:

*Lo contad.
Contadlo.

e) Por no admitir subordinación:

*Dijo que ven.
Dijo que vinieras.

f) Por usarse en un tiempo y modo especiales, con desinencias peculiares para la 2.ª persona singular y plural únicamente:

singular: **-ø.**
plural: **-d.**

g) Por indicar sólo tiempo presente:

Escribe (=ahora).

Si queremos expresar otro momento temporal, es preciso recurrir a los adverbios que señalan tales espacios temporales:

Escribe mañana.
Escribe siempre.

3.4. Usos de las oraciones imperativas

a) Las oraciones de imperativo se utilizan para dirigirnos a una segunda persona de igual o de inferior categoría o poder, con la cual mostramos cierta confianza:

Dímelo todo.
Cuéntame esa historia.

Si la persona a la que nos dirigimos está considerada de rango superior, ya sea por razón de edad o autoridad, o si no se da confianza respecto a ella, recurrimos al presente de subjuntivo en tercera persona:

Baje usted despacio.
Cuídese mucho.

Nótese que en el habla coloquial se expresa un mandato contundente recurriendo también al presente de indicativo:

*Tú te **callas**.*
*Tú ya te **estás** marchando de aquí.*

b) Para expresar un mandato con validez atemporal, es decir, en cualquier tiempo y lugar, suele usarse la forma de futuro en segunda persona:

Tú vendrás mañana y pasado y todos los días.
Amarás a tu prójimo.

c) En el habla coloquial poco esmerada es frecuente el uso del infinitivo, tanto para mandatos como para exhortaciones:

¡Callar todos!
Venir pronto a verme.

Este mismo valor tiene el infinitivo precedido de **a**:

¡A callar!
¡A cenar!

d) Para suavizar la aspereza de un mandato o para expresar el deseo de algo con cierta modestia y con cortesía suele recurrirse a:

- Los verbos **querer, desear** en forma de condicional o de imperfecto de subjuntivo + infinitivo:

Quisiera *decirle algo.*
Querría *pedirle un favor.*

- La locución **por favor** seguida de imperativo o subjuntivo presente:

Por favor, dígale *que calle.*
Por favor, *que* **venga** *pronto.*

3.5. Realización de las oraciones imperativas como desiderativas

Este tipo de oraciones expresa un deseo, tanto realizable como irrealizable. La estructura oracional desiderativa se caracteriza:

a) Formalmente, por ir precedida de las marcas siguientes:

- **Que:**

Que *te vaya bien.*
Que *venga.*

- **Ojalá, ojalá que:**

Ojalá *te toque la lotería.*
Ojalá que *llegue a tiempo.*

- **Así:**

Así *te ayuden a ti.*
Así *Dios te oiga.*

b) Estructuralmente:

- Porque se prefiere el orden V + GN:

Que **vengan todos** (y no *Que todos vengan*).
Ojalá **apruebe mi hermana** (en vez de *Ojalá mi hermana apruebe*).

- Porque se usa el subjuntivo presente para expresar un deseo *realizable* respecto al momento en que se habla:

Despiértenme *los pajarillos y los rayos del sol.*
Ojalá **llueva**.

- Porque se utiliza el imperfecto de subjuntivo para expresar un deseo *irrealizable o de difícil consecución,* no referido a tiempo pasado:

*¡**Muera** la violencia!*
__Diera__ yo mi vida por salvarlo.
*¡Ojalá **lloviera** pronto!*

Nota.—Estas oraciones se realizan frecuentemente como exclamativas:

¡Que Dios le oiga!
¡Silencio!

3.6. Realización de las oraciones imperativas como exhortativas:

La exhortación es un mandato atenuado con forma desiderativa, apenas diferenciado de las desiderativas. Se expresa también mediante la forma de subjuntivo:

*Que **pase**.*
*Que no se **repita**.*

4. Las oraciones exclamativas

4.1. Expresan el estado de ánimo del hablante respecto al mensaje emitido:

¡Qué estatua tan bonita!   (=La estatua es muy bonita para mí).
¡Qué pena!   (=Siento pena).

4.2. En la pronunciación, se caracterizan por una curva entonativa ascendente, iniciada por encima del tono normal de voz, para acabar de manera bastante brusca, en curva descendente:

(Tono normal)

Este rasgo suprasegmental es el que mejor diferencia las oraciones exclamativas encabezadas por las partículas.

Quién: *¡A quién se lo fuera a decir yo!*
Qué: *¡Qué bien lo pasamos!*
Cuál: *¡Cuál le dejaron los ladrones!*
Cuánto: *¡Cuánto me alegra oírte!*
Cómo: *¡Cómo llorabas!*

También se dan otras estructuras exclamativas con lo $+ \dfrac{\text{adj}}{\text{adv}} +$ que:

*¡**Lo fuerte que** eres!*
*¡**Lo bien que** lo hace!*

4.3. Algunas oraciones exclamativas se diferencian de las declarativas sólo en la curva tonal:

¡Parece mentira que se haya arruinado tan pronto!

4.4. Estructuralmente, se caracterizan por la ordenación GV + GN.

Aunque pueden darse dos realizaciones:

● *plena,* en la que aparecen los dos componentes anteriores:

*¡Lo que **sabe** Juan!*
*¡**Irme** yo con él!*

● *elíptica,* con la supresión de algún elemento:

*¡Qué bello día! (=El ocaso **es** bello).*

4.5. Formas y usos

● **Qué** se diferencia de la misma forma interrogativa porque señala grado y no identifica:

*¡**Qué** bello (=Es **muy** bello).*

● **Qué** ocupa el lugar de un determinante.

● **Cuánto** (sin preposición) puede equivaler:

1.º A un GN:

*¡**Cuánto** sabe Juan (=Las muchas cosas que sabe Juan).*

2.º A un determinante que, como tal, identifica o intensifica:

*¡**Cuánto** dinero has gastado en vicios! (=El dinero que has gastado en vicios).*

3.º A un adverbio:

*¡**Cuánto** me divertí (=Me divertí mucho).*

Cuánto puede ir precedido también de preposición:

*¡**A cuánto** obliga el amor!*
*¡**Con cuánto** dinero contáis!*

Con esta forma puede utilizarse tanto el indicativo como el subjuntivo:

*¡Cuánto mejor **hubiera sido** no haber venido!*

● **Cuán** es un intensificador de grado de un adjetivo o adverbio:

*¡**Cuán silencioso** venís!*   *(=Venís muy silencioso).*
*¡**Cuán bien** lo pasé!*   *(=Lo pasé muy bien).*

Estas estructuras equivalen a una oración de relativo con **lo** + **que** en la que el adjetivo o adverbio modificados se colocan entre ambos elementos:

*¡**Lo** silencioso **que** venías!*
*¡**Lo** bien **que** lo pasé!*

● **Cómo** equivale a un adverbio:

*¡**Cómo** llorabas (=**Lloraba mucho**).*

4.6. **Semánticamente,** las exclamaciones expresan la actitud del hablante respecto al mensaje emitido. En este sentido:

- equivalen a una construcción en grado superlativo:

*¡**Qué** valor tiene! = Tiene muchísimo valor.*

- no pueden expresarse en forma negativa:

¡Qué **no bello es!*

En su defecto, la lengua recurre a otros adverbios, como **poco, mal**...:

*¡**Qué poco** alegre es Juana!*
*¡**Qué mal canta**!*

4.7. Realizaciones de las oraciones exclamativas:

En algunos contextos, las exclamativas pueden equivaler a una declarativa negativa:

*¡**Qué** me dices! = No me digas eso.*

o a una oración imperativa atenuada:

*¡**Qué** sabrosa carne! = Sírvame otro (filete), por favor.*

I. Definición

Como ya se explicó en páginas anteriores, la oración está compuesta de dos grupos esenciales: el GN y el GV, que desempeñan una *función* propia: la de sujeto y de predicado, respectivamente.

Recordemos que el GN puede estar constituido por una suboración:

Quien calla, *otorga.*

pero no así el verbo. En el ejemplo anterior, **otorga** nunca podrá ser sustituido por otra oración equivalente.

Sin embargo, sí pueden ser sustituidos por una suboración los constituyentes inmediatos obligatorios que integran el GV (los grupos en función de complemento directo e indirecto):

*Dio pan **a los que lo necesitaban**.*
*Dijo **que vendría**.*

Así podemos esquematizarlo en el siguiente diagrama arbóreo:

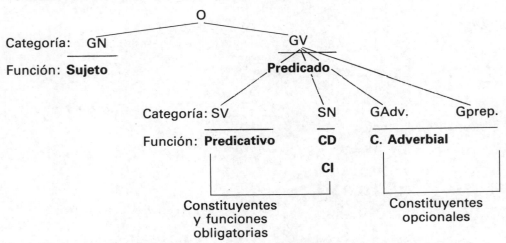

El GN del predicado, en el esquema anterior, puede ser realizado por una suboración; hablamos entonces de una oración **compleja sustantiva**. Ése es el caso, también, de las suboraciones adjetivas que funcionan como sujetos, complemento directo o indirecto:

*No me gusta **lo que dices**.*
*Dio un premio a los **que destacaron más**.*

Se habla en estos casos de oraciones de relativo con función sustantiva.

1. Caracterización funcional

La oración compleja se caracteriza *funcionalmente:*

1.º Por relacionar una suboración-sujeto con un GV:

El que diga tal cosa, *está mintiendo.*

    Sujeto   +   GV

2.º Por relacionar, dentro del GV, un verbo con constituyentes obligatorios (C. directo o indirecto) o un GN con un atributo (=*oraciones complejas sustantivas o de relativo*):

Nos reveló **que había sido el ladrón.**
Habló **a quien nunca debería haber hablado.**
La solución es **que no aparezcáis por aquí.**

3.º Por relacionar suboraciones del GN con suboraciones del GV:

Me trae sin cuidado que hayas decidido *no hacer ese trabajo.*

2. Caracterización estructural

En la oración **compleja sustantiva** existe una interdependencia en virtud de las relaciones que se establecen entre elementos obligatorios o constantes. Cuando, por el contrario, se añade otro constituyente opcional, cual es el *Grupo Adverbial,* realizado por una suboración, entonces se relaciona un constituyente obligatorio con un constituyente opcional y se establece otro tipo de relación, con características sintácticas y semánticas diferentes. Hablamos entonces de *oraciones complejas adverbiales.*

2.1. Mientras en las complejas sustantivas los elementos relacionados son jerárquicamente iguales, además de obligatorios, en las complejas adverbiales no se relaciona un GN con el GV, ni un GV con el SN C. directo o indirecto, sino un elemento obligatorio (VG predicado) con un elemento opcional (Grupo adverbial), jerárquicamente inferior y realizado por una suboración. De ahí que el resultado sea una relación entre una oración plena con otra oración no plena, de un predicado con otro predicado dependiente o **subpredicado:**

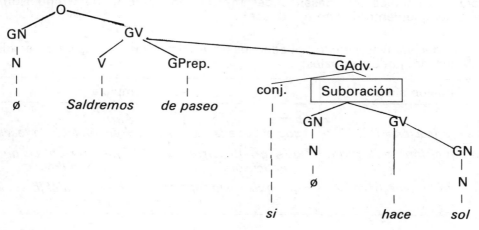

Se trata, por tanto, de una oración **compleja**, ya que la función adverbial está realizada por una suboración; y **adverbial**, porque la suboración expresa una manera de realizarse otro predicado *(... si hace sol)*.

3. Tipología

Entre la oración simple y la compleja sustantiva existe un paralelismo formal y estructural. Tan sólo varían los modos y, a veces, los tiempos, debido a las restricciones en la correlación de éstos.

Las oraciones complejas sustantivas pueden ser también clasificadas como:

— declarativas
— interrogativas
— volitivas
— exclamativas

Las complejas se distinguen de las simples en que aquéllas suelen carecer de rasgos suprasegmentales distintivos, elementos que son suplidos por adverbios y verbos.

II. Oración compleja sustantiva

1. La oración compleja declarativa

1.1. Expresa, mediante simple **enunciación,** el contenido de actos del entendimiento (hechos o ideas abstractas). Formalmente suelen venir marcadas por **que** después de verbo:

*No entiendo **que** llegue tan tarde.*

1.2. Las complejas declarativas son transposiciones o «ampliaciones» de oraciones declarativas simples que pasan a desempeñar una función de Grupo Nominal (sujeto, complemento directo o indirecto).

1.3. Las declarativas simples pueden pasar a complejas y conservan la misma correlación de modos verbales:

Oración simple	Oración compleja	
	Afirma...	*Afirmó...*
Yo sé la lección	*que él sabe la lección*	*que él sabía la lección*
Con anticiclón no llovería	*que no. llovería con anticiclón*	*que con anticiclón no habría llovido*
Quizá yo lo sepa hacer	*que quizá él lo sepa hacer*	*que quizá él lo supiese hacer*

1.4. Las complejas declarativas suelen llevar elementos léxicos de **refuerzo** (adverbios en **-mente**, locuciones adverbiales) para expresar matices semánticos de

a) Evidencia:

indudablemente
naturalmente
lógicamente
seguramente
con toda seguridad
por supuesto
sin duda, sin lugar a duda

Naturalmente que *él sabía lo que hacía.*
Por supuesto que *dijo lo que quería decir.*

También pueden ir encabezadas por construcciones verbales como:

$$\left.\begin{array}{l} \textit{es claro} \\ \textit{está claro} \\ \textit{es lógico} \\ \textit{es evidente} \\ \textit{es seguro} \\ \text{etc.} \end{array}\right\} + \textit{que}$$

b) Opinión ponderada. Matizan o ponderan la significación del predicado. Suelen ir reforzadas con adverbios en **-mente** o locuciones como:

realmente
verdaderamente,
ciertamente
efectivamente
en realidad
francamente
de verdad
de veras
en efecto
por cierto

Dichos adverbios o locuciones adverbiales pueden ir al principio o final de la oración:

Realmente *no sé lo que pasa.*
No sé lo que pasa **realmente**.

c) Verdad objetiva. Se asegura que la aserción coincide con la realidad y no se basa en meras apariencias. Y van acompañados por adverbios como:

exactamente
precisamente
efectivamente
realmente

o por locuciones como:

> *En efecto*
> *Es verdad que*
> *La verdad es que*
> *La realidad es que*
> etc.

La verdad es que *no permite que se lo digan.*

d) Apariencia. En oposición con las oraciones anteriores, manifiestan que la afirmación o negación no se corresponde con la realidad. También pueden ir reforzadas con adverbios en -**mente**:

Teóricamente *desea que no le destinen a Cádiz.*

e) Duda o inseguridad. Dejan en suspenso la afirmación o negación. Suelen ir reforzadas con adverbios en -**mente**:

> *difícilmente*
> *posiblemente*
> *probablemente*
> *seguramente*
> etc.

Difícilmente *querrá que vayamos a verle.*

1.5. Ante la negación, las complejas declarativas presentan poca regularidad:

a) Algunos verbos exigen el subjuntivo para combinarse con la suboración, especialmente con la negación. Es un caso claro de **rección modal**. Así ocurre con verbos como:

anhelar	*dudar*	*ansiar*	*elegir*
buscar	*desear*	*implorar*	*esperar*
lamentar	*intentar*	*merecer*	*pedir*
necesitar	*procurar*	*provocar*	*proponer*
querer	*rogar*	*resistir*	*solicitar*
tolerar			

No tolero *que hables en voz alta.*
Intento *que duerma solo.*

b) Existe otro grupo de verbos que sin negación exigen indicativo y con negación admiten subjuntivo o indicativo:

*Notifica que **llegará** el viernes*, pero   no **Notifica que llegue...*
No *notifica que **llegará** el viernes*   (=se da como verdad).
No *notifica que **llegue** el viernes*   (=es posible que sea verdad *que llegue*).

La diferencia en el uso del indicativo o del subjuntivo radica en la interpretación que el hablante hace del mensaje emitido:

indicativo: se emite como verdadero.
subjuntivo: se emite como probable, con posibilidad de que sea verdad.

c) Otro grupo de verbos admite solamente indicativo, en presencia o ausencia de negación.

aclarar	*aparentar*	*apuntar*	*aseverar*
captar	*divulgar*	*mentir*	*ocultar*
olvidar	*presuponer*	*resaltar*	*transmitir*

No *olvida que* **tendrá** *que ayudarle.*
***No** *olvida que* **tenga** *que ayudarle.*

d) Finalmente, existe un grupo de verbos de **lengua** o **expresión** que:

1.° Admiten indicativo o subjuntivo + infinitivo:

acordar	*admitir*	*celebrar*	*comprobar*
decir	*decidir*	*escuchar*	*estimar*
garantizar	*indicar*	*negar*	*sentir*
sugerir	*ver*		

Veo que **dice** *la verdad.*
No veo que **diga** *la verdad.*
Veo que admite **haber comido** *demasiado.*
No veo que decida **comprar** *el piso.*

2.° O que admiten indicativo o subjuntivo, pero no infinitivo:

advertir	*avisar*	*balbucear*	*comprender*
contestar	*criticar*	*entender*	*asentir*
establecer	*fijarse*	*gritar*	*hablar*
informar	*oponer*	*repetir*	*responder*
verificar			

Advirtió que **conducía** *muy deprisa.*
No entiende que le **critiquen**.

III.   Oraciones complejas interrogativas

1.   Descripción formal

Suelen denominarse también **interrogativas indirectas** por la forma en que actúan sobre el oyente para recibir información. Se construyen:

- con verbos de **percepción,** como *saber, ver, preguntar.*
- con verbos de **comunicación,** como *decir, avisar, preguntar, entender, informar...*

Las complejas interrogativas son transposiciones de oraciones interrogativas que conservan siempre el indicativo:

Oraciones simples	Oraciones complejas interrogativas	
¿Qué pretendes? ¿Irías tú ahora?	*Pregunta...* *qué pretende él* *si iría él ahora*	*Preguntó...* *qué pretendía él* *si habría ido entonces*

2. Descripción estructural

Las complejas interrogativas se construyen:

● con partículas interrogativas: **qué, quién, quiénes, cuál, cuáles, cuánto, cuánta, cuántos, cuántas, dónde, cómo...** y el resto de partículas interrogativas.

● con **si** y modo no infinitivo:

*No sé **si llegará** Juan.*

● con **que** completivo antepuesto a una interrogativa:

*Preguntó **que** qué le iba en ello.*

Esta construcción es posible con *decir* (con el valor de *preguntar*) y con *preguntar*.

● admiten el infinitivo sólo cuando el sujeto es el mismo en las dos oraciones:

*No saben qué **decir** (ellas).*
*No ven con quién **aconsejarse** (=mis amigos).*

Nota.—Algunas estructuras equivalen a una interrogativa, aunque en la forma no aparezcan como tales. Así:

Sé al blanco que tiras.	= *Sé a qué blanco tiras.*
No sabes lo asustada que estoy.	= *No sabes qué asustada estoy.*

IV. Oraciones complejas imperativas

1. Descripción formal

Expresan mandato, prohibición, exhortación, deseo o ruego y se construyen siempre con subjuntivo, precedidas de **que**.

2. Descripción estructural

Oraciones simples	Complejas imperativas	
	Dice...	*Dijo...*
Ojalá vaya	*que ojalá vaya*	*que ojalá fuese*
Estudiarás	*que estudie*	*que estudiara/estudiase*
Ojalá hubiera ido	*que ojalá hubiera ido*	*que ojalá hubiera ido*
Vete fuera	*que vaya fuera*	*que fuese fuera*
Pasen	*que pasen*	*que pasasen*

3. Características de uso

Podemos distinguir dos tipos de oraciones complejas imperativas:

3.1. De inclinación

1.º Con verbos como *desear, imaginar, pretender, decidir, decretar, procurar, conseguir:*

- Admiten el infinitivo si el sujeto es el mismo en ambas oraciones:

*Pretenden **escalar** la cumbre de la montaña.*

- Si el sujeto es distinto, exigen el subjuntivo:

*Desean que su hijo **pague** menos.*

2.º Con verbos de «inducción» *(mandar, rogar, persuadir, exigir),* de «concesión y permisión» admiten el infinitivo o el subjuntivo cuando el sujeto es el mismo:

*Les permito **ir**.*   *Les permito que **vayan**.*
*Les mandó **salir**.*   *Les mandó que **salieran**.*

3.º Con verbos como *pactar, convenir:*

- Admiten el infinitivo o el futuro si el sujeto es el mismo:

*Pactan **ir**.*   *Pactan que **irán**.*

*Convienen que **irán** a la votación.*
*Convienen que **vayan** a la votación.*
*Convinieron que **fuesen** a la votación.*

3.2. De aversión

1.º Con verbos como *rehusar, evitar,* si el sujeto es idéntico, admiten el infinitivo. En caso contrario, solamente el subjuntivo:

*Rehusaron **marcharse**.*
*Evitaron que el incendio **se propagase**.*

2.º Con verbos que indican **temor**, si el sujeto es el mismo, admiten el infinitivo; en caso contrario, el subjuntivo:

*Temo **venir**.*
*Teme que **vengas**.*

3.º Con verbos como *prohibir, impedir,* admiten tanto el infinitivo como el subjuntivo:

*Te prohíbo **viajar** en avión.*
*Te prohíbo que **viajes** en avión.*

V. Oraciones complejas exclamativas

1. Descripción formal

Expresan una valoración de los hechos por parte del hablante con matices sobre la reacción emocional que aquéllos provocan.

Suelen ir reforzadas por adverbios en **-mente** *(desgraciadamente, lamentablemente)* o por locuciones adverbiales *(por desgracia, por suerte...).*

También existen verbos con los que suelen producirse las exclamativas, como son:

me alegra		me agrada		me encanta	
me extraña		me gusta		me fascina	
siento	cómo...	es una lástima	cómo...	me hace feliz	cómo...
me satisface	cuánto...	me gusta mucho	cuánto...	me importa mucho	cuánto...
me pesa		me asombra			
es interesante		lamento		lo peor es	
etc.					

2. Descripción estructural

En relación con las oraciones simples, de las cuales pueden ser consideradas como una transposición, las complejas exclamativas se valen de los mismos tiempos y modos:

Oración simple	Oraciones complejas exclamativas	
	Exclama...	Exclamó...
¡Tú me insultas!	que cómo le insulta	que cómo le insultaba
¡Que yo vaya!	que cómo va a ir él	que cómo iba a ir él
¡Qué bonito es!	que cuán bonito es	que cuán bonito era
¡Quién lo hubiera hecho!	que quién lo hubiera hecho	que quién lo hubiera hecho

VI. Oraciones de relativo

1. Descripción formal

Son oraciones introducidas por una forma de relativo que funciona como adjetivo del antecedente al que se refiere:

*El hombre **que corría velozmente** no era de aquí.*

En este ejemplo, *que corría* equivale a un adjetivo *(corredor)* y califica al antecedente *hombre*.

A pesar de ello, el relativo puede desempeñar en su oración una función diferente de la del antecedente al que hace referencia. Así en:

Recogió al niño, **que** *lloraba desconsolado.*

el relativo *que* funciona como sujeto de *lloraba*, mientras que el antecedente *niño* es complemento directo de *recoger*.

2. Clases

Las oraciones de relativo son de dos clases:

a) Especificativas. Restringen el significado del antecedente a través de la determinación que hacen de él:

Los alumnos **que aprueben** *irán de excursión.*

El número de alumnos que *irán de excursión* se concreta en *los que aprueben*.

b) Explicativas. Que no hacen sino dar información complementaria sobre el antecedente, sin que ello implique una restricción del significado:

Los alumnos, **que aprobaron la asignatura,** *irán de excursión.*

La oración de relativo no hace sino dar una información sobre los alumnos, sin limitar el significado respecto al hecho de ir o no de excursión; sencillamente se informa que los que van de excursión *han aprobado todos*.

En la lengua escrita, las especificativas no se separan del antecedente mediante coma; las explicativas, por el contrario, siempre se separan con este signo de puntuación.

De igual manera, las primeras no pueden eliminarse sin que quede afectado el significado esencial de la frase; en cambio, podemos eliminar las segundas sin que el valor significativo quede esencialmente afectado.

3. Funciones

Ya se dijo anteriormente que las oraciones adjetivas desempeñan funciones de sustantivo en la oración. Como otros elementos de la lengua, pueden asumir esta función mediante la anteposición del artículo:

Éstos son **los que más aprovechan al espíritu.**

En este caso, el antecedente no está formalmente explícito, si bien el contexto será suficiente para saber que nos referimos, por ejemplo, a *los libros*.

No obstante, el antecedente puede aparecer:

Lo dijo con voz fuerte, **la que nadie puede negar haber oído.**

Nota.—Véase el capítulo de los **pronombres relativos.**

Descripción y tipología

Ya se ha dicho anteriormente que la mayor parte de oraciones complejas resultan de la incrustación de estructuras (GN + GV) dentro de otros GN o GV. Por tanto, la oración compleja no es una unidad lingüística de nivel superior al de la oración simple, sino una estructura donde uno o más constituyentes están formados a su vez por una oración (dentro de otra).

En la gramática tradicional se hablaba de *análisis gramatical* en cuanto que éste se aplicaba al estudio de la naturaleza y función de las palabras que formaban la oración; y se mencionaba el *análisis lógico* para referirse a la descomposición en proposiciones de la oración compleja con el fin de describir la red de dependencias sintácticas y distinguir la *oración principal* de la *subordinada.* Este tipo de análisis no cabe dentro de la concepción de oración compleja que en estas páginas se ofrece.

La oración compleja debe ser interpretada como una oración con varios **nudos de jerarquización**, como se percibe en un esquema arbóreo:

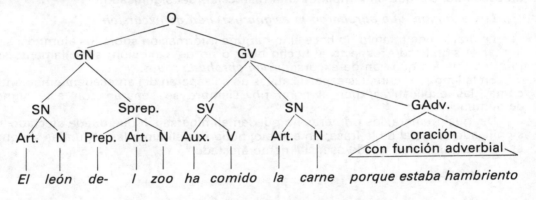

También conviene anotar que la gramática tradicional ha utilizado criterios diversos para el análisis: criterios funcionales *(completiva, circunstancial...)*, criterios del modo de unión *(relativas)*, criterios derivados de la categoría morfológica del verbo *(oraciones de infinitivo, participio, gerundio).*

Desde un punto de vista descriptivo, sin embargo, las oraciones complejas pueden ser reducidas a tres tipos:

- de GN: *sustantivas*
- de GAdj: *relativas*
- de GAdv: *adverbiales*

Esta última clase posee características sintácticas que la aíslan del resto y la convierten en una categoría particular marcada por

1.º Su opcionalidad.
2.º Su movilidad.

I. Oraciones de lugar

1. Descripción formal

Señalan el lugar donde algo ocurre o acontece:

*Aquí es **donde** yo vivo.*

Pueden considerarse como un caso especial de las oraciones adjetivas, con las cuales se confunden cuando el antecedente a que se refiere la partícula **donde** es un nombre o un pronombre:

*Ésta es la casa **en que** vivo = Ésta es la casa **donde** vivo.*

Las oraciones locales van encabezadas por un adverbio-relativo que expresa las diversas relaciones locales según la preposición que le acompañe:

a donde: indica lugar de destino.
de donde: señala lugar de origen.
por donde: señala el lugar de tránsito.
hacia donde: indica dirección.
hasta donde: señala el límite.

*Suele ir **a donde** va la gente.*
*Fueron a la ciudad **de donde** volvieron tarde.*
*Pasaron **por donde** habían empezado las obras.*
*Aquél es el límite **hasta donde** debes llegar.*

2. Descripción estructural

Estas oraciones pueden tener como antecedente:

a) Un adverbio:

*Aquí es **donde** pasé mi juventud.*

b) Un nombre:

*Éste es el **salón donde** celebramos las reuniones.*

c) Un pronombre neutro:

*Comprendo **esto, de donde** deduzco las consecuencias.*

d) Una oración entera:

Al atardecer llegaron muchas personas, de donde deduzco que se celebró la reunión.

Cuando son fácilmente reconstruibles por el contexto, los antecedentes suelen omitirse:

*Cené **donde** siempre (=Cené en el sitio donde siempre ceno).*

3. Análisis de las estructuras

● Las oraciones locales pueden construirse con todos los tiempos del indicativo, con el subjuntivo y, cuando el sujeto es idéntico en ambas oraciones, también con el infinitivo:

*Pasará **por donde** quiere pasar.*
*Señale una habitación **donde** duerman más de dos personas.*
*Los pobres no tienen **donde** dormir.*

II. Oraciones temporales

Las oraciones temporales señalan el tiempo en que se realiza el predicado de la oración en que están insertas.

1. Descripción formal

Las formas más utilizadas son:

cuando, antes que, mientras que, después que, tan pronto como, siempre que, en cuanto

1.1. Cuando

Las oraciones encabezadas por **cuando** pueden ir precedidas de la preposición **para**:

*Estaremos preparados **para cuando** lleguéis.*
*Estaremos preparados **cuando** lleguéis.*

El elemento correlacionado con **cuando** (generalmente un nombre o adverbio), suele omitirse. Pero, a veces, puede aparecer expresamente:

***Entonces** la mentira satisface, **cuando** verdad parece.*

Pero dado que la presencia de un antecedente es más propia de las oraciones de relativo, éstas son las preferidas si deseamos que dicho antecedente esté expreso.

Así se dirá:

*Fue el día **en que** llegué a este país.*

en vez de:

Fue el día **cuando llegué a mi país.*

1.2. Apenas, no bien

Tienen valor adverbial si van seguidas de **cuando**:

*Apenas se había sosegado la gente **cuando** llegó la policía.*

Sin **cuando**, ambas partículas funcionan como conjunciones temporales:

Apenas aparece la primavera, los campos se cubren de flores.

1.3. Como

Puede usarse solo o con el antecedente **tan pronto**:

*(Tan pronto) **como** vino la noche, nos metimos en casa.*

Las partículas **así, luego, tan luego** suelen combinarse con **que** e indican inmediatez de la acción:

Luego que llegamos, tomamos un respiro.
Así que llegó, se acostó en la cama.

1.4. Cuanto

Indica duración de la acción verbal y puede ir con o sin preposición:

*Has de trabajar **cuanto** dura el día.*

Combinado con **en** como antecedente:

* tiene valor durativo y equivale a **mientras**:

En cuanto vivió, fue amante de la pobreza.

* o bien señala inmediatez en la realización de la acción:

En cuanto llega a casa, se sienta en el sillón.

2. Descripción semántica

Las oraciones temporales pueden expresar diversos matices temporales:

2.1. Simultaneidad durativa. Se utiliza para ello **mientras (que), en tanto (que), entretanto (que)**.

*Mientras yo viva, **siempre** se hará lo mismo.*

2.2. Simultaneidad momentánea. Se usa de **al tiempo, al punto y hora que...**:

*Legué **al punto y hora** que quedamos.*

2.3. Anterioridad con **antes que, primero que**:

*Se levantó **antes que** se lo ordenasen.*

Nota.—Adviértase que en este caso la oración temporal exige el uso del subjuntivo.

2.4. Posterioridad con **después de (que)**.

Si la referencia de posterioridad es hacia el futuro, se usa el subjuntivo:

*Después que **coma** te dará la noticia.*

En caso contrario, se usa el indicativo:

*Después que **comió**, le dio la noticia.*

2.5. Posterioridad inmediata con **así que, luego que**:

***Así que** se supo la noticia, cundió el desorden.*

2.6. Principio o fin de la duración con **desde que, hasta que,** así como con **que** y verbos **haber, hacer**:

*Hace diez días **que** lo vi.*
***Desde que** lo vio, no se separó de su lado.*
*No paró **hasta que** lo consiguió.*

2.7. Repetición de actos o acciones con **siempre que, todas las veces que, cada vez que...**:

*Lo saluda **siempre que** lo encuentra por la calle.*

Nota.—Adviértase que las locuciones temporales con **haber, hacer** se usan directamente, sin preposición ni conjunción:

*Esto ocurrió **hace** cuatro años.*

O con las preposiciones **desde, hasta, de**:

*La moda data **de hace** tres años.*
*Lo viene diciendo **desde hace** cuatro meses.*

3. Modos y tiempos verbales

3.1. La expresión de una acción en presente o pasado implica el uso del presente o pasado, en ambos verbos:

***Canto** mientras **como**.*
***Escucho** música cuando **estudio**.*
*Apenas **llegó**, le **saludó**.*
*Después que **comía**, se **lavaba** las manos.*

3.2. Si hacemos referencia a una acción o hecho futuro, entonces la oración temporal exige el verbo en subjuntivo (modo de la no-realidad):

*Le invitaré **siempre que venga.***
*Promete abrazarlo **en cuanto llegue.***
*El juez mandó que le encarcelasen **cuando aterrizase el avión.***

- El imperativo exige también subjuntivo en la oración temporal:
*Ven cuando **puedas.***

3.3. El significado de simultaneidad puede ser expresado también con **al** + **infinitivo**:

***Al entrar,** se cayó por la escalera.*

La posterioridad o anterioridad, con **después de** y **antes de** + **infinitivo**:

***Después de abrir** la puerta, saluda.*
***Antes de entrar,** deje salir.*

Nota.—El uso del gerundio precedido de **en** expresa también sucesión inmediata, aunque su uso es obsoleto:

***En bajando** del avión, sonaron las campanas de la ciudad.*

Valor temporal de anterioridad tiene también la construcción con participio, denominada **construcción absoluta:**

***Vistos los expedientes,** se dictó sentencia.*

III. Oraciones modales

Estas oraciones expresan el modo o manera como se realiza el predicado de la oración.

1. Descripción formal

Suelen ir encabezadas por las conjunciones: **como, que, cual, cuanto, según, conforme.**

1.1. Como

- Puede tener como antecedente un adverbio de modo:
*Se portó **noblemente, como** convenía a su caballerosidad.*

- Un nombre, como **manera, modo**:

*Te contaré luego la **manera como** ocurrió el accidente.*

- A veces se omite el antecedente y en tal caso la preposición aparece unida a **como**:

*En lo que toca a (la manera) **como** has de gobernar, no esperes mi consejo.*

En estos casos, **como** enlaza dos oraciones y los verbos de cada una de ellas pueden expresarse (si son distintos); repetirse u omitirse el de la subordinada si es el mismo:

*Visito las playas, **como** me habéis aconsejado.*
*Se portó **como** un valiente.*

- **Como** puede ir seguido de **para**, especialmente en el lenguaje coloquial; se señala así la adecuación a una finalidad o resultado pretendido, sea o no real:

*Le habló al oído **como para** consolarle.*

1.2. Según

No debe confundirse con la preposición, de igual forma *(Según el hombre del tiempo...)*. Aunque su valor modal es más común, seguida de **que**, o con **que** elíptico, adquiere valor temporal:

*Lo hace **según** lo piensa.*
*Se deteriora su salud **según** (que) pasan los días.*

A veces se combina también con **como** y **conforme**:

*Tiende a hacer las cosas **según y como** le indican.*

Nota.—**Según** y **cómo** pueden constituir por sí mismos una oración elíptica modal:

— *¿Vendrás al cine con nosotros?*
—*Según y cómo* (=depende de condiciones o circunstancias).

2. Realizaciones de las oraciones modales

2.1. El valor modal puede expresarse también con partículas de relativo:

*Quiero explicarte el modo **con que** has de proceder.*

2.2. También el gerundio puede adquirir valor modal:

***Caminando** así, no llegará muy lejos.*

2.3. Idéntico valor se logra con la construcción «absoluta», con participio:

***Arrodillado**/Las rodillas en el suelo, suplicó clemencia.*

IV. Oraciones comparativas

1. Descripción formal

Mediante las oraciones comparativas expresamos el resultado de la comparación de dos oraciones desde el punto de vista del **modo, cualidad** o **cantidad.** La comparación puede expresar tres relaciones:

- de igualdad
- de superioridad
- de inferioridad

Para ello, nos servimos de los elementos correlativos siguientes:

Igualdad: **así ... como**
tal ... cual
así ... como / cual
tanto ... cuanto
tanto ... como
tal ... como

Superioridad: **más ... que**
(adjetivos comparativos) ... **que**

Inferioridad: **menos ... que**
(adjetivos comparativos) ... **que**

La comparación de **modo** se establece mediante los correlativos: **así ... como, así ... cual, tal ... cual.**

*Como el pobre que no recibe dinero no come, **así** la paloma que no recibe su grano de trigo, sufre de ayuno involuntario.*
*Cual manada de ovejas, **así** caminaban los prisioneros por la estepa.*
*Tal iba el miserable con su hallazgo, **cual** el niño con su juguete.*

La comparación de cualidad se establece mediante: **tal ... cual.**

*Cual es María, **tal** hija cría.*

La comparación de **cantidad** se establece mediante **tanto ... cuanto.**

*Tiene **tanto cuanto** necesita.*

2. Comparación de igualdad.

a) Cual y **cuanto** se usan como relativos y como conjunciones comparativas cuyos antecedentes son **tal, tanto** y **tal:**

*La reunión fue **tal cual** se esperaba.*
*Consiguieron **tanto cuanto** pidieron.*

• A veces se omite el antecedente:

Cual estrellas del cielo son sus ojos.
Dame cuanto tengas.

• El verbo de la comparativa puede omitirse en algunas ocasiones:

Cual lobo entre corderos discurría.

b) Según puede tener valor de igualdad, seguido de **así**:

Según sea el día, así será la noche.

c) Como, para establecer relación de igualdad, va precedido de **así** y a veces reforzado con **también, bien**:

Como el grano cae en la tierra y germina, así también el alma...

O en correlación con **tan, tantos**:

Tus hijos serán tantos como estrellas tiene el firmamento.

O precedido de **tal**:

Fue tal su valentía como nunca se había visto.

Estos antecedentes pueden también ser omitidos:

Pocas cosas son (tal) como parecen.

El verbo sólo se omite cuando hay coincidencia de formas verbales:

Nada deseaba tanto como (deseaba) la natación.

d) Comparación **condicional**:

• La oración comparativa introducida por **como** se omite cuando sigue un **si** condicional:

Le respeta como (le respetaría) si fuera su padre.

• El gerundio, precedido de **como** equivale también a una comparación condicional:

Marcharon como mirándose (=como si se miraran).

e) Igual ... que, lo mismo... que también expresan igualdad entre dos oraciones:

Igual talento requiere la tragedia que la comedia.
Lo mismo dice hoy que dirá mañana.

3. Comparación de desigualdad

Pueden diferenciarse tres clases de oraciones:

a) Las introducidas por los adjetivos **diverso, distinto, diferente** y los adverbios derivados:

Esto es distinto de lo que te había contado.

b) Las construidas con **más, menos, mayor, menor, mejor, peor, primero, antes:**

Primero es la obligación que la devoción.
Más vale pasar frío que pedir prestado.

c) Las formadas con **el más, el menos, el mayor, el menor, el mejor, el peor, el primero, el último, el postrero,** que implican el significado de «el más, el menos»;

Hizo el más grande de los esfuerzos (que podía hacer).

3.1. El término de comparación más usado es **que:**

Diversamente obra la naturaleza que la gracia.
No me fío de otro que de ti.

De, como término de comparación, es menos usado:

Más costumbres tiene de las que confiesa.

La partícula negativa **no,** añadida a **que,** resalta la comparación:

Más quiero mojarme que no quedarme encerrado en casa.
Mejor es decirlo que no amargarse uno la vida.

3.2. Que y de

● Cuando el término de comparación es una oración de relativo, sólo se usa **de** como término de comparación:

No hay en el mundo hombres más hábiles de lo que tú eres.

De esta manera se evita la ambigüedad originada por la repetición del **que:**

*Al fin llegaron más recursos   * que se habían pedido.*
*   de los que se habían pedido.*

● Cuando **más** va seguido de un numeral cardinal, partitivo o múltiplo, se hace obligatorio el uso de **de:**

Se perdieron más de trescientos hombres.
Me prestó más de una docena de libros.

● En oraciones negativas, puede emplearse **que** o **de:**

No se gastó más que mil pesetas.
No se gastó más de mil pesetas.

Pero en este caso el significado es distinto: en el primer ejemplo se señala la cantidad exacta que se gastó **(mil pesetas)**; en el segundo ejemplo se señala que la cantidad máxima que pudo haber gastado fue de mil pesetas (aunque no necesariamente gastó esa cantidad).

● Con los verbos **ser, parecer** y otros similares, **que,** seguido de un predicado, no puede ser sustituido por **de:**

Fue para el niño más que un amigo.
*Fue para el niño más de un amigo.

283

3.3. De, entre

El término de las comparaciones con **de, entre** es un nombre:

● En plural y generalmente precedido de **de** o **entre**:

*El primero **de los reyes** es Gustavo V.*

● O con preposición y sin concordancia con el adjetivo superlativo:

*Cicerón fue el más elocuente **de los oradores**.*

4. Valores de las comparativas

a) Valor comparativo-condicional, con **como si**:

*Me respeta **como si** fuera su hijo.*

b) Valor comparativo-causal, con **como**:

*Bondadoso **como** era, perdonó la vida a sus enemigos.*

c) Valor comparativo-consecutivo, con **para que** + **subjuntivo** o **infinitivo**:

*Son demasiados **para que** nos atrevamos a ofenderles.*
*Eran demasiados **para** atrevernos a ofenderles.*

d) Valor comparativo-restrictivo, con **cuanto**:

*Ayúdame **cuanto** puedas.*

V. Oraciones consecutivas

Las oraciones consecutivas establecen una relación de consecuencia entre ella y el predicado en el que está inserta. En parte, dicha **consecuencia** deriva de la intensificación de la cantidad:

*Dio **tal** puntapié **que** derribó la puerta.*

En este ejemplo puede apreciarse cómo el aumento de la intensidad de la acción cuantitativa, provocada por el **puntapié**, origina el derribo de la puerta.

1. Nexos

Las consecutivas suelen ir encabezadas por marcadores correlativos:

tanto/tan ... que
tal ... que
así ... que
de modo ... que
de manera ... que

*Sentí **tanto** frío **que** me acosté.*
***Tan** oscura era la noche **que** no pudimos continuar caminando.*
*Toca la guitarra de **modo/manera que** casi la hace hablar.*
***Así** estaba enfadada **que** no quiso ni hablar.*

2. Tiempos verbales

En cuanto a los tiempos verbales, admiten tanto los del indicativo (si la consecuencia es real) como los del subjuntivo (si la consecuencia es o se presenta como irreal):

*Es **tanto** el calor **que** invita al baño.*
*Hace **tanto** calor **que** uno se hubiera bañado con gusto.*

3. La negación y el modo

Si el primer verbo va acompañado de negación, el segundo debe ir en subjuntivo:

*No hizo **tanto** frío **que** se helase el estanque.*

También admiten la construcción con **hasta** + **infinitivo:**

*Hizo frío **hasta quedarse** helada el agua.*

Y, si es negativa la oración, admite la preposición **sin** + **infinitivo:**

*No es posible perder la fortuna **sin arrastrar** a otro a la ruina.*

4. *Que* consecutivo

Que, término que establece el punto inicial de la consecuencia, puede no llevar a veces el antecedente intensificador:

*Toca la guitarra (de modo) **que** la hace hablar.*

VI. Oraciones condicionales

Estas oraciones expresan una relación de condición para que el predicado oracional pueda realizarse.

1. Tipos de relación condicional

La relación entre dos oraciones puede concebirse como *necesaria*, como *imposible* o como *contingente*. En cada uno de estos casos, la forma de expresión varía.

a) Relación necesaria. El modo de expresión de esta relación es el indicativo en la prótasis y cualquier tiempo en la apódosis:

$$\textbf{Si } \text{yo} \begin{cases} \textit{vengo,} \\ \textit{he venido,} \\ \textit{venía,} \\ \textit{vine,} \end{cases} \begin{cases} \textit{él se va} \\ \textit{él se ha ido} \\ \textit{él se iba} \\ \textit{él se irá} \\ \textit{él se fue} \end{cases}$$

b) Relación imposible. Puede referirse:

1.° *Al presente o al futuro.* En este caso, la correlación de tiempos en la prótasis y apódosis es la siguiente:

Imperfecto de subjuntivo	Condicional
Si tuviera dinero,	**podría** comprarme un coche

2.° *Al pasado*, con la consiguiente correlación temporal:

Pluscuamperfecto subjuntivo	— Pluscuamperfecto subjuntivo — Condicional compuesto
Si hubiera tenido dinero,	me **hubiera comprado** un coche me **habría comprado un coche**

c) *Relación contingente.* Se expresa en la prótasis como algo dudoso cuya realización no depende del hablante. La correlación de tiempos es la siguiente.

Imperfecto subjuntivo/ Futuro imperfecto subjuntivo	— Indicativo presente — Imperativo — Condicional
Si te pidiese dinero, **Si te pidiere** dinero, **Si te pidiera** dinero,	se lo **das** dáselo se lo **darías**

Nota.—Tras la partícula condicional **si** no se admite nunca ni el futuro, ni el condicional, ni el presente de subjuntivo:

Si **vendrás a verme...*
Si **vendrías a verme...*
Si **vengas a verme...*

2. Nexos

Formas que suelen encabezar la condición:

- La conjunción **si**, la más usada.

- Las locuciones conjuntivas:

Dado que:	***Dado que*** *tienes dinero, hazme un regalo*
Supuesto que:	***Supuesto que*** *es verdad, confiesa tu culpa*
Ya que:	***Ya que*** *no hay remedio, esperaremos*
Con tal que:	*Lo sabrás,* ***con tal que*** *me prometas no decirlo*
En caso que:	***En caso que*** *cobre, pagaré la casa*
Caso de que:	***Caso de que*** *viniese solo, le invitaría a cenar*
Siempre que:	*Le perdonaríamos* ***siempre que*** *se arrepintiese*
A menos que:	*Su conducta es inconcebible* ***a menos que*** *no esté drogado*
Con que:	***Con que*** *me lo digas, basta*

- Oraciones relativas como:

El bien **que** *viniere (=si viene algún bien), para todos sea y el mal, para* **quienes** *lo fueren a buscar.*

- El infinitivo precedido de las preposiciones **a, de** y a veces de **con**:

A juzgar *por sus observaciones, ha leído el libro* (=si juzgamos sus...).
A ser *posible, que venga solo* (=si es posible...).
De venir, *ven cuanto antes* (=si vienes...).
Con presentarte *tú, es suficiente* (= si te presentas tú...).

- Con gerundio:

Siendo *favorables los vientos, llegaremos pronto a puerto* (=si los vientos...).

VII. Oraciones concesivas

Las oraciones concesivas expresan un obstáculo, oposición u objeción para la realización del predicado de la principal, si bien luego se confirma que dicho obstáculo no impide tal realización.

1. Nexos concesivos

Las formas utilizadas para expresar dicha relación son:

aunque, si bien, a pesar de que, por más que, aún cuando, por... que

2. Uso de tiempos y modos

La oración concesiva ofrece una amplia variedad de uso respecto a los tiempos verbales, ya que pueden ser tanto de indicativo como de subjuntivo.

Téngase en cuenta que:

a) Si en la concesiva se utiliza el indicativo, señalamos que existe realmente una dificultad para realizar la acción expresada por el predicado de la principal:

*Aunque **tiene** dinero, no lo gasta.*
*Aunque **tenía** dinero, no lo gastaba.*

Se da como cierto y real que **tiene dinero o lo tenía.**

b) Si en la concesiva se utiliza el subjuntivo, en tal caso nos referimos a la existencia de una dificultad que puede ser real, pero que no necesariamente lo es o ha de serlo. De hecho el hablante la presenta solamente como posible o probable:

*Aunque **tenga** dinero, no lo gastará.*
*Aunque **tuviese** dinero, no lo gastaría.*

En ambos ejemplos, el hecho de **tener dinero** se establece como una posibilidad que en manera alguna, incluso si existiese realmente, impediría la ejecución de la acción señalada por el predicado.

3. Correlaciones temporales

Lo expresado anteriormente explica el sentido de la utilización de las formas de indicativo o subjuntivo. Pero junto a este hecho, se dan en las oraciones concesivas determinadas restricciones en el uso de los tiempos de las dos oraciones en relación. Tales restricciones vienen exigidas por las correlaciones temporales que necesariamente han de darse entre lo que se presenta como real o sólo como posible (por tanto no-real todavía) y el predicado oracional:

Esquema de correlaciones temporales	
Oración concesiva	Oración principal
INDICATIVO **presente** *Aunque trabaja mucho,*	INDICATIVO **presente, futuro** *no gana mucho dinero* *no ganará mucho dinero*
imperfecto *Aunque trabajaba mucho,*	**imperfecto, indefinido** *no ganaba mucho dinero* *no ganó mucho dinero*
futuro *Aunque trabajará mucho,*	**futuro** *no ganará mucho dinero*
condicional *Aunque estudiaría más allí,* *Aunque ganaría más en esa empresa,* *Aunque trabajaría mucho,*	**presente, futuro o condicional** *no quiero gastar tanto dinero* *no cambiaré de trabajo* *no ganaría mucho dinero*

Esquema de correlaciones temporales	
Oración concesiva	Oración principal
SUBJUNTIVO **presente** *Aunque trabaje mucho,*	INDICATIVO **futuro** *no ganará mucho dinero*
imperfecto *Aunque trabajase mucho,*	**condicional** *no ganaría mucho dinero*
SUBJUNTIVO **presente** *Aunque trabaje mucho,*	IMPERATIVO, SUBJUNTIVO **presente** *págale poco* *no le pagues mucho*

Nota.—El esquema anterior no agota todos los casos posibles de correlación temporal en ambas oraciones. Obsérvese, además, que en algunos casos se dan restricciones impuestas por las partículas utilizadas en la concesión (como se verá luego), mientras en otros la presencia de la negación puede también exigir la forma de subjuntivo.

4. Formas que establecen relación concesiva

● **Aunque** es la forma más usada para expresar concesión, como ha quedado reflejado en el esquema precedente.

● **por ... que** exige subjuntivo:

Por sabios que sean, este problema no lo resolverán.

● **si bien** exige tiempos de indicativo:

Si bien sus modales son suaves, su carácter es enérgico.

● **aun cuando** puede construirse con indicativo o subjuntivo:

Aun cuando todos le odien, él no cejará en su empeño.
Aun cuando todos conspiran contra él, el ministro no dimite.

● **con lo** + **adverbio** o **adjetivo** + **que** se construye con indicativo:

Con lo poco que come, todavía engorda.
Con lo simpático que es, no tiene novia.

● **todo** forma oración con gerundio no expresado:
Enfermo y todo, siguió/sigue/seguirá trabajando (Aun estando enfermo...).

● **que** + **subjuntivo** + **que** no constituye una estructura fija:

Que quiera que no, lo haré.
Que venga que no, le reservaré hotel.

● **con + infinitivo:**

Con ser mayor, todavía tiene mucha energía.

● **aun + gerundio:**

Aun pidiéndotelo yo, no lo haces.

● **siquiera** exige subjuntivo:

*Hazme este favor, **siquiera** sea el último.*

● repetición del verbo, en subjuntivo:

Escribas lo que escribas, nadie lo leerá.
Venga quien venga, no me moveré de aquí.

VIII. Oraciones causales

Expresan la causa por la que se realiza la acción de la oración principal.

1. Clases

La causa puede ser de dos tipos:

● **Causa lógica**, que se deduce de la afirmación enunciada:

*Ha enfermado, **porque** no ha venido* (deducimos que está enfermo, puesto que no ha venido como suele hacer cada día).

● **Causa real**, que se deduce de la realidad expresada por la oración:

*Ha enfermado **porque** ha comido demasiado* (la causa de haber enfermado reside en la comida excesiva).

2. Fórmulas para expresar causa

Son muchas las formas utilizadas para expresar relación de causa entre oraciones:

a) Conjunciones o locuciones:

porque	*ya que*
pues	*pues que*
puesto que	*supuesto que*
como	*como que*
comoquiera que	*por cuanto*
es que	*en vista de que*
a causa de que	*cuando*
etc.	

b) Infinitivo precedido de **por, de**:

*Estoy castigado **por no haber cumplido** con mi deber.*
*Se ha vuelto loco **de** tanto **estudiar.***

c) Gerundio:

***Atendiendo** al bien de todos, se ha de castigar al delincuente.*

d) Relativo:

*Feliz de mí **que** he hallado el perdón.*

e) Que:

*Duerme, **que** si no mañana estarás cansado.*
*Ten paciencia, **que** ya llegará el día.*

3. Usos de los nexos causales

Es que tiene valor causal y suele usarse detrás de una oración condicional:

*Si no ha venido, **es que** se le ha estropeado el coche.*

O en respuesta a una pregunta:

—¿Por qué no escribes?
*—**Es que** no tengo lápiz.*

porque, pues, puesto que, ya que:

*No viene **porque** está enfermo.*
*Ponte una manta más, **pues** hará frío esta noche.*
*Vayamos todos juntos, **puesto que** la unión hace la fuerza.*
*No se hará nada, **ya que** todo depende de él.*

Como, además de valor modal y comparativo, puede ser causal:

***Como** oyó ruido, salió a ver lo que pasaba.*

de + adverbio + infinitivo:

***De tanto leer** se le ha deteriorado la vista.*

4. Tiempos y modos verbales

Las oraciones causales admiten tanto el indicativo como el subjuntivo, dependiendo la presencia de uno o de otro de la intención comunicativa del hablante y de cómo presenta éste el mensaje (como **real**, como **posible** o como **no experimentado**):

*No ha llegado porque **está** enfermo.*
*No vino porque le **habrían castigado.***
*No vino porque le **hubieran castigado.***
*Lograría el primer premio, puesto que **sería** el mejor.*
*Habría logrado el primer premio, puesto que **hubiera sido** el mejor.*

IX. Oraciones finales

Expresan el fin o intención con que se realiza la acción de la oración principal.

1. Formas utilizadas

a) Conjunciones:

a que	**para que**
porque	**a fin de que**

*Vengo **a que** me ayudéis en el trabajo.*
*No dice nada, **porque** no le oigan.*
*Se esconde de la policía **a fin de que** no le metan en la cárcel.*
*Escribe **para que** le lean.*

b) Preposiciones:

a, para, por (seguidas de infinitivo):

*Vengo **a hablar** de negocios.*
*La ataron **para forzarla** a hablar.*
*No te lo pido **por** no **molestarte.***

c) Las locuciones **a fin de, en razón de, en orden a** + **infinitivo:**

*Lo hicieron público **en orden a** no tener que ir ante los tribunales.*

d) Relativos:

*Le asignaron un despacho en (el) **que** estudiara.*

2. Tiempos y modos verbales

a) Si el sujeto de la oración principal y final no es el mismo, ésta exige subjuntivo:

*La llamo para que me **responda.***
*Han contratado a más obreros con el fin de que **adelanten** las obras.*

b) Si el sujeto en ambas oraciones es el mismo, en vez del subjuntivo, se utiliza el infinitivo:

*Iremos a clase para **aprobar.***
*Come poco para no **engordar.***

*Nota.—***Tener ... que** tiene el valor de finalidad, de necesidad o de obligación:

*   ***Tengo** muchos libros **que leer.***
*   *¡**Tenemos** tantas cosas **que** hacer!*

X. Construcciones absolutas

1. Construcción de participio

El participio, como adjetivo verbal, puede ser usado:
- como atributo: *Las hojas del árbol **caídas**.*
- como predicativo: *Está **revuelto**.*

y sobre todo:
- como equivalente de una suboración:

***Dicho** esto, se levantó la sesión.*

Esta construcción se denomina *absoluta*.

Como tal:

a) Está desligada de toda concordancia con los elementos de la oración, excepto con los de dicha construcción:

*Los jugadores, **perdido el partido**, se desanimaron.*

b) Equivale a una oración:

- temporal: ***Dicho esto**, se levantó la sesión.*
- condicional: ***Disuelto el Parlamento**, no habrá más problemas.*
- modal: ***Calada la boina**, marchó silencioso.*
- concesiva: ***Conocida la desgracia**, reaccionó con serenidad.*

2. Construcción de gerundio

El gerundio, que no concuerda con el sujeto de la oración, indica:

- modo: ***Siendo ella así**, su marido la adoraba.*
- condición: ***Haciéndolo tú**, estamos tranquilos.*
- *causa: **Hablando tan alto**, le abuchearon.*
- tiempo: ***Viajando a la luna**, tuve experiencias únicas.*

3. Construcción de infinitivo

Las construcciones absolutas de infinitivo equivalen a una oración:

- temporal: ***Al salir el sol**, nos levantamos.*
- final: ***Para tener éxito**, hay que esforzarse.*
- causal: ***Por haber llegado tarde**, le han castigado.*
- condicional: ***De ser así**, lo aceptaría.*
- concesiva: ***Con tanto trabajar**, no consiguió lo que quería.*

16 EL PERÍODO. LA COORDINACION DE ORACIONES

La simultaneidad de la expresión lingüística en el tiempo y en el espacio imponen la necesidad de un orden en la sucesión de los elementos utilizados. Si, además, debemos comunicar contenidos que son homogéneos, entonces recurrimos a la **coordinación**, que no es más que la ordenación sucesiva de varias partes u oraciones iguales. En la coordinación, no existe dependencia de ninguna clase, ya que sólo utilizamos grupos u oraciones análogas en cuyo paralelismo o antítesis se descubre una relación recíproca de identidad o heterogeneidad.

Por otro lado, las conjunciones expresan relaciones de:

- homogeneidad (copulativas y explicativas).
- heterogeneidad (disyuntivas, distributivas y adversativas).

En consecuencia, podemos afirmar que la **coordinación** es la unión de dos o más oraciones simples para formar una unidad superior que llamamos **período**.

No parece adecuado utilizar la denominación de **oración compuesta** en el caso de la coordinación, puesto que ésta se realiza mediante oraciones de igual rango jerárquico; de la coordinación no resulta otra oración de rango superior, sino un *período* o *conjunto de oraciones*:

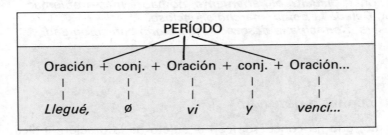

I. Coordinación copulativa

1. Caracterización

Dos o más oraciones coordinadas mediante nexos copulativos no mantienen ningún tipo de relación entre sí, excepto el grado de homogeneidad que las caracteriza. Son de igual rango sintáctico y, sencillamente, *se unen*.

La homogeneidad puede existir realmente en las oraciones unidas o sólo en la intención del hablante. Así:

*La juventud **es alegre por lo que espera** y **débil por lo que tiene**.*

contiene una homogeneidad derivada de la igualdad de estructuras atributivas.

En:.

*Juan **come** y **duerme bien,***

existe homogeneidad estructural y temporal.

En:

*Juan **compró un lápiz** y Luis **lo gastó** escribiendo,*

hay identidad estructural del complemento directo (**lápiz** y **lo**)

En:

*La esperaremos media hora: yo **leeré** el libro, tú **tomarás** una cerveza y Paula **verá** la televisión,*

la homogeneidad no existe en el plano estructural o léxico, sino sólo en la mente del hablante, que expresa tres acciones que para él son iguales.

2. Formas copulativas

y: *Vinieron Juan **y** su madre.*
e: *Llegaron padre **e** hijo.*
ni: *No llegó **ni** el padre **ni** el hijo.*
que: *Dale **que** dale.*

Y se sustituye por **e** si el sonido que sigue empieza por [i] (**hi** o **i**).

Con frecuencia estos nexos van acompañados de adverbios como **también, igualmente, tampoco, asimismo...**

3. Clases de coordinación copulativa

Puede ser afirmativa o negativa.

3.1. Oraciones copulativas afirmativas

a) Cuando se dan en cada oración elementos iguales y con idéntica función, éstos pueden fundirse en uno solo, uniéndose los que son diferentes mediante partículas copulativas. Se evita así la redundancia de elementos iguales:

***Tu amigo** llegó alegre / **Tu amigo** llegó cansado = **Tu amigo** llegó alegre y cansado.*

*Los niños **juegan en el patio** / Las niñas **juegan en el patio** = Los niños y las niñas **juegan en el patio.***

*Los niños juegan / **Los niños** se divierten = Los niños juegan y se divierten.*

*Juan **entró en la sala** / Andrés **entró en la sala** furtivamente = Juan, y Andrés furtivamente, **entraron en la sala.***

b) Cuando se coordinan componentes diversos, éstos se unen mediante yuxtaposición, excepto el último elemento, que va precedido de la conjunción **y**:

*Los libros, los cuadernos, los bolígrafos **y los lápices** son útiles para el alumno.*

*Juan trabaja, Luis rotula **y Julia** escribe.*

Si queremos destacar la presencia de los diferentes componentes por razones estilísticas, se utiliza la conjunción copulativa en cada caso:

En la calle **y** *en la casa* **y** *en la escuela no hacen más que hablar.*

Para dar más agilidad al discurso, es posible prescindir también de toda conjunción copulativa:

Llama, grita, llora, se desespera...,

como ocurre precisamente en el caso en que varias enumeraciones se recogen en una palabra a manera de recapitulación:

Riqueza, honra, bienestar, **todo** *lo sacrificó por su familia.*

c) En ocasiones, para destacar la intensidad de la unión, se utiliza **con** o **como** en vez de **y**:

El reo, **con** *todos sus cómplices, fueron ejecutados.*
Los libros, **como** *las películas, aportan algo de cultura.*

d) En la unión que exige **comas,** la preposición que pueda regir un determinado verbo se incluye sólo en el primer elemento:

Era **de** *talla alta, color moreno, pelo negro...*
Viajaba **por** *España, Italia, Francia...*

e) Cuando los tiempos verbales de cada oración difieren en tiempo o modo, no deberían, desde el punto de vista de la lógica gramatical, fundirse en uno solo; sin embargo, es uso frecuente:

Estamos seguros de que tienes esta intención / Nos alegramos de que tengas esta intención = Estamos seguros **de que tienes** *esta intención y nos alegramos* **de que** *la* **tengas** (construcción gramaticalmente correcta).

Pero:

Estamos seguros y nos alegramos **de que tengas** *esta intención* (construcción de uso frecuente).

4. Reglas generales que rigen la coordinación afirmativa

4.1. Para los elementos oracionales

a) Si los sujetos son diversos, prevalece la primera persona o, en su defecto, la segunda:

Tú, ella y **yo podemos** *viajar juntos.*
Tú *y ella* **podéis** *salir juntos.*

b) Si los nombres coordinados son de diferente género, el adjetivo acompañante debe ir en plural y en masculino:

La casa tenía puertas y balcones **blancos.**

4.2. Para los verbos

La coordinación de verbos puede hacerse mediante elipsis o supresión en una de las oraciones:

Pedro y Juan cantan   (unión de sujetos y verbo en plural).
Pedro canta y Juan   (elipsis en una oración solamente).
Canta Pedro y Juan   (elipsis en una).

4.3. Para otros elementos

a) Si se trata de adverbios en **-mente**, se suprime esta terminación en todos menos en el último de ellos:

*Isabel vive **modesta** y pobre**mente**.*

b) Si los términos coordinados son elementos precedidos de preposiciones o adverbios diferentes, entonces se coordinan las preposiciones y adverbios y no se repite dicho elemento:

*En el grupo venía gente **con y sin** sombrero.*
*Lo hace **donde, como y cuando** quiere.*

c) La coordinación puede hacerse, si se trata de oraciones diferentes, anteponiendo **y** a la última y suprimiendo los elementos comunes, que sólo se expresan en la primera oración:

*Al enfermo la noche le **parece eterna** y el día **breve**.*

Reglas similares a las enunciadas anteriormente rigen en:

***Dejando libres,** sin marcha el coche **y** sin freno el tren.*
*Lo que depende de otra cosa **y** está asido **a ella** (en vez de a otra cosa).*

d) Si los verbos coordinados rigen o exigen preposiciones diferentes, éstas no se omiten:

*Providencias exigidas **por** y acomodadas **al** estado actual de la nación.*

e) Cuando la coordinación se realiza mediante **fusión** de dos o más elementos, la conjunción suele ser reforzada o matizada por adverbios *(además, también, igualmente, aun, hasta...):*

*La poesía vive de la imágenes **y también** saca de ellas su fuerza.*

5. Copulativas negativas

5.1. Las oraciones copulativas negativas se diferencian de las afirmativas en que el nexo de unión es la partícula **ni** y porque el verbo, si se antepone a los elementos coordinados, ha de llevar negación, mientras que si va pospuesto, no:

***Ni** Pedro **ni** Juan **pintan**.*
***No pintan ni** María **ni** Laura.
***Ni** Teresa **ni** Pilar **pintan**.*

5.2. El verbo y el adjetivo pueden ir o no en plural:

> *Ni Juan canta, ni Marta.*
> *Ni cantan Juan ni Marta.*

5.3. El primer nexo **ni** puede ser sustituido por **no** si los elementos coordinados son verbos:

> *Ni era rico, ni tampoco sabio.*
> *No era rico, ni tampoco sabio.*

5.4. A veces, se omite **ni** si el verbo va precedido ya de negación:

> *No te lo daré (ni) hoy ni mañana.*

O, aunque no lleve negación, se pospone:

> *El necio (ni) en su casa ni en la ajena sabe hablar.*

También se omite el **ni** en las coordinadas de negación implícita:

> *En mi vida le ofenderé ni le daré motivo para ofenderse.*

6. La gradación

Si se da alguna gradación entre los elementos u oraciones coordinadas, ésta se puede expresar:

6.1. Reforzando la conjunción **y** con los adverbios **aun, hasta**:
> *Leones, tigres, monos y hasta elefantes huían del fuego.*

6.2. Reforzando la conjunción **ni** con **y, aun, siquiera** (en las negativas):
> *Ni mis amigos, ni mis hermanos y ni mis hijos le vinieron a ver.*

II. La coordinación explicativa

1. La explicación

Siempre que una oración exprese el mismo mensaje que otra que precede o sigue, se unirán mediante **conjunción explicativa**:

> *Detuvieron al juez, es decir, prendieron a la justicia.*
> *La cooperación, o acción conjunta, contra el terrorismo.*

2. La ampliación

Si una oración expresa un contenido con mayor o menor extensión que la anterior, también van unidas mediante conjunción **explicativa**:

*Pocos son los españoles a quienes les preocupa no cumplir las leyes, **mejor dicho**, son pocos los que no se jactan de haberlas infringido.*

3. Formas utilizadas

Suelen ser locuciones que funcionan como **explicación** o **ampliación**:

es decir	**mejor dicho**
como si dijera	**por ejemplo**
a saber	**esto es**
en otros términos	**dicho con otras palabras**
etc.	

III. La coordinación disyuntiva

1. Caracterización

Tanto las conjunciones disyuntivas como las adversativas expresan heterogeneidad de contenidos. Se llaman oraciones **disyuntivas** porque entre ellas existe relación de exclusión o alternancia:

***O** vienes hoy **o** no vienes nunca.*
*Comes conmigo **o** comes solo.*

2. Nexos

La coordinación disyuntiva se realiza mediante las formas o conjunciones: **o, u, o bien**

U sustituye a **o** si la palabra que sigue empieza por el sonido [o] (gráficamente o-, ho-):

*Tengo siete **u** ocho libros.*
*O son mujeres **u** hombres.*

3. Las disyuntivas excluyentes

Desde el punto de vista del significado, las disyuntivas implican elección **excluyente**:

***O** lo tomas **o** lo dejas.*

O elección **no excluyente**:

*Creyentes **o** no creyentes, todos coincidimos en los deseos de paz.*

IV. La coordinación distributiva

Definición y formas

La coordinación distributiva implica el enunciado de acciones alternativas, pero no excluyentes. Para su realización se utilizan formas correlativas:

unos ...	otros	bien ...	bien
este ...	aquel	ora ...	ora
tal ...	tal	ahora ...	ahora
cual ...	cual	que ...	que
ya ...	ya		

***Unos** venían cantando, **otros** llorando.*
***Bien** leen, **bien** escriben.*
***Ahora** dicen esto, **ahora** dicen lo otro.*
*Nadie debe jactarse de ello, **que** sea el dueño, **que** sea el gerente.*

V. La coordinación adversativa

1. Definición

Mediante este tipo de coordinación se unen oraciones que expresan relación de divergencia, diversidad o contrariedad. Esta oposición sirve para corregir, limitar o graduar; de ahí que las adversativas puedan ser clasificadas en *correctivas, limitativas y gradativas.*

2. Nexos

Como nexos de unión, se utilizan las conjunciones siguientes:

2.1. Para corregir:

sino, sino que, antes, antes bien, más bien

*No es tonto, **sino** caprichoso.*
*Camina despacio, **más bien** lentamente.*

2.2. Para limitar:

mas, pero, empero, aunque, sin embargo, con todo, a pesar de, si bien, bien que, no obstante

*Es joven, **pero** maduro.*
*La fruta ya está buena, **si bien** todavía conviene que madure un poco más.*

2.3. Para graduar:

no sólo ... sino también
no solamente ... sino que

***No sólo** compra coches, **sino** también helicópteros.*

3. Clases

Los elementos y oraciones que se oponen pueden ser:

Afirmativos: ***No sólo** había hombres y niños, **sino también** mujeres.*
Negativos: ***No sólo no** conseguimos bajar, **sino tampoco** subir.*
Afirmativos y negativos: ***No solo** no me alabó, **sino** que me criticó.*
  ***No sólo** me hirió, **sino que** ni siquiera me dejó hueso sano.*

Las conjunciones adversativas pueden ir reforzadas por **al contrario, en cambio**:

*No descansarán, **antes al contrario**, reventarán trabajando.*
*No caminan, **pero en cambio** se fatigan.*

4. Características de uso

● **pero:**

Es la conjunción más utilizada; **mas** (sin acento) se emplea menos.
Pero debe preceder siempre a la segunda oración, y no puede encabezar la frase:

*Lo vi, **pero** no lo toqué.*
*Pero no lo toque, lo vi.

Si aparece al inicio de una oración es porque se contrapone a una situación que no está explícita lingüísticamente:

¡Pero si ha llegado! (contrapuesto a *Pensaba que no había llegado*).

● **pero** y **aunque:**

No son totalmente equivalentes; **aunque** expresa restricción parcial del contenido:

*Tu hermano es fuerte, **aunque** pálido* (=a pesar de ser pálido es fuerte).
*Tu hermano es fuerte, **pero** pálido* (=a pesar de ser fuerte es pálido).

● **sino:**

Es restrictiva total y va siempre precedida de una negación en la oración anterior; de ahí que contraponga una oración afirmativa a una negativa:

*No come carne **sino** fruta.*

Con valor de **gradación,** va precedido de **no sólo:**

***No sólo** come dos veces al día, **sino** tres.*

● **sino que:**

Se usa para coordinar verbos de dos oraciones:

*No llueve, **sino que** nieva.*

Aunque a veces puede usarse **sino** *solamente:*

*No corre, **sino** vuela.*

ÍNDICE SISTEMÁTICO DE MATERIAS

imperativo: formas, 125, 147; usos, 148.
imperfecto: de indicativo, 141; de subjuntivo, 146; usos, 146.
incontables → **nombre**.
indefinido (adjetivos): singularizadores, 42; pluralizadores, 44; partitivos, 44; totalizadores, 46.
indefinidos (pronombre): clases, 109; formas, 109-110.
indefinido (tiempo verbal): irregular, 157-159; regular, 142.
indicativo: 127; regular, 140; irregular, 157; usos, 140, 268-269, 271.
infinitivo: formas, 134; usos, 134; con preposición, 135.
interrogativo (adjetivo): formas, 69; usos, 69.
interrogativo (pronombre): formas, 115; usos, 115.

INDICE DE MATERIAS

4. Los determinantes

16. Período. La coordinación de oraciones